2023

보건직, 보건진료직, 의료
보건복지부 공무원, 각종

단박에 합격하기

공중보건

기출문제+모의고사

최성희, 홍아란 공저

☑ 최근 10년간 기출문제 변형 단원별 예상문제

☑ 다빈도 출제문제로만 구성된 기출동형 모의고사

☑ 머리속에 쏙쏙 이해되는 명쾌한 해설

군자출판사

공중보건 기출문제+모의고사
(단박에 합격하기)

제1판 1쇄 인쇄 | 2022년 10월 27일
제1판 1쇄 발행 | 2022년 11월 08일

지 은 이 최성희, 홍아란
발 행 인 장주연
출 판 기 획 한인수
책 임 편 집 구경민
표지디자인 이종원
내지디자인 이종원
발 행 처 군자출판사
　　　　　등록 제 4-139호(1991. 6. 24)
　　　　　(10881) **파주출판단지** 경기도 파주시 회동길 338(서패동 474-1)
　　　　　전화 (031) 943-1888 팩스 (031) 955-9545
　　　　　www.koonja.co.kr

ISBN 979-11-5955-934-1

정 가 25,000원

단박에 합격하기

공중보건

기출문제+모의고사

profile

저자 약력

최성희

충남대학교 간호학 석사
한양대학교 간호학 박사 수료
前 가톨릭대학교 대학병원 간호사
前 질병관리청 국민건강영양조사과 기술연구원
前 전북보건안전센터 산업간호협회 사업과장
現 해커스 공무원 간호직 / 보건직 대표 교수
　　전북과학대학교 간호학과 초빙교수

저서

『9급 공중보건』
『보건행정 이론서』
『8급 지역사회간호학』
『간호관리학 이론서』 등 다수 수험서

논문

관상동맥질환자의 생활습관과 삶의 질 건강군과의 성향점수매칭
비교 등 간호와 보건의료에 관련 다수 논문

홍아란

서울보건대학교 임상병리학과를 졸업
前 국립암센터 임상연구협력센터 근무
現 의정부성모병원 임상병리사

저서

『임상병리사 실전모의고사 실기편』(2012~2019)
『임상병리사 실전모의고사 필기편』(2012~2019)
『임상병리사 의료관계법규』(2018)
『공중보건(7, 9급) 핵심요약 및 적중예상문제』(2016)
『임상병리사 이론요약집』(2013) 외 다수 수험서

머리말

본서는 보건직, 보건진료직, 의료기술직, 보건복지부 공무원, 군무원 등 국가공무원 시험이나 보건의료인 국가시험을 준비하는 수험생들, 또한 승진시험을 앞두고 준비 중인 분들에게 도움을 주기 위해 최신 기출문제 내용을 포함하여 다년간의 기출문제들을 철저하게 분석하고 연구하여 출간한 문제집입니다.

공무원 시험에 대비하기 위해서는 기본적으로 이론에 충실하며 기출문제를 철저하게 분석하여 어떠한 문제가 나오더라도 망설임 없이 정답을 찾을 수 있을 정도의 실력을 쌓아야 합니다.

본 수험서를 집필하면서 지난 10년간의 기출문제들을 분석하고 정리하여 출제율이 높은 문제들을 단원별로 정리하였습니다. 수험생들이 반드시 알아야 할 출제율 높은 기출문제들과 더불어 틀린 문제들에 대해서 쉽게 이해할 수 있도록 핵심요약 해설집을 준비하였습니다.

본 수험서는 해커스 공무원 보건직에서 강의용으로 활용 중이며, 이론의 내용을 정리할 때 동영상 강의가 필요하신 분들은 egosi.hackers.com에서 이론 강의를 유료 수강할 수 있습니다.

마지막으로 본 수험서 출판에 도움을 주신 군자출판사 대표님 및 임직원들께 깊은 감사를 드리며, 해커스 공무원 수험생 여러분과 전국의 공무원 시험 도전자, 보건관련 승진 대상자들의 건승을 기원합니다. 감사합니다.

2022년 11월 01일

저자 최성희, 홍아란

contents

공중보건 예상문제

Part 1. 공중보건과 건강

제1장 공중보건학 ⋯⋯⋯⋯⋯⋯⋯ 10
제2장 건강의 이해 ⋯⋯⋯⋯⋯⋯⋯ 15
제3장 보건의료의 이해 ⋯⋯⋯⋯⋯ 17

Part 2. 역학과 질병관리

제4장 역학 ⋯⋯⋯⋯⋯⋯⋯⋯⋯⋯ 22
제5장 감염병 관리 ⋯⋯⋯⋯⋯⋯ 32
제6장 급 · 만성 감염병 ⋯⋯⋯⋯ 41
제7장 위생해충 ⋯⋯⋯⋯⋯⋯⋯⋯ 46
제8장 기생충 ⋯⋯⋯⋯⋯⋯⋯⋯⋯ 47

Part 3. 환경관리

제9장 환경보건 ⋯⋯⋯⋯⋯⋯⋯⋯ 52
제10장 환경오염 ⋯⋯⋯⋯⋯⋯⋯ 67
제11장 식품위생 ⋯⋯⋯⋯⋯⋯⋯ 74
제12장 보건영양 ⋯⋯⋯⋯⋯⋯⋯ 83

Part 4. 보건관리

제13장 보건행정 ⋯⋯⋯⋯⋯⋯⋯ 90
제14장 의료보장 ⋯⋯⋯⋯⋯⋯⋯ 92
제15장 보건통계 ⋯⋯⋯⋯⋯⋯⋯ 98

Part 5. 영역별 보건

제16장 학교보건 ⋯⋯⋯⋯⋯⋯⋯ 108
제17장 보건교육 ⋯⋯⋯⋯⋯⋯⋯ 112
제18장 산업보건 ⋯⋯⋯⋯⋯⋯⋯ 115
제19장 인구보건 ⋯⋯⋯⋯⋯⋯⋯ 123
제20장 모자보건 ⋯⋯⋯⋯⋯⋯⋯ 130
제21장 노인보건과 정신보건 ⋯⋯ 133
제22장 성인보건 ⋯⋯⋯⋯⋯⋯⋯ 134

실전 모의고사

1회 실전 모의고사 ⋯⋯⋯⋯⋯⋯ 138
2회 실전 모의고사 ⋯⋯⋯⋯⋯⋯ 141
3회 실전 모의고사 ⋯⋯⋯⋯⋯⋯ 145
4회 실전 모의고사 ⋯⋯⋯⋯⋯⋯ 148
5회 실전 모의고사 ⋯⋯⋯⋯⋯⋯ 151

공중보건
정답 및 해설

Part 1. 공중보건과 건강

제1장 공중보건학 ——————— 156
제2장 건강의 이해 ——————— 160
제3장 보건의료의 이해 ————— 163

Part 2. 역학과 질병관리

제4장 역학 —————————— 168
제5장 감염병 관리 ——————— 179
제6장 급·만성 감염병 ————— 188
제7장 위생해충 ———————— 193
제8장 기생충 ————————— 195

Part 3. 환경관리

제9장 환경보건 ———————— 200
제10장 환경오염 ——————— 213
제11장 식품위생 ——————— 222
제12장 보건영양 ——————— 230

Part 4. 보건관리

제13장 보건행정 ——————— 238
제14장 의료보장 ——————— 241
제15장 보건통계 ——————— 246

Part 5. 영역별 보건

제16장 학교보건 ——————— 256
제17장 보건교육 ——————— 260
제18장 산업보건 ——————— 264
제19장 인구보건 ——————— 271
제20장 모자보건 ——————— 276
제21장 노인보건과 정신보건 —— 279
제22장 성인보건 ——————— 281

실전 모의고사

1회 실전 모의고사 —————— 286
2회 실전 모의고사 —————— 289
3회 실전 모의고사 —————— 292
4회 실전 모의고사 —————— 295
5회 실전 모의고사 —————— 299

part

01

공중보건학 예상문제

공중보건과
건강

제1장　　　　　공중보건학

제2장　　　　　건강의 의해

제3장　　　　　보건의료의 이해

제1장 공중보건학

01
다음 중 공중보건학을 정의한 사람은 누구인가?

① Koch
② Pasteur
③ J.P. Frank
④ C.E.A Winslow

02
공중보건학의 정의로 올바른 것은 무엇인가?

① 공중보건학은 질병의 예방, 치료, 재활을 통한 포괄보건의료 영역의 학문이다.
② 공중보건학은 지역사회를 기반으로 지역주민에게 제공되는 포괄적 의료 학문이다.
③ 공중보건학은 질병의 조기진단을 통해 생명을 연장시키며 육체적, 정신적, 사회적 건강을 증진시키는 기술이며 과학이다.
④ 공중보건학은 조직된 지역사회의 노력을 통해 질병을 예방하고 생명을 연장시키며 신체적, 정신적 효율을 증진시키는 기술이며 과학이다.

03
다음 중 Winslow가 정의한 공중보건의 목적을 실천하기 위한 지역사회의 공동노력에 해당되지 않는 것은 무엇인가?

① 보건교육
② 환경위생
③ 감염병 관리
④ 질병의 치료 및 재활 활동

04
다음 중 공중보건학의 유사 영역이 <u>아닌</u> 것은 무엇인가?

① 위생학
② 대체의학
③ 예방의학
④ 사회의학

05
다음 중 공중보건학의 개념과 유사한 학문으로 바르게 조합된 것은 무엇인가?

가) 지역사회의학
나) 위생학
다) 임상의학
라) 예방의학
마) 치료의학

① 가, 나, 다
② 나, 다, 라
③ 다, 라, 마
④ 가, 나, 라

06
다음 중 공중보건학의 유사 학문 중 그 목적은 동일하나 연구대상이 개인이라는 점에서 차이가 있는 학문은 무엇인가?

① 위생학
② 예방의학
③ 건설의학
④ 포괄보건의학

07

다음 중 공중보건학의 역사로 바르게 연결된 것은 무엇인가?

① 고대기 → 중세기 → 여명기 → 확립기 → 발전기
② 고대기 → 근세기 → 근대기 → 중세기 → 발전기
③ 고대기 → 여명기 → 중세기 → 확립기 → 발전기
④ 여명기 → 고대기 → 중세기 → 확립기 → 발전기

08

다음 중 콜레라, 페스트 등의 감염병이 유행한 시기는 언제인가?

① 고대기　　　② 중세기
③ 발전기　　　④ 확립기

09

다음 중 최초로 검역제도를 시행한 시기는 언제인가?

① 고대기　　　② 중세기
③ 여명기　　　④ 근세기

10

다음 중 여명기에 해당하는 내용이 아닌 것은 무엇인가?

① Jenner - 종두법 개발
② Leeuwen Hock - 현미경 발견
③ John Snow - 콜레라 원인규명
④ B. Ramazzini - 직업병 저서 발간

11

공중보건의 역사 중 탈미생물학 시기에 해당하는 것은 무엇인가?

① 고대기　　　② 중세기
③ 여명기　　　④ 발전기

12

다음 중 최초의 공중보건학 저서를 출간한 사람은 누구인가?

① Jenner
② Pasteur
③ J.P. Frank
④ John Snow

13

다음 중 보건통계학의 시조라고도 불리는 사람은 누구인가?

① Koch
② Bismark
③ Pasteur
④ John Graunt

14

다음 중 세계 최초로 공중보건법을 제정한 나라는 어디인가?

① 미국　　　② 영국
③ 프랑스　　　④ 스웨덴

15

다음 중 최초로 국세조사를 실시한 나라는 어디인가?

① 영국　　　　② 프랑스
③ 스웨덴　　　④ 스위스

16

다음 중 종두법을 개발한 사람은 누구인가?

① Koch
② Jenner
③ Bismark
④ Rathborne

17

다음 중 최초로 보건소 제도를 실시한 사람은 누구인가?

① Rathborne
② Peter Frank
③ John Snow
④ C.E.A. Winslow

18

다음 중 직업병에 관한 저서를 출간한 사람은 누구인가?

① Koch
② Bismark
③ Ramazzini
④ John Snow

19

다음 중 결핵균을 발견한 사람은 누구인가?

① Koch
② Jenner
③ Pasteur
④ Behring

20

다음 중 콜레라에 관한 역학 조사를 발표하였으며, 감염설을 입증한 사람은 누구인가?

① Koch
② Lister
③ Pasteur
④ Jonh Snow

21

다음 중 바르게 연결된 것이 아닌 것은 무엇인가?

① Jenner – 종두법 개발
② John Snow – 탄저병 발표
③ John Graunt – 보건통계학의 시조
④ Bismark – 최초 사회보장제도 실시

22

다음 중 세계 최초로 공중보건법이 제정된 시기는 언제인가?

① 고대기　　　② 중세기
③ 근세기　　　④ 근대기

23

다음 중 사회보장제도의 창시자는 누구인가?

① Koch
② Frank
③ Pasteur
④ Bismark

24

다음 중 고려시대 의약행정을 담당한 기관은 어디인가?

① 혜민서
② 상의국
③ 광혜원
④ 태의감

25

다음 중 고려시대의 서민의료 담당 기관은 무엇인가?

① 상약국
② 활인서
③ 혜민국
④ 내공봉의사

26

다음 중 고려시대 동서대비원과 유사한 역할을 하는 조선시대 보건기관은 무엇인가?

① 혜민서
② 활인서
③ 전의감
④ 제위보

27

다음 중 조선시대 의료기관이 <u>아닌</u> 것은 무엇인가?

① 활인서
② 제생원
③ 제위보
④ 내의원

28

다음 중 조선시대 의료행정을 담당한 곳은 어디인가?

① 전의감
② 태의감
③ 제생원
④ 활인서

29

다음 중 조선시대 말기에 지어진 최초의 서양식 병원은 무엇인가?

① 위생국
② 광혜원
③ 보건후생부
④ 내공봉의사

30

다음 중 대한민국 정부수립 이후 보건복지부 형성 과정으로 바르게 나열된 것은 무엇인가?

① 위생국 → 사회부 → 보건사회부 → 보건복지부 → 보건부 → 보건복지부
② 사회부 → 위생국 → 보건사회부 → 보건부 → 보건복지가족부 → 보건복지부
③ 사회부 → 보건부 → 위생국 → 보건복지가족부 → 보건사회부 → 보건복지부
④ 사회부 → 보건부 → 보건사회부 → 보건복지부 → 보건복지가족부 → 보건복지부

31

다음 중 보건복지가족부가 보건복지부로 명칭이 변경된 연도는 언제인가?

① 1955년
② 1970년
③ 1994년
④ 2010년

32

다음 중 공중보건사업의 최소단위는 무엇인가?

① 저소득층
② 감염병 환자
③ 영유아와 노인
④ 지역사회 주민 전체

33

다음 중 공중보건사업 활동 수행 시 가장 효과적이며 중요한 요소는 무엇인가?

① 보건예방
② 보건계획
③ 보건교육
④ 보건서비스

34

다음 중 공중보건사업 수행 시 중요한 3요소는 무엇인가?

① 보건예방, 보건교육, 보건행정
② 보건행정, 보건법규, 보건재활
③ 보건환경, 보건의료, 보건봉사
④ 보건봉사, 보건교육, 보건법규

35

다음 중 Ashton & Seymour의 공중보건 4단계를 차례대로 바르게 나열한 것은 무엇인가?

① 치료의학 시기 → 개인위생 시기
　→ 신공중보건 시기 → 산업보건 시기
② 산업보건 시기 → 개인위생 시기
　→ 치료의학 시기 → 신공중보건 시기
③ 개인위생 시기 → 산업보건 시기
　→ 치료의학 시기 → 신공중보건 시기
④ 치료의학 시기 → 신공중보건 시기
　→ 개인위생 시기 → 산업보건 시기

제2장 건강의 이해

01

다음 중 세계보건기구에서 정한 건강의 정의로 옳은 것은 무엇인가?

① 신체적으로 안녕한 상태
② 신체적, 정신적으로 안녕한 상태
③ 신체적, 정신적, 영적으로 안녕한 상태
④ 신체적, 정신적, 사회적으로 안녕한 상태

02

건강의 정의에서 1998년에 세계보건기구가 추가하려고 했던 건강개념은 다음 중 무엇인가?

① 영적 안녕
② 신체적 안녕
③ 정신적 안녕
④ 임상적 안녕

03

다음 중 세계보건기구에서 정의한 건강에서 '사회적으로 안녕'한 상태를 의미하는 것은 무엇인가?

① 경제적으로 어려움이 없다.
② 종교생활로 마음의 안정을 찾다.
③ 사회생활이나 일에 대한 만족도가 높다.
④ 신체적으로 건강하며 질병이 없는 상태이다.

04

다음 중 Laevell과 Clark이 분류한 질병의 자연사 과정 중 질병의 조기발견 및 조기치료활동은 어느 단계에 해당되는 것인가?

① 비병원성기
② 초기병원성기
③ 불현성감염기
④ 발현성질환기

05

다음 중 Leavell과 Clark이 분류한 질병의 자연사 과정 중 회복기에 해당하는 해당되는 활동은 무엇인가?

① 건강검진
② 특수예방
③ 재활치료
④ 질병치료

06

Leavell과 Clark이 구분한 예방 단계에서 1차적 예방에 속하는 것으로 조합된 것은 무엇인가?

① 재활, 특수예방
② 조기발견, 조기치료
③ 예방접종, 조기발견
④ 환경위생개선, 예방접종

07

Leavell과 Clark이 구분한 예방 단계에서 2차적 예방에 해당하는 것은 무엇인가?

① 재활
② 조기발견
③ 예방접종
④ 건강증진

08

Leavell과 Clark의 질병의 5단계 분류 중 임상적 증상이 나타나는 단계로 악화 방지를 위해 적절한 치료가 필요한 단계는 다음 중 무엇인가?

① 비병원성기
② 초기병원성기
③ 불현성감염기
④ 발현성질환기

09

다음 중 질병의 자연사에 따른 질병 예방법 중 가장 적극적 예방에 해당하는 것은 무엇인가?

① 재활
② 집단검진
③ 예방접종
④ 환경위생

10

다음 중 질병의 자연사에 따른 예방수준에서 소극적 예방에 해당하는 것은 무엇인가?

① 건강증진   ② 환경위생
③ 집단검진   ④ 예방접종

11

다음 중 WHO의 3대 종합건강지표는 무엇인가?

① 조사망률, 평균수명, 질병이환율
② 영아사망률, 모성사망률, 평균수명
③ 조사망률, 비례사망지수, 평균수명
④ 신생아사망률, 조사망률, 영아사망률

12

다음 중 지역사회의 보건수준을 평가하는 지표로 대표적으로 사용되는 것은 무엇인가?

① 조사망률
② 평균수명
③ 영아사망률
④ 모성사망률

13

다음 중 국가의 건강지표를 나타내는 것이 <u>아닌</u> 것은 무엇인가?

① 조사망률
② 모성사망률
③ 질병이환율
④ 평균사망률

14

다음 중 국가 간 또는 지역사회 간의 보건수준을 비교하는 3대 보건지표로 옳은 것은 무엇인가?

① 조출생률, 평균수명, 질병이환율
② 조사망률, 영아사망률, 평균수명
③ 신생아사망률, 모성사망률, 평균수명
④ 영아사망률, 평균수명, 비례사망지수

15

다음은 비례사망지수(PMI)를 나타낸 것으로 괄호 안에 들어 갈 숫자로 옳은 것은 무엇인가?

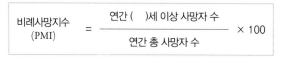

$$\text{비례사망지수(PMI)} = \frac{\text{연간 ( )세 이상 사망자 수}}{\text{연간 총 사망자 수}} \times 100$$

① 40
② 50
③ 60
④ 70

16

PMI 수치가 높은 것은 무엇을 의미하는가?

① 기대수명이 낮다.
② 조출생률이 낮다.
③ 보건수준이 높다.
④ 평균사망률이 높다.

제3장 보건의료의 이해

01

다음 중 질병의 예방대책 중 1차적 예방에 해당되는 활동은 무엇인가?

① 건강검진
② 예방접종
③ 재활치료
④ 질병 조기발견

02

다음 중 1차 예방, 2차 예방, 3차 예방에 대한 연결로 옳은 것은 무엇인가?

① 1차 예방 – 건강검진
② 2차 예방 – 재활치료
③ 3차 예방 – 예방접종
④ 2차 예방 – 질병 조기발견

03

다음 중 포괄적 보건의료활동에서 3차 보건의료활동에 해당하는 것은 무엇인가?

① 예방접종
② 모자보건사업
③ 노인질환 관리
④ 급성질환 관리

04

다음 중 포괄적 보건의료활동에서 1차 보건의료활동에 해당되는 것이 <u>아닌</u> 것은 무엇인가?

① 예방접종
② 노인복지사업
③ 식수위생사업
④ 영양개선활동

05

다음 중 포괄보건의료에 해당하는 것이 <u>아닌</u> 것은 무엇인가?

① 예방접종   ② 건강검진
③ 조기치료   ④ 외과적 수술

06

다음 중 1차 보건의료활동에 속하는 것은 무엇인가?

① 모자 보건 사업
② 환자 재활 사업
③ 노인 질환 사업
④ 급성 질환 관리

07

다음 중 일차 보건의료 확립과 관련된 것은 무엇인가?

① 페스트
② 종두법
③ 리우환경 선언
④ 알마아타 선언

08

다음 중 알마아타(Alma-Ata) 선언과 관련 있는 것은 무엇인가?

① 인권
② 건강권
③ 생존권
④ 노동권

09

다음 중 일차 보건의료의 접근법에 해당하는 내용이 <u>아닌</u> 것은 무엇인가?

① 지속가능성
② 수용가능성
③ 지불부담능력
④ 접근의 용이성

10

다음 중 건강증진의 3대 원칙으로 바르게 조합된 것은 무엇인가?

가) 옹호
나) 교육
다) 역량강화
라) 연합
마) 법규
바) 예방접종

① 가, 나, 마
② 가, 다, 라
③ 나, 라, 바
④ 다, 라, 마

11

다음 중 제1차 건강증진을 위한 국제회의에서 논의된 건강증진 활동영역이 <u>아닌</u> 것은 무엇인가?

① 개인의 기술 개발
② 지역사회활동 강화
③ 건강지향적 환경조성
④ 건강을 위한 사회적 책임 증대

12

다음 중 최초로 건강증진을 위한 국제회의가 개최된 나라와 지역으로 옳은 것은 무엇인가?

① 태국 – 방콕
② 캐나다 – 오타와
③ 핀란드 – 헬싱키
④ 호주 – 애들레이드

13

다음 중 건강증진을 위한 국제회의 중 최초로 여성의 보건에 관하여 이슈화된 회의는 무엇인가?

① 캐나다 오타와 국제회의
② 스웨덴 선즈볼 국제회의
③ 호주 애들레이드 국제회의
④ 멕시코 멕시코시티 국제회의

14

다음 중 국민건강증진종합계획 2030의 목표로 맞는 것은 무엇인가?

① 건강지향적 환경조성
② 건강개발을 위한 투자의 증대
③ 건강을 위한 사회적 책임 고취
④ 건강수명의 연장과 건강형평성 확보

15

다음 중 Health Plan 2020에서 목표로 하는 2030년까지 건강수명은 얼마인가?

① 65.5세
② 72.3세
③ 73.3세
④ 75세

16

국민건강증진법에 따른 국민건강증진종합계획을 몇 년마다 수립해야 하는가?

① 1년
② 3년
③ 5년
④ 7년

공중보건학 예상문제

역학과
질병관리

part

02

제4장	역학
제5장	감염병 관리
제6장	급 · 만성 감염병
제7장	위생해충
제8장	기생충

제4장 역학

01

다음 중 역학의 목표는 무엇인가?

① 기술적 역할
② 유행병 감시
③ 질병발생 예방
④ 질병발생의 원인규명

02

다음 중 역학의 대상은 누구인가?

① 국제보건
② 지역사회
③ 인구집단
④ 국가전체

04

다음 중 역학의 역할이 <u>아닌</u> 것은 무엇인가?

① 질병 발생 원인 규명
② 질병 발생 원인 차단
③ 질병 발생 양상 확인
④ 질병의 자연사 이해 및 기술

05

다음 중 역학에 대한 설명으로 옳은 것으로 바르게 조합된 것은 무엇인가?

> 가) 보건의료사업 기획을 위한 자료를 제공해준다.
>
> 나) 질병의 원인 파악에 도움이 된다.
>
> 다) 질병의 예방 대책을 강구한다.
>
> 라) 질병 발생에 대한 감시 역할을 한다.
>
> 마) 역학의 역할 중 질병의 측정이 가장 신뢰도가 높다.

① 가, 다, 마
② 나, 다, 마
③ 다, 라, 마
④ 가, 나, 다, 라

06

다음 중 John Snow의 콜레라 유행의 역학방법 종류로 맞는 것은 무엇인가?

① 기술역학
② 임상역학
③ 작전역학
④ 분석역학

07

다음 역학 사례 중 폐암에 관한 역학 연구자는 누구인가?

① Reed
② Jenner
③ Pasteur
④ Doll & Hill

08

다음 중 Doll and Hill의 폐암과 흡연의 관련성에 관한 역학 연구 방식은 무엇인가?

① 기술역학
② 단면조사 연구
③ 환자–대조군 연구
④ 후향적 코호트 연구

09

다음 중 역학 연구자 Goldberger와 관련 있는 것은 무엇인가?

① 황열　　　② 천연두
③ Scruvy　　④ Pellagra

10

다음 중 질병의 3대 요인으로 조합된 것은 무엇인가?

① 병인 – 숙주 – 환경
② 병인 – 환경 – 세균
③ 환경 – 병원체 – 토양
④ 병원체 – 병인 – 숙주

11

다음 질병 발생 인자 중 환경적 인자에 해당하지 않는 것은 무엇인가?

① 기상　　　② 주거환경
③ 대기오염　④ 바이러스

12

다음 중 수레바퀴 모형의 환경적인 요인과 관련 없는 것은 무엇인가?

① 숙주 요인
② 유전적 요인
③ 환경적 요인
④ 질병발생은 병원체 단독 요인

13

질병발생이론에서 질병의 발생은 유전적 요인을 포함한 숙주와 숙주를 둘러싼 환경적 요소가 복합적으로 작용하여 발생함을 나타낸 모형은 무엇인가?

① 임상 모형　　② 삼각형 모형
③ 거미줄 모형　④ 수레바퀴 모형

14

다음 질병이론 중 거미줄 모형에 대한 설명으로 옳은 것은 무엇인가?

① 편견이 발생한다.
② 삼각형 모형이라고도 한다.
③ 질병의 예방대책 수립에 도움을 준다.
④ 질병의 치료방법 모색에 도움을 준다.

15

다음 중 수레바퀴 모형과 거미줄 모형의 공통점은 무엇인가?

① 다요인 이론　② 면역적 이론
③ 감염성 이론　④ 유전적 이론

16

다음 중 역학의 분류에 해당하지 <u>않는</u> 것은 무엇인가?

① 기술역학
② 이론역학
③ 환경역학
④ 실험역학

17

다음 중 역학조사 순서를 바르게 나열한 것은 무엇인가?

① 실험역학 – 분석역학 – 작전역학
② 기술역학 – 분석역학 – 이론역학
③ 분석역학 – 이론역학 – 기술역학
④ 기술역학 – 실험역학 – 이론역학
⑤ 분석역학 – 이론역학 – 실험역학

18

아래 상자에서 괄호 안에 들어갈 역학의 종류로 맞는 것은 무엇인가?

> 있는 그대로의 상황을 파악하여 기록하는 것으로 인간 집단에서 발생하는 질병의 발생에서부터 종결까지의 자연사를 인적, 지역적, 시간적인 특성에 따라 기록하는 것을 (   )이라고 한다.

① 분석역학
② 이론역학
③ 기술역학
④ 작전역학

19

다음 중 기술역학과 관련 <u>없는</u> 것은 무엇인가?

① 제1단계 역학이다.
② 시간적, 사회적 특성에 따라 기술한다.
③ 질병의 분포, 원인, 경향 등을 기술한다.
④ 질병 발생 요인과 속성과의 인과관계를 증명하여 기술한다.

20

다음 중 감염병이 5~10년 주기로 유행하는 현상을 무엇이라고 하는가?

① 추세변화
② 순환변화
③ 단기변화
④ 계절변화

21

다음 중 장티푸스가 30년 주기로 반복하여 유행하는 현상을 의미하는 것은 무엇인가?

① 추세변화
② 순환변화
③ 단기변화
④ 계절변화

22

다음 중 기술역학의 시간적 현상과 관련이 <u>없는</u> 것은 무엇인가?

① 추세변화
② 주기변화
③ 연령변화
④ 계절변화

23

다음 중 AIDS의 유행 현상은 지역적 현상의 어디에 해당하는가?

① 지방성　　② 유행성
③ 범발성　　④ 산발성

24

다음 중 질병 발생의 유행현상에서 지역적 현상과 발생 질병의 조합으로 옳지 <u>않은</u> 것은 무엇인가?

① 범발성 – 충치
② 유행성 – SARS
③ 산발성 – 사상충
④ 지방성 – 폐디스토마

25

다음 중 2단계 역학에 해당하는 것은 무엇인가?

① 기술역학
② 분석역학
③ 이론역학
④ 작전역학

26

다음 중 분석역학에 해당하지 <u>않는</u> 것은 무엇인가?

① 기술 연구
② 단면조사 연구
③ 환자–대조군 연구
④ 전향적 코호트 연구

27

다음 중 단면조사 연구는 역학의 분류 중 어디에 해당하는가?

① 기술역학
② 분석역학
③ 이론역학
④ 실험역학

28

다음 중 분석역학에 해당하는 것으로 바르게 조합된 것은 무엇인가?

가) 코호트 연구
나) 단면조사 연구
다) 환자–대조군 연구
라) 맹검법
마) 기술역학
바) 사례연구

① 가, 나, 다
② 라, 마, 바
③ 가, 다. 마
④ 나, 라, 바

29

다음 중 단면조사 연구에 관한 설명은 무엇인가?

① 경제적이지 않다.
② 예측력이 높은 편이다.
③ 단시간 내에 결과를 얻기 어렵다.
④ 빈도가 낮은 질병에 적합하지 않다.

30

다음 중 유병률을 확인할 수 있는 역학 방법은 무엇인가?

① 코호트 연구
② 단면조사 연구
③ 기왕 조사 연구
④ 환자-대조군 연구

31

폐렴환자의 유병률을 구하고자 한다. 이에 적합한 역학 연구방법은 무엇인가?

① 코호트 연구　　② 실험역학 연구
③ 기술역학 연구　④ 단면조사 연구

32

다음 중 환자-대조군 연구(case-control study)에 대한 설명으로 옳은 것은 무엇인가?

① 소요 시간이 길다.
② 객관적이며 정확하다.
③ 대조군 선정이 어렵다.
④ 중도 탈락의 위험이 있다.

33

다음 중 희귀질환 연구로 적합한 연구는 무엇인가?

① 코호트 연구
② 전향성 연구
③ 실험역학 연구
④ 환자-대조군 연구

34

다음 중 후향적 연구의 장점은 무엇인가?

① 경제적이다.
② 객관적이다.
③ 편견이 적다.
④ 대조군 선정이 쉽다.

35

다음 중 교차비가 사용되는 연구는 무엇인가?

① 코호트 연구
② 실험역학 연구
③ 단면조사 연구
④ 환자-대조군 연구

36

다음 중 전향적 코호트 연구의 단점은 무엇인가?

① 대조군 선정이 어렵다.
② 시간, 비용이 많이 든다.
③ 질병의 위험률 산출 불가능하다.
④ 발생률이 높은 질병에 비효율적이다.

37

다음 중 코호트 연구에 대한 설명으로 맞는 것은 무엇인가?

① 경제적이다.
② 객관성이 결여된다.
③ 희귀 질병 연구에 사용된다.
④ 신뢰도가 높은 자료를 얻을 수 있다.

38

다음 중 코호트 연구의 단점은 무엇인가?

① 주관적이다.
② 편견이 들어간다.
③ 정보수집이 어렵다.
④ 발생률이 낮은 질병에는 비효율적이다.

39

다음 중 건강한 사람을 대상으로 특정 위험요인에 노출된 집단과 그렇지 않은 집단으로 구분하여 추적 조사하는 역학 조사 방법은 무엇인가?

① 코호트 연구
② 후향적 연구
③ 단면조사 연구
④ 기왕조사 연구

40

B광역시 OO구의 한 중학교에서 점심 단체 급식 후에 설사를 동반하며 고열 학생들이 발생하였을 경우 원인 규명을 위해 시행해야 하는 역학 방법은 무엇인가?

① 기술역학
② 코호트 연구
③ 단면조사 연구
④ 환자-대조군 연구

41

다음 설명 중 전향성 조사에 관한 것은 무엇인가?

① 경제적이다.
② 주관적이다.
③ 위험도 산출이 어렵다.
④ 코호트 연구도 전향성 조사에 포함된다.

42

다음 중 질병발생에 관한 유행현상을 수학적으로 분석하여 수식화하고, 질병발생을 예측하는 역학의 종류는 무엇인가?

① 기술역학   ② 분석역학
③ 이론역학   ④ 실험역학

43

다음은 실험역학에 관한 것으로 해당하지 않는 것은 무엇인가?

① 분석역학
② 위약투여법
③ 이중 맹검법
④ 무작위추출할당

44

역학연구 중 관찰연구방법이 아닌 것은 무엇인가?

① 코호트 연구
② 기술역학 연구
③ 실험역학 연구
④ 단면조사 연구

45

다음 중 급성 감염병의 역학적 특징에 대한 설명 중 옳은 것은 무엇인가?

① 발생률과 유병률 모두 높다.
② 발생률과 유병률 모두 낮다.
③ 발생률이 높고, 유병률은 낮다.
④ 발생률은 낮고, 유병률은 높다.

46

다음 표를 보고 민감도를 나타내는 식은 무엇인가?

구분	질병		계
	있다	없다	
양성	A	B	A+B
음성	C	D	C+D
계	A+C	B+D	A+B+C+D

① $[(A+B)/A] \times 100$
② $[A/(A+C)] \times 100$
③ $[D/(B+D)] \times 100$
④ $[B/(B+D)] \times 100$

47

다음 중 질병의 정확도 측정 방법이 <u>아닌</u> 것은 무엇인가?

① 민감도
② 특이도
③ 양성예측도
④ 비교위험도

48

다음 중 역학에서 정확도가 높아지는 방법에 대한 설명으로 바르게 조합된 것은 무엇인가?

가) 민감도가 높아야 한다.

나) 특이도가 높아야 한다.

다) 양성예측도가 높아야 한다.

라) 음성예측도가 높아야 한다.

마) 위양성도가 낮아야 한다.

바) 위음성도가 낮아야 한다.

① 가, 나, 다, 라
② 나, 다, 라, 마
③ 다, 라, 마, 바
④ 가, 나, 다, 라, 마, 바

49

다음 중 실제 병이 <u>없는</u> 사람이 검사 결과 양성으로 판정된 경우를 의미하는 것은 무엇인가?

① 감수성
② 특이성
③ 의양성
④ 의음성

50

다음 중 질병에 걸리지 않은 사람을 환자가 아닌 것으로 바르게 결정 내리는 것은 무엇인가?

① 특이도
② 민감도
③ 신뢰도
④ 예측도

51

다음은 표의 결과를 보고 위내시경 검사 결과와 위암환자와의 특이도는 얼마인가?

구분	위암환자	건강한 자	합계
위내시경 양성	300	600	900
위내시경 음성	700	400	1,100
합계	1,000	1,000	2,000

① 10%

② 25%

③ 33%

④ 40%

52

위 51번 문항의 표에서 민감도는 얼마인가?

① 5%

② 10%

③ 15%

④ 20%

⑤ 25%

53

성인의 고혈압 판정을 위한 혈압의 기준치를 140 mmHg 이상이던 것을 120 mmHg로 낮추었을 때 특이도와 민감도의 변화에 대한 설명으로 옳은 것은 무엇인가?

① 특이도와 민감도 모두 높아진다.

② 특이도와 민감도 모두 낮아진다.

③ 특이도는 높아지고 민감도는 낮아진다.

④ 특이도는 낮아지고 민감도는 높아진다.

54

다음은 역학에서 정확도와 신뢰도에 관한 설명으로 옳지 <u>않은</u> 것은 무엇인가?

① 신뢰도는 반복성, 재현성, 정밀성으로도 표현 가능하다.

② 정확도 평가를 위한 지표로 민감도, 특이도, 예측도가 있다.

③ 신뢰도와 정확도의 관계는 신뢰도와 정확도 모두 높은 관계가 가장 바람직하다.

④ 예측도는 동일한 대상에 대하여 동일한 방법으로 측정을 반복할 때 얼마나 일치하는 값을 얻을 수 있는가의 정도이다.

55

다음 표에서 음성예측도는 얼마인가?

구분	질병에 걸린 환자	건강한 자	합계
양성	30	90	120
음성	80	20	100
합계	110	110	220

① 10%

② 15%

③ 20%

④ 25%

56

위의 55번 문제의 표에서 양성예측도는 얼마인가?

① 10%

② 15%

③ 20%

④ 25%

57

다음 중 질병에 대해 음성으로 판정 받은 사람 중에 실제 음성으로 판정될 확률을 나타내는 것은 무엇인가?

① 특이도
② 민감도
③ 음성신뢰도
④ 음성예측도

58

다음 중 질병에 걸린 환자를 양성으로 검출하는 지표는 무엇인가?

① 특이도
② 민감도
③ 신뢰도
④ 예측도

59

다음 중 교차비에 관한 설명으로 옳지 않은 것은 무엇인가?

① 교차비는 환자−대조군 연구 자료 분석에서 사용된다.
② 교차비가 1일 경우 건강문제의 원인이 위험요인이라고 할 수 있다.
③ 교차비가 클수록 위험요인으로 건강문제가 발생하였다고 볼 수 있다.
④ 교차비가 1일 경우 환자군과 대조군의 위험요인 노출 경우가 같다는 의미이다.

60

다음 중 흡연에 의한 폐암 발생의 상대위험도의 값은 무엇인가?

구분	폐암환자 수	건강한 자의 수	합계
흡연자 수	20	40	60
금연자 수	10	80	90
계	30	120	150

① 1
② 3
③ 5
④ 10

61

육식주의자의 위암발생에 대한 상대위험도를 구하려고 한다. 육식주의자의 위암발생률은 2/30이고, 육식주의자가 아닌 사람의 위암발생률은 1/75일 때 육식주의자의 상대위험도는 얼마인가?

① 5
② 10
③ 15
④ 20

62

다음 중 질병 발생의 위험인자에 폭로된 집단에서의 질병 발생률을 폭로되지 않은 집단에서의 질병 발생률로 나누어 계산하는 방법을 나타내는 것은 무엇인가?

① 예측도
② 코호트
③ 상대위험도
④ 귀속위험도

63

다음 도표는 흡연과 폐암과의 관계를 입증하기 위해 실시한 조사이다. 흡연하는 사람이 폐암발생에 대한 상대위험도는 무엇인가?

구분	폐암 발생자	폐암 비발생자
흡연자	A	B
비흡연자	C	D
계	A+C	B+D

① AD/BC

② B/(B+D)

③ C/(A+C)

④ A(C+D)/C(A+B)

64

상대위험도가 1일 때 의미하는 것으로 맞는 설명은 무엇인가?

① 위험요인이 건강문제의 원인이 된다.

② 폭로집단 발생률에서 비폭로집단 발생률을 뺀다.

③ 환자–대조군 연구 결과에 주로 사용된다.

④ 위험요인에 노출된 사람 중에 건강문제가 발생할 비율과 노출되지 않은 사람 중에 건강문제가 발생할 비율이 같다.

65

다음 중 코호트 연구를 분석할 때 사용되는 것은 무엇인가?

① 교차비   ② 특이도

③ 타당도   ④ 상대위험도

66

다음 중 흡연에 의한 폐암 발생의 귀속위험도 백분율의 값은 무엇인가?

구분	폐암환자 수	건강한 자의 수	합계
흡연자 수	2,500	500	3,000
금연자 수	500	1,500	2,000
계	3,000	2,000	5,000

① 40%   ② 50%

③ 60%   ④ 70%

67

흡연자 500명 중 250명이 대장암 환자이고, 비흡연자 200명 중 20명이 대장암 환자일 때 대장암에 대한 흡연자의 귀속위험도의 백분율은 얼마인가?

① 20%   ② 40%

③ 50%   ④ 80%

68

다음 중 귀속위험도 백분율를 구하는 공식은 무엇인가?

① 폭로집단 발생률 × 비폭로집단 발생률

② $\dfrac{\text{폭로군에서의 발생률} + \text{비폭로군에서의 발생률}}{\text{폭로군에서의 발생률}} \times 100$

③ $\dfrac{\text{폭로군에서의 발생률} - \text{비폭로군에서의 발생률}}{\text{폭로군에서의 발생률}} \times 100$

④ $\dfrac{\text{폭로군에서의 발생률} + \text{비폭로군에서의 발생률}}{\text{비폭로군에서의 발생률}} \times 100$

제5장 감염병 관리

01

다음 중 감염병 발생 3대 요소로 바르게 조합된 것은 무엇인가?

① 병인 – 숙주 – 환경
② 병인 – 환경 – 유전
③ 병원소 – 감염 – 환경
④ 유전 – 병원체 – 감염원

02

다음 중 병원체가 숙주에 침입하여 증상이 나타날 때까지의 기간을 무엇이라고 하는가?

① 잠재기
② 잠복기
③ 전염기
④ 세대기

03

다음 중 균이 인체에 침입할 때부터 그 균이 인체 내에서 증식한 후 다시 배출되어 다른 사람에게 가장 많은 감염을 일으키는 기간은 언제인가?

① 세대기
② 잠복기
③ 감염기
④ 개방기

04

다음 중 감염되었지만 임상적인 증상이 나타나지 않는 상태로 역학적으로 중요한 상태를 무엇이라고 하는가?

① 현성 감염
② 만성 감염
③ 잠복 감염
④ 불현성 감염

05

다음 중 불현성 감염에 관한 설명으로 옳은 것은 무엇인가?

① 전염성이 있다.
② 현성 감염보다 적다.
③ 전파기회가 감소한다.
④ 임상적 증상을 나타낸다.

06

다음 중 감염병 생성 6요소가 아닌 것은 무엇인가?

① 전파
② 병원소
③ 병원체
④ 숙주 면역성

07

다음 중 병원체에 해당하지 않는 것은 무엇인가?

① 세균   ② 진드기
③ 기생충   ④ 바이러스

08

다음 중 세균성 병원체의 감염병이 <u>아닌</u> 것은 무엇인가?

① 결핵
② 매독
③ 발진열
④ 페스트

09

다음 중 바이러스에 의한 감염병은 무엇인가?

① 일본뇌염
② 말리리아
③ 발진티푸스
④ 세균성 이질

10

다음 중 발진열의 병원체는 무엇인가?

① Streptococcus
② Rickettsia typhi
③ Bacillus Anthracis
④ Richettia prowazeki

11

다음 중 리케치아에 의한 감염병이 <u>아닌</u> 것은 무엇인가?

① Q열
② 발진열
③ 장티푸스
④ 발진티푸스

12

다음 중 감염병과 해당하는 병원체의 연결로 옳지 <u>않은</u> 것은 무엇인가?

> 가) 세균 – 디프테리아, 성홍열, 결핵
>
> 나) 바이러스 – 수두, 풍진, 유행성이하선염
>
> 다) 기생충 – 아메바성 이질, 말라리아
>
> 라) 리케치아 – 발진열, 일본뇌염, 쯔쯔가무시병

① 가, 나
② 나, 다
③ 다, 라
④ 라

13

다음 중 감염된 숙주로 하여금 병원체가 질병을 일으키는 능력으로 현성 증상의 발현 정도를 의미하는 것은 무엇인가?

① 독력
② 감염력
③ 치명률
④ 병원력

14

다음 중 병원소에 해당하지 <u>않는</u> 것은 무엇인가?

① 토양
② 비말
③ 건강 보균자
④ 잠복기 보균자

15

다음 중 임상적인 증상은 없으나 감염병 병원체를 보유하고 있는 사람은 무엇인가?

① 보균자
② 감염병환자
③ 현성감염자
④ 불현성감염자

16

다음 중 감염병 경과 후 임상증상이 완전히 없어졌음에도 병원체를 배출하는 인간 병원소에 해당하는 것은 무엇인가?

① 건강 보균자
② 만성 보균자
③ 잠복기 보균자
④ 회복기 보균자

17

다음 중 건강보균자에 해당하는 감염병으로 맞는 것은 무엇인가?

① 홍역   ② 폴리오
③ 백일해   ④ 장티푸스

18

다음의 보균자 중 관리하기 가장 어려운 것은 무엇인가?

① 건강 보균자
② 만성 보균자
③ 병후 보균자
④ 잠복기 보균자

19

다음 중 병원소에 해당하지 <u>않는</u> 것은 무엇인가?

① 쥐
② 토양
③ 돼지
④ 개달물

20

다음 중 토양을 병원소로 하여 일어날 수 있는 질병은 무엇인가?

① 결핵
② 폐렴
③ 홍역
④ 파상풍

21

다음 중 병원소로부터 병원체의 탈출에서 개방 병소로 탈출과 관련 있는 감염병은 무엇인가?

① 매독
② 성홍열
③ 한센병
④ 말라리아

22

다음 중 소화기계에 의한 감염병이 <u>아닌</u> 것은 무엇인가?

① 콜레라
② 폴리오
③ 장티푸스
④ 디프테리아

23

다음 중 호흡기계에 의한 감염병은 무엇인가?

① 매독
② 성홍열
③ 페스트
④ 발진열

24

다음 중 홍역은 어디에 속하는가?

① 기계적 탈출
② 소화기계 탈출
③ 비뇨기계 탈출
④ 호흡기계 탈출

25

다음 중 병원소로부터 병원체 탈출에 대하여 기계적 탈출에 해당하는 감염병은 무엇인가?

① 나병
② 콜레라
③ 파상풍
④ 말라리아

26

다음 중 발진티푸스는 어디에 속하는가?

① 기계적 탈출
② 소화기계 탈출
③ 비뇨기계 탈출
④ 호흡기계 탈출

27

다음 중 수직감염에 해당하는 감염병은 무엇인가?

① 두창
② 결핵
③ 발진열
④ 뎅기열

28

다음 중 개달물에 해당하는 것은 무엇인가?

① 쥐
② 의복
③ 우유
④ 태반

29

다음 질병 중 개달물에 의해 감염되기 쉬운 질병은 무엇인가?

① 수두
② 성홍열
③ 백일해
④ 트라코마

30

다음 중 숙주에 침입한 병원체의 감염을 받아들이는 상태를 무엇이라고 하는가?

① 잠복기
② 감수성
③ 면역성
④ 병원성

31

다음 중 감수성 지수가 높은 순서부터 바르게 나열한 것은 무엇인가?

① 백일해 → 두창 → 디프테리아 → 성홍열
　→ 소아마비
② 소아마비 → 백일해 → 두창 → 성홍열
　→ 디프테리아
③ 성홍열 → 백일해 → 홍역 → 소아마비
　→ 디프테리아
④ 두창 → 백일해 → 성홍열 → 디프테리아
　→ 소아마비

32

다음 중 감염지수가 가장 높은 질병은 무엇인가?

① 홍역
② 백일해
③ 성홍열
④ 폴리오

33

다음 중 감염지수가 가장 낮은 질병은 무엇인가?

① 홍역
② 백일해
③ 성홍열
④ 폴리오

34

다음 중 인위적으로 항체를 투입하여 잠정적으로 질병에 방어할 수 있게 하는 면역은 무엇인가?

① 인공능동면역
② 자연능동면역
③ 인공수동면역
④ 자연수동면역

35

다음 중 인공능동면역과 관련된 것은 무엇인가?

① 면역혈청
② 예방접종
③ 모체면역
④ 감마글로불린

36

다음 중 인공능동면역과 관련이 있는 것은 무엇인가?

① 면역혈청
② 태반면역
③ 생균백신
④ 모체면역

37

다음 중 인공능동면역으로 순화독소를 이용한 감염병은 무엇인가?

① 홍역　　　　② 파상풍
③ 페스트　　　④ 장티푸스

38

다음 중 인공능동면역에서 생균백신을 사용하는 질병은 무엇인가?

① 매독
② 폐렴
③ 결핵
④ 장티푸스

39

다음 중 생균백신에 해당하지 <u>않는</u> 것은 무엇인가?

① 황열
② 홍역
③ 폴리오(salk)
④ 일본뇌염

40

다음 중 인공능동면역에서 사균백신을 이용하지 <u>않는</u> 감염병은 무엇인가?

① 탄저
② B형간염
③ 일본뇌염
④ 장티푸스

41

다음 중 태반면역은 어디에 해당하는가?

① 선천면역
② 자연능동면역
③ 인공능동면역
④ 자연수동면역

42

다음 중 질병 이환 후에 면역이 형성되지 <u>않는</u> 것은 무엇인가?

① 홍역
② 백일해
③ 일본뇌염
④ 말라리아

43

다음 중 불현성 감염 후 영구면역을 얻는 질병은 무엇인가?

① 홍역
② 폐렴
③ 매독
④ 일본뇌염

44

다음 중 질병 이환 후 영구면역을 얻는 질병은 무엇인가?

① 매독
② 수두
③ 파상풍
④ 광견병

45

다음 중 외래 감염병 예방대책은 무엇인가?

① 검역
② 예방접종
③ 보건교육
④ 병원소 제거

46

다음 중 검역대상 감염병이 <u>아닌</u> 것은 무엇인가?

① 황열
② 페스트
③ 콜레라
④ 발진열

47

다음 감염병 중 일시적으로 업무 종사의 제한을 받는 감염병은 무엇인가?

① 황열
② 콜레라
③ 뎅기열
④ 말라리아

48

다음 중 검역 감염병 환자의 격리기간은 언제까지인가?

① 5일
② 7일
③ 10일
④ 감염력이 사라질 때까지

49

다음 중 페스트의 검역 격리기간으로 맞는 것은 무엇인가?

① 5일
② 6일
③ 10일
④ 14일

50

다음 중 제1급 감염병의 정의로 옳은 것은 무엇인가?

① 예방접종을 통하여 예방 및 관리가 가능하여 국가예방접종사업의 대상이 되는 감염병
② 간헐적으로 유행할 가능성이 있어 계속 그 발생을 감시하고 방역대책의 수립이 필요한 감염병
③ 생물테러감염병 또는 치명률이 높거나 집단 발생의 우려가 커서 발생 또는 유행 즉시 신고하는 감염병
④ 마시는 물 또는 식품을 매개로 발생하고 집단 발생의 우려가 커서 발생 또는 유행 즉시 방역대책을 수립하여야 하는 감염병

51

다음 중 생물테러감염병 또는 치명률이 높거나 집단 발생의 우려가 커서 발생 또는 유행 즉시 신고해야 하는 감염병은 무엇인가?

① 탄저
② 콜레라
③ 폴리오
④ 성홍열

52

다음 중 동물인플루엔자인체감염증은 법정 감염병 중 어느 군에 속하는가?

① 제1급 감염병
② 제2급 감염병
③ 제3급 감염병
④ 제4급 감염병

53

다음 중 발생 즉시 신고해야 하는 감염병인 것은
무엇인가?

① 수두
② 말라리아
③ 장티푸스
④ 디프테리아

54

다음 중 한 때 전세계적으로 유행했던 신종인플루
엔자와 SARS는 법정 감염병 중 몇 급 감염병에 해
당하는가?

① 제1급 감염병
② 제2급 감염병
③ 제3급 감염병
④ 제4급 감염병

55

다음 중 제2급 감염병이 <u>아닌</u> 것은 무엇인가?

① 수두　　　② 홍역
③ A형간염　　④ 디프테리아

56

다음 중 전파가능성을 고려하여 발생 또는 유행 시
24시간 이내에 신고해야 하는 감염병은 무엇인가?

① 결핵　　　② 발진열
③ 공수병　　④ 페스트

57

다음 중 지카바이러스 감염증과 큐열은 감염병 중
몇 급 감염병에 속하는가?

① 제1급 감염병
② 제2급 감염병
③ 제3급 감염병
④ 제4급 감염병

58

다음 중 제3급 감염병으로 조합된 것은 무엇인가?

① 디프테리아, 콜레라
② 파상풍, 파라티푸스, 결핵
③ 홍역, 발진열
④ 말라리아, 쯔쯔가무시증

59

다음 중 제3급 감염병은 발생 후 몇 일 이내에서 보
건소장에게 신고하여야 하는가?

① 즉시
② 1일 이내
③ 5일 이내
④ 7일 이내

60

다음 중 제4급 감염병에 해당하는 것은 무엇인가?

① 폐렴
② 두창
③ 폴리오
④ 폐흡충증

61

다음 중 생물테러감염병에 해당하는 것은 무엇인가?

① 페스트
② 재귀열
③ 브루셀라증
④ 발진티푸스

62

다음 중 인수공통감염병이 아닌 것은 무엇인가?

① 결핵
② 공수병
③ 일본뇌염
④ 디프테리아

63

다음 중 법정 감염병에서 제외되었으며 전 세계적으로 사라진 질병은 무엇인가?

① 한센병
② 천연두
③ 트라코마
④ 브루셀라증

64

다음 보기의 (   )에 알맞은 내용은 무엇인가?

> 감염병 환자의 보고를 받은 의료기관의 장은 제1급 감염병부터 제3급 감염병까지는 지체 없이 (   )에게 신고하여야 한다.

① 보건소장　　　② 시·도지사
③ 질병관리청장　④ 보건복지부장관

65

감염병 환자는 법의 진단 기준에 따른 의사 또는 한의사의 진단이나 보건복지부령으로 정하는 기관의 실험실 검사를 통하여 확인된 사람이다. 여기서 말하는 기관에 해당하지 않는 것은 무엇인가?

① 보건소
② 보건진료소
③ 질병관리청
④ 보건환경연구원

66

다음 중 정기예방접종의 책임자는 누구인가?

① 보건소장
② 국립보건원장
③ 질병관리청장
④ 시장·군수·구청장

67

다음 중 국가예방접종사업의 대상이 되는 감염병은 무엇인가?

① 공수병　　　② 발진열
③ 파상풍　　　④ C형간염

68

다음 중 정기예방접종 대상 질환이 아닌 것은 무엇인가?

① 홍역
② 백일해
③ 페스트
④ 장티푸스

69

다음 중 BCG 예방접종 시기로 맞는 것은 무엇인 가?

① 생후 1주 이내
② 생후 4주 이내
③ 생후 2개월
④ 생후 6개월
⑤ 12~24개월

70

다음 중 영 · 유아 예방접종에 해당하지 <u>않는</u> 것은 무엇인가?

① 탄저
② 풍진
③ 결핵
④ 일본뇌염

제6장 급·만성 감염병

01

다음 중 만성 감염병에 해당하는 것은 무엇인가?

① 임질　　　　② 뎅기열
③ 페스트　　　④ 발진열

02

다음 중 만성 감염병의 역학적 특징은 무엇인가?

① 발생률과 유병률이 같다.
② 발생률과 유병률 모두 낮다.
③ 발생률과 유병률 모두 높다.
④ 발생률이 낮고 유병률이 높다.

03

다음 중 발생률이 낮고 유병률이 높은 질병은 무엇 인가?

① 성병　　　　② 홍역
③ 폴리오　　　④ A형간염

04

다음 중 발생률과 유병률이 같은 경우는 언제인 가?

① 급성감염병에 걸렸을 때
② 만성감염병에 걸렸을 때
③ 질병의 치사율이 높을 때
④ 질병의 이환기간이 짧을 때

05

다음 괄호 안에 들어갈 A와 B에 해당되는 것은 차례로 무엇인가?

> 소화기계 감염병의 예방대책은 (A)이고, 호흡기계 감염병의 예방대책은 (B)이다.

	A	B
①	검역관리	환경위생
②	감염원 제거	예방접종
③	환경위생	예방접종
④	감염관리	환경위생

06

다음 중 호흡기계 감염병의 예방대책으로 예방접종이 중요한 질병에 해당하는 것은 무엇인가?

> 가) 장티푸스　　　　나) 콜레라
>
> 다) 유행성 이하선염　　라) 성홍열
>
> 마) 페스트　　　　　　바) 브루셀라증

① 가, 나
② 다, 라
③ 마, 바
④ 가, 라

07

다음 중 수인성 감염병에 대한 설명으로 옳은 것은 무엇인가?

① 치명률이 낮다.
② 환자 수가 적다.
③ 제3급 감염병에 속한다.
④ 2차 감염이 많이 발생한다.

08

다음 중 소화기계 감염병이 <u>아닌</u> 것은 무엇인가?

① 홍역
② 폴리오
③ 콜레라
④ 파라티푸스

09

다음 중 병원체를 Salmonella Typhi로 하는 제2급 감염병은 무엇인가?

① 콜레라
② 폴리오
③ A형간염
④ 장티푸스

10

다음 중 질병의 전파양식과 임상적·병리학적으로 장티푸스와 비슷하나 치명률은 장티푸스보다 낮은 질병은 무엇인가?

① 폴리오
② 콜레라
③ 파라티푸스
④ 세균성 이질

11

다음 중 호흡기계 감염병은 무엇인가?

① 큐열
② 황열
③ 성홍열
④ 일본뇌염

12

다음 중 비말감염에 해당하는 것은 무엇인가?

① 콜레라
② A형간염
③ 소아마비
④ 디프테리아

13

다음 중 유행성 이하선염에 관한 설명으로 옳지 않은 것은 무엇인가?

① 볼거리로 불린다.
② 제2급 감염병이다.
③ 세균이 병원체가 된다.
④ 난소염을 발생하기도 한다.

14

다음 중 가을철 3대 풍토병으로 알맞게 조합된 것은 무엇인가?

① 황열, 렙토스피라증, 브루셀라증
② 일본뇌염, 발진열, 쯔쯔가무시병
③ 유행성출혈열, 탄저병, 진드기매개열
④ 유행성출혈열, 렙토스피라증, 쯔쯔가무시병

15

다음 중 Rubella Virus를 병원체로 하는 감염병은 무엇인가?

① 황열
② 유행성이하선염
③ 풍진
④ 발진티푸스

16

다음 중 수막구균성수막염에 대한 설명으로 옳지 않은 것은 무엇인가?

① 잠복기는 3~4일이다.
② 제2급 법정 감염병이다.
③ 전파경로는 비말감염이다.
④ 병원체는 Bordetella Pertussis이다.

17

다음 중 Hantaan Virus에 의해 발생되는 감염병은 무엇인가?

① 수두
② 발진열
③ 유행성출혈열
④ 렙토스피라증

18

다음 중 절지동물에 의한 감염병은 무엇인가?

① 수두
② 발진열
③ 공수병
④ 파상풍

19

절지동물 매개 감염병이 아닌 것은 무엇인가?

① 페스트
② 말라리아
③ 발진티푸스
④ 렙토스피라증

20

다음 중 공수병에 관한 설명으로 옳지 <u>않은</u> 것은 무엇인가?

① 제3급 감염병이다.
② 잠복기는 2~6주이다.
③ 광견병이라고도 한다.
④ 대부분 수일 내에 회복된다.

21

다음 중 Mycobacterium tuberculosis에 의해 발생하는 감염병은 무엇인가?

① 매독　　　② 결핵
③ 임질　　　④ 나병

22

다음 중 결핵 감염 유무를 판단하기 위한 검사법은 무엇인가?

① ELISA
② Widal test
③ Stool culture
④ Tuberculin test

23

다음 중 결핵검사의 순서로 가장 마지막 단계는 무엇인가?

① PPD
② 객담검사
③ 피부반응
④ X-선 직접촬영

24

다음 중 성인의 폐결핵 검진 방법으로 제일 먼저 시행하는 것은 무엇인가?

① 객담검사
② X선 간접 촬영
③ X선 직접 촬영
④ PPD 반응 검사

25

다음 중 Mycobacterium leprae에 의해 발생하는 감염병은 무엇인가?

① 매독　　　② 결핵
③ 임질　　　④ 나병

26

다음 중 전염병 관리 시 접촉자 색출을 가장 우선적으로 해야 하는 것은 무엇인가?

① 성병
② A형간염
③ 수족구병
④ 인플루엔자

27

다음 성병에서 가장 감염률이 높으며 흔한 질병은 무엇인가?

① 임질
② 매독
③ 연성하감
④ 트리코마

28

다음은 간염에 대한 설명으로 옳지 <u>않은</u> 것은 무엇
인가?

① A형간염은 제2급 감염병이다.
② B형간염은 수직감염되기도 한다.
③ A형간염은 급성과 만성으로 모두 진행된다.
④ C형간염의 주요 발생 원인은 바이러스에 감염된
혈액에 대한 수혈에 의해서다.

29

다음 중 백신이나 면역 글로불린이 없어 감염되지
않도록 주의해야 하는 것은 무엇인가?

① 풍진
② A형간염
③ B형간염
④ C형간염

30

다음 중 디프테리아 검사법은 무엇인가?

① Dick test
② Widal test
③ Schick test
④ Rectal swab

31

다음 중 성홍열 검사법은 무엇인가?

① Dick test
② Elisa test
③ Widal test
④ Lepromin test

32

다음 중 감염병 진단하는 방법으로 바르게 짝지어
진 것은 무엇인가?

① 결핵 - Widal test
② 장티푸스 - Dick test
③ 한센병 - Mantoux test
④ 디프테리아 - Shick test

제7장 위생해충

01

다음 중 모기를 매개체로 하는 감염병이 <u>아닌</u> 것은 무엇인가?

① 황열
② 발진열
③ 뎅기열
④ 말라리아

02

다음 중 일본뇌염을 매개하는 모기는 무엇인가?

① 열대숲모기
② 말레이모기
③ 토고숲모기
④ 작은빨간집모기

03

다음 중 중국얼굴날개모기를 매개체로 전파되는 감염병은 무엇인가?

① 황열
② 뎅기열
③ 사상충
④ 말라리아

04

다음 중 파리가 매개하는 질병과 관련이 <u>없는</u> 것은 무엇인가?

① 회충
② 콜레라
③ 페스트
④ 살모넬라

05

다음 중 완전변태 형태로 진행되는 위생해충에 해당하는 것은 무엇인가?

① 이
② 파리
③ 바퀴
④ 빈대

06

다음의 특징을 갖는 위생해충에 해당하는 것은 무엇인가?

> 가) 전 세계적으로 분포한다.
>
> 나) 군거성, 야행성, 잡식성이다.
>
> 다) 콜레라, 살모넬라를 매개한다.

① 쥐
② 파리
③ 바퀴
④ 모기

07

다음 중 매개 곤충과 질병의 연결로 옳지 <u>않은</u> 것은 무엇인가?

① 이 – 참호열
② 쥐 – 서교열
③ 벼룩 – 페스트
④ 빈대 – 발진열

08

다음 중 이를 매개로 하는 감염병은 무엇인가?

① 발진열   ② 페스트
③ 뎅기열   ④ 발진티푸스

09

다음 중 진드기가 매개하는 질병은 무엇인가?

① Q열   ② 참호열
③ 발진열   ④ 페스트

10

다음 중 위생해충 관리방법으로 옳지 <u>않은</u> 것은 무엇인가?

① 화학적인 방법으로 살충제를 사용한다.
② 구충, 구서는 구제 대상 동물의 발생원이나 서식지를 제거한다.
③ 물리적인 방법으로 각종 트랩이나 끈끈이, 유문들의 사용 등이 있다.
④ 구충, 구서는 발생 초기보다 발생 후기에 실시하는 것이 바람직하다.

제**8**장 기생충

01

다음 중 기생충의 인체 내 기생장소로 옳지 <u>않은</u> 것은 무엇인가?

① 요충 – 맹장
② 유구조충 – 소장
③ 폐디스토마 – 폐
④ 십이지장충 – 위장벽

02

다음 중 스카치 테이프법으로 진단하는 기생충은 무엇인가?

① 회충   ② 요충
③ 폐흡충   ④ 간흡충

03

다음 중 야채 및 채소를 매개로 하여 침입하여 전파되는 기생충은 무엇인가?

① 회충   ② 사상충
③ 선모충   ④ 간흡충

04

다음 중 어패류를 매개로 하는 기생충이 <u>아닌</u> 것은 무엇인가?

① 간흡충   ② 폐흡충
③ 요코가와흡충 ④ 동양모양선충

05

다음 중 육류를 매개로 하는 기생충으로 바르게 조합된 것은 무엇인가?

① 회충, 요충
② 선모충, 간흡충
③ 폐충, 아니사키스
④ 유구조충, 무구조충

06

다음 중 혈액으로 기생충 진단하는 것은 무엇인가?

① 회충   ② 구충
③ 간흡충   ④ 사상충

07

다음 기생충의 종류 중 선충류에 해당하지 <u>않는</u> 것은 무엇인가?

① 회충   ② 편충
③ 폐흡충   ④ 선모충

08

다음은 기생충의 예방법으로 옳은 것은 무엇인가?

① 간흡충은 가재 생식을 금한다.
② 요충은 맨발로 작업하지 않는다.
③ 유구조충은 어패류 생식을 금한다.
④ 회충은 분변을 완전처리하며 채소를 깨끗이 씻는다.

09

다음 중 집단감염과 관련 있는 기생충은 무엇인가?

① 요충
② 편충
③ 광절열두조충
④ 요꼬나와흡충

10

다음 중 요충에 감염되었을 때 나타나는 대표적인 증상은 무엇인가?

① 흡혈
② 상피증
③ 뇌농양
④ 항문 주위 소양증

11

다음 중 해산어류를 생식하였을 때 감염되는 기생충 질환은 무엇인가?

① 회충   ② 편충
③ 선모충   ④ 아니사키스

12

다음 중 우리나라에서 가장 높은 기생충 감염률을 보이는 것은 무엇인가?

① 회충   ② 요충
③ 편충   ④ 간흡충

13

다음 중 낙동강이나 섬진강 유역에 분포하며, 인체의 담관에 기생하며 민물고기 생식으로 감염될 수 있는 기생충은 무엇인가?

① 회충　　　　② 편충
③ 간흡충　　　④ 폐흡충

14

다음 중 기생충과 관련된 중간숙주의 연결로 올바른 것은 무엇인가?

① 유구조충 – 소
② 무구조충 – 닭
③ 말레이사상충 – 벼룩
④ 간흡충 – 왜우렁이, 담수어

15

다음 기생충 중에 제1중간숙주와 제2중간숙주가 있는 것은 무엇인가?

① 선모충　　　② 간흡충
③ 유구조충　　④ 말레이사상충

16

다음은 간흡충과 폐흡충에 관한 설명으로 옳지 <u>않</u>은 것은 무엇인가?

① 폐흡충의 제1중간숙주는 다슬기이다.
② 간흡충의 제2중간숙주는 담수어이다.
③ 폐흡충은 가재의 생식과 관련이 있다.
④ 폐흡충 감염 시 소화기 이상 증상이 나타나며, 간흡충 감염 시 호흡기 이상 증상이 나타난다.

17

다음 중 게나 가재의 생식으로 감염될 수 있는 기생충은 무엇인가?

① 간흡충　　　② 폐흡충
③ 주혈흡충　　④ 요코가와흡충

18

다음 중 폐흡충의 중간숙주로 옳은 것은 무엇인가?

① 소
② 돼지
③ 다슬기, 가재
④ 다슬기, 담수어

19

다음 중 요코가와흡충의 중간숙주로 옳은 것은 무엇인가?

① 왜우렁, 담수어
② 다슬기, 담수어
③ 해산포유류
④ 가재, 고래

20

다음 중 돼지고기 생식과 관련 있는 기생충은 무엇인가?

① 구충
② 유구조충
③ 동양모양선충
④ 말레이사상충

21

다음 중 유구조충의 중간숙주는 무엇인가?

① 개
② 소
③ 돼지
④ 다슬기

22

다음 중 무구조충의 중간숙주는 무엇인가?

① 소
② 개
③ 돼지
④ 고양이

23

다음은 무구조충에 관한 설명으로 옳은 것으로 조합된 것은 무엇인가?

가) 전 세계적으로 분포한다.

나) 유구조충보다 감염률이 낮다.

다) 중간숙주는 돼지이다.

라) 예방법은 쇠고기의 생식을 금하고, 소의 사료가 분뇨에 의해 오염되지 않도록 주의한다.

마) 감염증상으로 소화기계 증상이 주로 나타난다.

바) 기생 장소는 맹장이다.

① 가, 나, 다
② 가, 라, 마
③ 나, 다, 바
④ 나, 라, 마

24

다음 중 중간숙주가 하나인 기생충은 무엇인가?

① 간흡충
② 폐흡충
③ 무구조충
④ 광절열두조충

25

다음 중 연어가 제2중간숙주로 작용하는 기생충은 무엇인가?

① 요충
② 간흡충
③ 광절열두조충
④ 십이지장충(구충)

part

03

공중보건학 예상문제

환경관리

제9장   환경보건

제10장   환경오염

제11장   식품위생

제12장   보건영양

제9장 환경보건

01

다음 중 기후의 3요소로 바른 조합은 무엇인가?

① 기온, 기류, 강우
② 기압, 기습, 기류
③ 기온, 기습, 기류
④ 기류, 복사량, 강우
⑤ 기압, 기류, 복사량

02

다음 중 기온이 빨리 상승하고 빨리 하강하여 기온의 연교차와 일교차가 매우 큰 기후는 무엇인가?

① 열대 기후
② 냉대 기후
③ 산악성 기후
④ 대륙성 기후

03

다음 중 고온순화 현상으로 일어나는 증상과 거리가 먼 것은 무엇인가?

① 땀 분비량 증가
② 땀 분비속도 증가
③ 심장박동 수 정상
④ 직장의 온도 증가

04

다음 중 4대 온열 요소에 해당하지 않는 것은 무엇인가?

① 기온
② 기압
③ 기류
④ 기습

05

다음 중 실외 기온 측정 시 측정 높이에 대하여 옳은 것은 무엇인가?

① 지상 어디에서나 측정 가능
② 지상 0.5 m 높이에서 측정
③ 지상 1.0 m 높이에서 측정
④ 지상 1.5 m 높이에서 측정

06

인체 체온조절 시 생산은 대부분 어디에서 이루어지는가?

① 폐
② 심장
③ 간장
④ 골격근

07

다음 중 실내 온도에 대한 설명으로 옳은 것은 무엇인가?

① 거실의 적정온도는 $15\pm2℃$이다.
② 침실의 적정온도는 $16\pm2℃$이다.
③ 병실의 적정온도는 $18\pm2℃$이다.
④ 병실의 적정온도는 $21\pm2℃$이다.

08

서울시 ○○구의 현재 기온은 21℃이고, 절대습도의 수증기량은 7.0 g이다. 포화습도의 수증기량이 20.0 g일 때 상대습도는 얼마인가?

① 20%   ② 35%

③ 50%   ④ 65%

09

다음 중 괄호 안에 들어갈 단어로 순서대로 조합된 것은 무엇인가?

실내 습도가 너무 습하면 (   )에 걸리기 쉽고,
실내 습도가 너무 건조하면 (   )에 걸리기 쉽다.

① 피부질환, 심장질환

② 심장질환, 피부질환

③ 호흡기질환, 신장질환

④ 피부질환, 호흡기질환

10

다음 중 실내 공기의 기류를 측정하는 카타온도계의 눈금 범위로 맞는 것은 무엇인가?

① 50~70℉   ② 65~80℉

③ 95~100℉   ④ 90~120℉

11

다음 중 복사열 측정기구로 맞는 것은 무엇인가?

① 수은온도계

② 카타온도계

③ 흑구온도계

④ 아네모메타

12

다음 중 기온, 기습, 기류로 알 수 있는 온열지수로 올바르게 조합된 것은 무엇인가?

가) 쾌감대

나) 불쾌지수

다) 감각온도

라) 카타냉각력

마) 습구흑구온도지수

바) 지적온도

① 가, 나, 다   ② 가, 다, 라

③ 나, 라, 마   ④ 다, 라, 바

13

다음 중 실내에서의 쾌적함을 느낄 수 있는 온도 및 습도로 올바른 것은 무엇인가?

① 온도 16±2℃, 습도 20~35%

② 온도 17±2℃, 습도 20~35%

③ 온도 17±2℃, 습도 40~70%

④ 온도 18±2℃, 습도 40~70%

14

다음 중 쾌감대의 범위로 옳은 설명은 무엇인가?

① 17~18℃의 온도, 60~65%의 습도, 0.1 m/sec 이하의 불감기류

② 17~18℃의 온도, 60~65%의 습도, 0.5 m/sec 이하의 불감기류

③ 19~21℃의 온도, 40~70%의 습도, 1.0 m/sec 이하의 불감기류

④ 21~23℃의 온도, 40~55%의 습도, 0.1 m/sec 이하의 불감기류

15

다음 중 불쾌지수를 나타내는 공식으로 옳은 것은 무엇인가?

① (건구온도+습구온도)℉×0.3+15
② (건구온도+습구온도)℉×0.4+25
③ (건구온도+습구온도)℃×0.28+40.6
④ (건구온도+습구온도)℃×0.72+40.6

16

다음 중 불쾌지수의 수치가 몇 이상이면 참을 수 없는 상태가 되는가?

① 68 이상
② 70 이상
③ 75 이상
④ 85 이상

17

학교 교실의 실내 건구온도와 습구온도를 합한 값이 60℃일 때 불쾌지수는 다음 보기 중 어디에 해당하는가?

① DI≥70: 약 10% 사람이 불쾌
② DI≥75: 약 50% 사람이 불쾌
③ DI≥80: 거의 모든 사람이 불쾌
④ DI≥85: 모든 사람이 견딜 수 없을 정도의 불쾌

18

다음 중 주관적 쾌적온도에 대한 설명으로 옳은 것은 무엇인가?

① 여름의 쾌적 온도는 18~21℃
② 겨울의 최적 온도는 20~22℃
③ 생산능률을 가장 최대로 올릴 수 있는 온도
④ 감각적으로 인체에서 느끼는 가장 쾌적함을 느낄 수 있는 온도

19

다음 공기 성분 중 가장 많이 차지하는 것은 무엇인가?

① 산소
② 질소
③ 이산화탄소
④ 일산화탄소

20

다음 중 잠함병과 관련된 것은 무엇인가?

① 산소
② 수소
③ 질소
④ 일산화탄소

21

다음 중 공기 중에 산소 농도가 몇 % 이하일 때 질식사 위험이 있는가?

① 7% 이하
② 10% 이하
③ 15% 이하
④ 21% 이하

22

다음 중 실내공기오염의 지표는 무엇인가?

① 산소
② 오존
③ 이산화탄소
④ 일산화탄소

23

다음은 무엇에 대한 설명인가?

> 다수인이 밀폐된 공간에 있을 때 실내 공기의 조성 변화로 불쾌감, 두통, 메스꺼움, 구토, 현기증 등을 일으킨다.

① 식중독　　　② 군집독
③ 도노라　　　④ 체외독소

24

다음 중 군집독의 예방법으로 옳은 것은 무엇인가?

① 소독
② 환기
③ 온도 조절
④ 습도 조절

25

다음 중 무색, 무취, 무미의 성분으로 맹독성의 특징을 지닌 것은 무엇인가?

① 산소
② 질소
③ 탄소
④ 일산화탄소

26

다음 중 일산화탄소(CO) 중독 시 유발할 수 있는 후유증이 <u>아닌</u> 것은 무엇인가?

① 운동장애
② 신장장애
③ 언어장애
④ 중추신경장애

27

일산화탄소(CO)는 헤모글로빈과의 친화력이 산소보다 몇 배 강한가?

① 약 250배
② 약 350배
③ 약 400배
④ 약 550배

28

다음 중 인체 내 혈중 CO-Hb 농도에서 무증상이 되려면 어느 정도 비율이어야 하는가?

① 10% 미만　　② 10~20%
③ 30~40%　　④ 40~50%

29

다음 중 새집증후군을 일으키는 가장 주요한 원인은 무엇인가?

① 벤젠
② 자일렌
③ 포르말린
④ 포름알데히드

30

다음 중 물의 자정작용이 <u>아닌</u> 것은 무엇인가?

① 확산, 침전 작용
② 산화, 환원 작용
③ 적외선에 의한 살균 작용
④ 미생물에 의한 유기물 분해 작용

31

다음 중 정수장에서 수돗물의 수질검사를 매주 1회 이상 측정해야 하는 항목이 <u>아닌</u> 것은 무엇인가?

① 대장균군
② 질산성 질소
③ 잔류염소 소비량
④ 암모니아성 질소

32

다음 중 지표수에 관한 설명으로 옳지 <u>않은</u> 것은 무엇인가?

① 오염되기 쉽다.
② 유기물이 많다.
③ 용존 산소가 적다.
④ 미생물의 번식이 많다.

33

다음 중 상수도원의 원수로 가장 많이 이용되는 것은 무엇인가?

① 천수 ② 해수
③ 지하수 ④ 지표수

34

다음 중 상수도 시설의 단계로 옳은 것은 무엇인가?

① 수원 → 취수 → 도수 → 정수 → 송수 → 배수 → 급수시설
② 수원 → 배수 → 급수 → 정수 → 취수 → 도수 → 급수시설
③ 수원 → 송수 → 도수 → 정수 → 취수 → 급수 → 급수시설
④ 수원 → 배수 → 도수 → 취수 → 정수 → 송수 → 급수시설

35

다음 상수도 시설 중 수원지에서 취수한 물을 정수장으로 보내는 시설은 무엇인가?

① 송수
② 배수
③ 정수
④ 도수

36

다음 중 상수 처리 단계 순서로 옳은 것은 무엇인가?

① 스크린 → 침사 → 침전 → 폭기 → 여과 → 응집 → 소독
② 스크린 → 침사 → 폭기 → 응집 → 침전 → 여과 → 소독
③ 스크린 → 여과 → 폭기 → 응집 → 침전 → 침사 → 소독
④ 스크린 → 여과 → 폭기 → 침사 → 침전 → 응집 → 소독

37

다음 중 폭기의 기능에 해당하지 <u>않는</u> 것은 무엇인가?

① 가스류를 제거한다.
② 냄새와 맛을 제거한다.
③ 철과 망간을 제거한다.
④ 냉각수를 고온수로 변화시킨다.

38

폭기 과정 중 냄새와 맛을 제거하기 위해 사용되는 것은 무엇인가?

① 염소
② 황산동
③ 활성탄
④ 클로라민

39

다음 중 상수처리과정에서 침전 방법으로 유속을 천천히 하거나 정지시켜 부유물을 침전시키는 방법은 무엇인가?

① 급속 침전
② 약품 침전
③ 여과 침전
④ 보통 침전

40

다음 중 Mills-Reinke 현상에 대한 설명으로 옳은 것은 무엇인가?

① 물을 자외선 소독함으로 미생물을 차단하는 현상
② 물을 여과 급수함으로 수인성 질병이 감소되는 현상
③ 물을 소독함으로 음용수 가능한 상태로 만드는 현상
④ 물을 급속여과 시킴으로 수인성 질병이 증가되는 현상

41

다음 중 급속사 여과법에 관한 설명으로 옳지 <u>않은</u> 것은 무엇인가?

① 미국식 여과법이다.
② 약품 침전법을 사용한다.
③ 색도가 낮은 수원에 좋다.
④ 탁도가 높은 수원에 좋다.

42

다음 중 완속사 여과법에 관한 설명 중 옳은 것은 무엇인가?

① 여과 속도가 빠르다.
② 건설비가 많이 든다.
③ 약품 침전법을 사용한다.
④ 높은 탁도를 가진 물에 적용한다.

43

다음 중 상수도 소독에 가장 많이 사용되는 소독법은 무엇인가?

① 오존 소독
② 염소 소독
③ 불소 소독
④ 표백분 소독

44

다음 중 염소 소독에 관한 설명으로 옳지 <u>않은</u> 것은 무엇인가?

① 비용이 비싸다.
② 잔류성이 우수하다.
③ 조작법이 간편하다.
④ 독성 발암물질을 생성한다.

45

다음 중 염소 소독 사용 시 생성되는 발암물질은 무엇인가?

① 파라티온
② 말라티온
③ 트리할로메탄
④ 과망간산칼륨

46

다음 중 상수도 염소 소독 시 잔류염소량 기준으로 옳은 것은 무엇인가?

① 0.05 ppm 이상
② 0.1 ppm 이상
③ 0.2 ppm 이상
④ 0.3 ppm 이상

47

다음 중 상수의 염소 소독 시에 살균력이 가장 강한 것은 무엇인가?

① HOS
② OCl⁻
③ NaCl
④ HOCl

48

다음 중 염소의 살균력에 영향을 주는 요소가 <u>아닌</u> 것은 무엇인가?

① pH
② 온도
③ 산소 포화도
④ 잔류염소농도

49

다음 중 염소 소독에서 살균력을 높이는 방법으로 옳은 것은 무엇인가?

① pH를 낮춘다.
② 온도를 낮춘다.
③ 접촉시간을 줄인다.
④ 염소 농도를 낮춘다.

50

다음 중 오존 소독에 대한 특징으로 옳은 것은 무엇인가?

① 경제적이다.
② 잔류성이 크다.
③ 살균력이 약하다.
④ 고도의 기술을 필요로 한다.

51

다음 중 먹는 물의 수질기준에 관한 항목으로 해당되지 <u>않는</u> 것은 무엇인가?

① 미생물에 관한 기준
② 심미적 영향물질에 관한 기준
③ 소독제 및 소독부산물질에 관한 기준
④ 건강상 무해영향 유기물질에 관한 기준

52

다음 중 일반세균에 대한 먹는 물의 수질 기준으로 옳은 것은 무엇인가?

① 1 mL 중 10 CFU 이하
② 1 mL 중 100 CFU 이하
③ 10 mL 중 100 CFU 이하
④ 100 mL 중 10 CFU 이하

53

다음 중 대장균에 대한 먹는 물의 수질 기준으로 옳은 것은 무엇인가?

① 10 m/L 중 10 CFU 이하여야 한다.
② 100 m/L 중 10 CFU 이하여야 한다.
③ 100 m/L 중 20 CFU 이하여야 한다.
④ 100 m/L 중 검출되지 않아야 한다.

54

다음 중 음용수의 수질 기준에서 총대장균군에 대한 것으로 옳은 것은 무엇인가?

① MPN은 0이다.   ② MPN은 5이다.
③ MPN은 10이다.   ④ MPN은 50이다.

55

다음은 먹는 물의 수질기준 중 미생물에 관한 설명으로 옳지 <u>않은</u> 것은 무엇인가?

① 여시니아균은 2 L에서 검출되지 아니할 것
② 총 대장균군은 100 mL에서 검출되지 아니할 것
③ 일반세균은 100 mL 중 1 CFU를 넘지 아니할 것
④ 대장균·분원성 대장균군은 100 mL에서 검출되지 아니할 것

56

다음 중 음용수의 수질 기준에서 충치 예방을 위해 정한 항목은 무엇인가?

① 페놀   ② 크롬
③ 수은   ④ 불소

57

다음 중 먹는 물의 수질기준 중 유해 무기물질이 <u>아닌</u> 것은 무엇인가?

① 납   ② 수은
③ 벤젠   ④ 크롬

58

다음 중 먹는 물의 수질 기준에 해당하지 <u>않는</u> 것은 무엇인가?

① 색도는 5도를 넘지 아니한다.
② 납은 0.1 mg/L를 넘지 아니한다.
③ 동은 0.1 mg/L를 넘지 아니한다.
④ 총 대장균군은 100 mL에서 검출되지 아니한다.

59

다음 중 음용수의 수질 기준으로 옳은 것은 무엇인가?

① 비소는 1.0 mg/L를 넘지 아니할 것
② 톨루엔은 0.1 mg/L를 넘지 아니할 것
③ 카바릴은 0.7 mg/L를 넘지 아니할 것
④ 크실렌은 0.5 mg/L를 넘지 아니할 것

60

다음은 음용수의 소독제에 관한 기준으로 옳지 <u>않</u>은 것은 무엇인가?

① 잔류염소는 4.0 mg/L를 넘지 아니할 것
② 파라티온은 0.6 mg/L를 넘지 아니할 것
③ 클로로포름은 0.08 mg/L를 넘지 아니할 것
④ 포름알데히드는 0.5 mg/L를 넘지 아니할 것

61

다음 중 음용수의 수질기준에서 소독제의 잔류염소의 기준으로 옳은 것은 무엇인가?

① 잔류염소는 1.0 mg/L를 넘지 아니할 것
② 잔류염소는 2.0 mg/L를 넘지 아니할 것
③ 잔류염소는 4.0 mg/L를 넘지 아니할 것
④ 잔류염소는 8.0 mg/L를 넘지 아니할 것

62

다음 중 먹는 물의 수질기준에서 과망간산칼륨 소비량의 기준은 무엇인가?

① 1 mg/L를 넘지 아니할 것
② 10 mg/L를 넘지 아니할 것
③ 20 mg/L를 넘지 아니할 것
④ 50 mg/L를 넘지 아니할 것

63

다음 중 먹는 물의 수질 기준에서 옳지 <u>않은</u> 것은 무엇인가?

① 탁도는 10 NTU을 넘지 아니할 것
② 철은 0.3 mg/L를 넘지 아니할 것
③ 아연은 3 mg/L를 넘지 아니할 것
④ 염소이온은 250 mg/L를 넘지 아니할 것

64

다음은 합류식 하수처리방식의 특징으로 옳지 <u>않</u>은 것은 무엇인가?

① 건설비가 많이 든다.
② 수리 및 점검이 용이하다.
③ 우기 시 범람의 우려가 있다.
④ 건기에 악취가 발생할 수 있다.

65

다음 중 하수처리 2대 방법으로 바르게 조합된 것은 무엇인가?

① 임호프탱크, 부패조
② 활성오니법, 살수여상법
③ 활성오니법, 산화지법
④ 살수여상법, 산화지법

66

다음 중 하수처리의 가장 마지막 단계는 무엇인가?

① 본처리　　　　② 예비처리
③ 오니처리　　　④ 혐기성처리

67

다음 중 하수처리의 생물학적 처리 방법에서 호기성 분해에 해당하지 <u>않는</u> 것은 무엇인가?

① 산화지법　　　② 환원지법
③ 활성오니법　　④ 살수여상법

68

다음 중 혐기성 분해처리 방법으로만 조합된 것은 무엇인가?

① 임호프탱크, 부패조
② 활성탱크, 메탄발효법
③ 알코올발효법, 부패조
④ 비활성탱크, 메탄발효법

69

다음 하수처리의 생물학적 처리 방법 중 대도시 하수처리방법에 가장 많이 사용되고 있고, 기계 조작이 어려워 숙련된 기술을 필요로 하는 것은 무엇인가?

① 부패조
② 산화지법
③ 살수여상법
④ 활성오니법

70

다음 중 슬러지 팽화현상(Sludge bulking)과 관련된 하수처리방법은 무엇인가?

① 산화지법
② 임호프탱크
③ 활성오니법
④ 살수여상법

71

다음 중 하수의 호기성 분해처리방법으로 주로 산업폐수 처리에 적절하고 여름철 위생해충 및 악취 발생의 특징을 갖는 것은 무엇인가?

① 부패조
② 임호프탱크
③ 활성오니법
④ 살수여상법

72

다음 중 하수처리 방법에서 생물학적 처리 방법이 아닌 것은 무엇인가?

① 침전법   ② 부패조
③ 산화지법   ④ 회전원판법

73

다음 중 하수의 혐기성 처리방법으로 침전실과 소화실로 두 개의 층이 분리된 것과 관련된 방법은 무엇인가?

① 관개법   ② 부패조
③ 산화지법   ④ 임호프탱크

74

다음 중 오니처리 방법으로 해당되지 않는 것은 무엇인가?

① 소각법   ② 산화법
③ 소화법   ④ 육상투기법

75

다음 중 폐기물 처리 방법이 아닌 것은 무엇인가?

① 파쇄법   ② 매립법
③ 소각법   ④ 부패조법

76

다음 중 폐기물을 매립식 방법으로 처리할 때 이상적인 경사 각도는 무엇인가?

① 15°
② 30°
③ 45°
④ 50°

77

다음 중 가장 위생적인 폐기물 처리방법이지만 대기오염의 문제가 있는 것은 무엇인가?

① 매립법
② 소각법
③ 퇴비화법
④ 동물사료법

78

다음 중 폐기물 처리로 소각법을 이용할 때 발생할 수 있는 대기오염물질은 무엇인가?

① 페놀
② 벤젠
③ 세슘
④ 다이옥신

79

다음 중 의료폐기물 처리로 가장 이상적인 처리 방법은 무엇인가?

① 매립법   ② 소각법
③ 퇴비법   ④ 경수연화법

80

다음 중 폐기물의 퇴비화 처리에 관한 설명으로 옳지 않은 것은 무엇인가?

① 수분은 50~70%이다.
② C/N 비는 30 내외이다.
③ 혐기성 세균을 이용한다.
④ pH는 6~8 조건으로 한다.

81

다음 중 분변의 비위생적인 처리로 감염될 수 있는 질병은 무엇인가?

① 백일해
② 성홍열
③ 디프테리아
④ 아메바성 이질

82

다음 중 분변의 비위생적인 처리로 감염될 수 있는 기생충이 아닌 것은 무엇인가?

① 회충   ② 요충
③ 편충   ④ 선모충

83

다음 중 분뇨 정화조의 일반적인 구조 순서로 올바른 것은 무엇인가?

① 부패조 → 예비여과조 → 산화조 → 소독조
② 부패조 → 예비소독조 → 산화조 → 여과조
③ 산화조 → 부패조 → 예비여과조 → 소독조
④ 산화조 → 예비소독조 → 부패조 → 소독조

84

다음의 분뇨처리 방법 중 고온, 고압 상태에서 충분한 산소를 공급하여 소각하는 방법은 무엇인가?

① 퇴비화법
② 하수처리법
③ 습식산화법
④ 혐기성처리방법

85

다음 중 공중목욕장의 수질기준에서 MPN은 몇인가?

① 0
② 5 이하
③ 10 이하
④ 20 이하

86

다음 중 주택의 자연환기에서 창문 크기에 대한 설명으로 옳은 것은 무엇인가?

① 창문은 바닥 면적의 1/5~1/7이어야 환기가 좋다.
② 창문은 바닥 면적의 1/7 이상이어야 환기가 좋다.
③ 창문은 바닥 면적의 1/10 이상이어야 환기가 좋다.
④ 창문은 바닥 면적의 1/20 이상이어야 환기가 좋다.

87

다음 중 자연조명에서 이상적인 입사각의 각도는 얼마인가?

① 4~5도 이상
② 10도 이상
③ 18도 이상
④ 28도 이상

88

다음 실내 조도기준 범위에서 학교교실에 해당하는 것은 무엇인가?

① 50~100
② 60~150
③ 150~300
④ 300~600

89

다음 중 여름 냉방 시 실내온도와 실외온도 차이가 몇 도 이상일 때 몸에 해로울 수 있는가?

① 5℃ 이상
② 7℃ 이상
③ 10℃ 이상
④ 12℃ 이상

90

다음 중 의복의 목적으로 가장 중요한 것은 무엇인가?

① 미화
② 사회생활
③ 체온 조절
④ 유해물질로부터 신체 보호

91

다음 중 의복의 함기성과 열전도성, 보온력에 관한 설명으로 옳은 것은 무엇인가?

① 함기성과 열전도성은 관련이 없다.
② 함기성이 클수록 보온력은 작아진다.
③ 열전도성이 클수록 보온력도 커진다.
④ 함기성이 클수록 열전도성은 작아진다.

92

다음 중 의복의 방한력의 단위로 옳은 것은 무엇인가?

① Lux   ② SLE
③ CLO   ④ ASO

93

다음 중 소독력이 높은 순서대로 바르게 조합된 것은 무엇인가?

① 멸균 > 살균 > 소독 > 방부
② 멸균 > 소독 > 방부 > 살균
③ 소독 > 방부 > 살균 > 멸균
④ 소독 > 멸균 > 살균 > 방부

94

다음 소독법 중 습열 멸균법에 해당하지 <u>않는</u> 것은 무엇인가?

① 저온살균법
② 자비소독법
③ 자외선멸균법
④ 유통증기멸균법

95

다음 중 우유의 저온 살균법으로 온도와 시간이 올바른 것은 무엇인가?

① 4 ~ 8℃ , 15분간 살균

② 20~25℃, 30분간 살균

③ 36~40℃, 15분간 살균

④ 63~65℃, 30분간 살균

96

다음은 소독법과 그에 해당하는 온도와 시간으로 바르게 조합된 것은 무엇인가?

① 자비멸균법: 75℃로 15분

② 저온살균법: 63~65℃로 30분

③ 유통증기멸균법: 45℃로 40분

④ 초고온순간멸균법: 175℃에서 2초

97

다음 중 아포형성균을 멸균할 때 가장 이상적인 소독법은 무엇인가?

① 자비소독법　　② 화염멸균법

③ 저온살균법　　④ 고압증기멸균법

98

다음 중 초고온순간멸균법에 해당하는 온도와 시간으로 바르게 조합된 것은 무엇인가?

① 75℃로 15초

② 135℃에서 2초

③ 61~63℃로 30분

④ 100℃로 15~20분

99

다음 중 이상적인 소독약의 조건이 <u>아닌</u> 것은 무엇인가?

① 독성이 없어야 한다.

② 침투성이 높아야 한다.

③ 용해성이 높아야 한다.

④ 석탄산 계수가 낮아야 한다.

100

다음 중 소독약의 살균력 측정을 위해 사용하는 것은 무엇인가?

① 염산

② 석탄산

③ 에탄올

④ 황산동

101

다음 중 알코올 소독약의 가장 이상적인 농도는 얼마인가?

① 50~55%　　② 60~65%

③ 70~75%　　④ 80~85%

102

다음 중 구내염, 인두염에 사용되는 소독약은 무엇인가?

① 승홍

② 석탄산

③ 크레졸

④ 과산화수소

103

다음 중 손 소독 시 가장 많이 사용하는 소독약은 무엇인가?

① 생석회
② 알코올
③ 크레졸
④ 역성비누

104

다음 중 변소 소독에 사용되는 소독약은 무엇인가?

① 벤젠
② 생석회
③ 알코올
④ 역성비누

105

다음 중 살균력의 산화기전에 의한 소독약이 아닌 것은 무엇인가?

① 염소
② 오존
③ 크레졸
④ 과산화수소

106

다음 중 균체의 단백응고 기전에 의한 소독약에 해당하는 것이 아닌 것은 무엇인가?

① 승홍　　　　② 석탄산
③ 크레졸　　　　④ 중금속염

107

다음 중 역성비누는 어떠한 살균력의 기전을 이용한 소독액인가?

① 탈수
② 산화
③ 가수분해
④ 균체의 효소 불활성화

제10장 환경오염

01

다음 중 람사협약에 대한 내용으로 관련 있는 것은 무엇인가?

① 해양오염을 방지하기 위한 조약이다.
② 습지 보호를 위한 국제습지조약이다.
③ 생물종의 멸종위기 극복을 위한 협약이다.
④ 온실가스 감축을 위한 구체적 내용을 포함한다.

02

다음은 환경보전을 위한 국제적 노력에 관한 설명으로 관련 없는 것은 무엇인가?

① 비엔나 협약은 오존층 보호를 위한 최초의 협약이다.
② 리우선언의 기본 이념은 환경적으로 건전하고, 지속 가능한 개발이다.
③ 세계 최초의 인간환경회의가 개최된 곳은 브라질의 리우데자네이루이다.
④ 몬트리올 의정서는 오존층 파괴물질의 생산 및 사용의 규제에 목적을 둔다.

03

다음 중 오존층 보호에 관한 국제협약은 무엇인가?

① 바젤협약
② 런던협약
③ 람사르협약
④ 비엔나협약

04

다음 중 몬트리올 의정서와 관련된 환경 이슈는 무엇인가?

① 오존층
② 해양오염
③ 온실가스
④ 대기오염

05

다음 중 유해폐기물에 대한 국가 간 이동 규제에 관한 협약은 무엇인가?

① 람사협약
② 런던협약
③ 바젤협약
④ 비엔나협약

06

다음 중 교토의정서와 관련 있는 것은 무엇인가?

① 공해
② 오존층
③ 온실가스
④ 해양오염

07

다음 중 교토의정서에서 규정한 온실가스 감축대상에 해당하는 것이 아닌 것은 무엇인가?

① 메탄(CH_4)
② 불화탄소(PFC)
③ 불화유황(SF_6)
④ 아황산(H_2SO_3)

08

다음 중 일산화탄소 중독 시 치료법은 무엇인가?

① 환기시킨다.
② 기압을 높여준다.
③ 저압질소요법을 사용한다.
④ 고압산소요법을 사용한다.

09

다음 중 1차 오염물질로 조합된 것은 무엇인가?

① H_2S, O_3
② NO_2, SO_2
③ $NOCl$, H_2O_2
④ H_2SO_4, PAN

10

다음 중 링겔만 차트는 무엇을 측정하는데 사용되는가?

① 매연 농도 측정
② 오존 농도 측정
③ 해수면 온도 측정
④ 산성비 지수 측정

11

다음 중 링겔만 차트에서 0도가 나타나는 색과 5도가 나타내는 색을 각각 바르게 나열한 것은 무엇인가?

① 흑색, 보라색
② 백색, 황색
③ 황색, 적색
④ 백색, 흑색

12

다음 중 2차 대기오염물질에 해당하는 것은 무엇인가?

① 오존(O_3)
② 불화수소(HF)
③ 탄화수소(HC)
④ 황화수소(H_2S)

13

다음의 대기오염물질 중 광화학 반응으로 생긴 물질은 무엇인가?

① H2   ② CO
③ H_2S ④ PAN

14

대기 환경기준에서 오존(O_3)의 환경기준으로 맞는 것은 무엇인가?

① 1시간 평균 0.1 ppm 이하이다.
② 1시간 평균 0.05 ppm 이하이다.
③ 2시간 평균 0.01 ppm 이하이다.
④ 2시간 평균 0.2 ppm 이하이다.

15

다음 중 오존경보 발령 시 오존주의보는 1시간 기준으로 어느 범위에 해당하는가?

① 오존농도 0.02 ppm 이상
② 오존농도 0.06 ppm 이상
③ 오존농도 0.12 ppm 이상
④ 오존농도 0.2 ppm 이상

16

다음 중 오존(O_3)은 보통 어떤 날에 발생하는가?

① 기온이 낮은 한겨울에 주로 발생
② 비 오는 여름 장마철에 주로 발생
③ 바람이 없는 상태의 햇빛이 강한 여름 날씨에 주로 발생
④ 바람이 많이 부는 상태의 햇빛이 강한 날씨에 주로 발생

17

다음 중 우리나라 대기환경기준에 대한 설명으로 옳지 않은 것은 무엇인가?

① 오존(O_3) 8시간 평균치 0.06 ppm 이하
② 일산화탄소(CO) 8시간 평균치 9 ppm 이하
③ 미세먼지(PM-10) 연간 평균치 25 $\mu g/m^3$ 이하
④ 이산화질소(NO_2) 연간 평균치 0.03 ppm 이하

18

다음 중 우리나라의 대표적인 대기오염 지표가 되는 것은 무엇인가?

① 황화수소
② 일산화탄소
③ 이산화탄소
④ 아황산가스

19

다음 중 열섬현상이 주로 발생하는 때는 언제인가?

① 밤
② 아침
③ 여름
④ 저기압

20

다음 중 열섬 현상에 대한 설명으로 옳지 않은 것은 무엇인가?

① 인공 열이 많다.
② 공기 수직이동이 증가한다.
③ 열섬 현상에 따른 대기오염이 심화된다.
④ 도시는 전원도시보다 열 보전능력이 크다.

21

다음 중 고도가 증가함에 따라 기온도 상승하는 현상을 무엇이라고 하는가?

① 대기오염
② 기온역전
③ 열섬현상
④ 온실효과

22

다음 중 온실효과를 일으키는 기체로 가장 많은 비율을 차지하는 것은 무엇인가?

① 황화수소(H_2S)
② 암모니아(NH_3)
③ 아황산가스(SO_2)
④ 이산화탄소(CO_2)

23

다음 중 열대야 현상은 한여름 밤의 최저 기온이 몇 도 이상일 때를 나타내는가?

① 21℃
② 23℃
③ 25℃
④ 27℃

24

다음 중 엘리뇨와 관련된 것은 무엇인가?

① 수온이 평년보다 낮아진다.
② 스페인어로 '작은 소녀'라고 한다.
③ 해수면 온도가 평년보다 상승한다.
④ 중남미 지역에서 가뭄이 나타난다.

25

다음 중 라니냐에 대해 바른 설명은 무엇인가?

① 해수면의 온도가 평년보다 0.5℃ 이상 높게 6개
  월 이상 지속된다.
② 해수면의 온도가 평년보다 5℃ 이상 높게 6개월
  이상 지속된다.
③ 해수면의 온도가 평년보다 0.5℃ 이상 낮게 6개
  월 이상 지속된다.
④ 해수면의 온도가 평년보다 5℃ 이상 낮게 6개월
  이상 지속된다.

26

다음 중 인체에 유해한 자외선을 차단하는 역할을
하는 오존(O_3)은 대기의 어느 곳에 존재하는가?

① 열권   ② 성층권
③ 중간권   ④ 대류권

27

다음 중 오존층의 파괴 요인은 무엇인가?

① 오존(O_3)
② 황화수소(H_2S)
③ 암모니아(NH_3)
④ 염화불화탄소(CFC)

28

다음 중 오존층의 파괴로 인한 영향과 관련이 없는
것은 무엇인가?

① 피부암 발생
② 백내장 유발
③ 중추신경장애
④ 면역기능의 약화

29

다음 중 오존층 파괴 물질 중 하나인 염화불화탄소
(프레온가스)가 쓰이지 않는 것은 무엇인가?

① 냉매제
② 소화기
③ 아스팔트
④ 플라스틱 발포제

30

다음 중 산성비의 주요 원인이 되는 것은 무엇인
가?

① 탄화수소   ② 황화수소
③ 아황산가스   ④ 일산화탄소

31

다음 중 산성비의 원인 물질로 옳은 것은 무엇인
가?

① 염소(Cl_2)
② 탄화수소(HC)
③ 암모니아(NH_3)
④ 이산화질소(NO_2)

32

산성비의 pH는 얼마인가?

① pH 4.5 이하 ② pH 5.0 이하
③ pH 5.6 이하 ④ pH 6.0 이하

33

다음 중 아황산가스가 주원인으로 호흡기질환을
일으켰던 대기오염 사건은 무엇인가?

① 포자리카 사건
② 요코하마 사건
③ 체르노빌 사건
④ 런던형 스모그 사건

34

다음 중 런던형 스모그 사건과 로스엔젤레스형 스
모그 사건에 관한 설명으로 옳지 <u>않은</u> 것은 무엇인
가?

① 런던형 스모그 사건은 환원형 스모그이다.
② 런던형 스모그 사건은 이른 아침에 발생하였다.
③ 로스엔젤레스형 스모그 사건은 밤에 발생하
   였다.
④ 런던형 스모그 사건의 역전의 종류는 복사성 역
   전이다.

35

다음 중 런던 스모그 사건이 발생한 시기는 언제인
가?

① 1월, 2월   ② 3월, 4월
③ 5월, 6월   ④ 7월, 8월

36

다음 중 뮤즈계곡 사건과 도노라 사건의 공통된 특
징은 무엇인가?

① 고온   ② 다습
③ 무풍   ④ 저기압

37

다음 중 수질오염지표로 사용하는 항목이 <u>아닌</u> 것
은 무엇인가?

① SS
② DO
③ BOD
④ ESD

38

다음 수질오염지표 중 높을수록 수질이 양호해지
는 것은 무엇인가?

① SS
② DO
③ BOD
④ COD

39

다음 중 용존 산소량을 증가시키는 조건이 <u>아닌</u> 것
은 무엇인가?

① 낮이 밤보다 용존 산소량 증가한다.
② 온도가 낮을수록 용존 산소량 증가한다.
③ 유속이 높을수록 용존 산소량 증가한다.
④ 기압이 낮을수록 용존 산소량 증가한다.

40

다음 중 생물학적 산소요구량에 대한 설명으로 옳은 것은 무엇인가?

① 높을수록 수질 양호
② 수중에 용해되어 있는 산소의 양
③ 수중의 유기물질이 호기성 세균에 의해 산화 분해될 때 소비되는 산소의 양
④ 수중에 함유된 피산화성 물질을 산화제를 이용하여 화학적으로 산화 시 소비되는 산화제의 양을 산소의 양으로 환산한 수치

41

다음 중 BOD 측정의 조건으로 맞는 것은 무엇인가?

① 10℃, 10일   ② 20℃, 5일
③ 20℃, 10일   ④ 30℃, 5일

42

다음 중 폐수 측정에 사용되는 것은 무엇인가?

① SS   ② DO
③ BOD   ④ COD

43

다음 중 화학적 산소요구량에 대한 설명으로 옳지 않은 것은 무엇인가?

① 측정시간이 비교적 짧다.
② 산화제로 과망간산칼륨 사용된다.
③ 독성물질이 있을 때에 측정 가능하다.
④ 수치가 높을수록 물의 오염도는 낮아진다.

44

다음 중 BOD와 COD에 관한 설명으로 옳은 것은 무엇인가?

① BOD보다 COD가 측정시간이 오래 걸린다.
② BOD보다 COD값이 더 작은 경우는 COD 측정 중에 질산화가 발생하였기 때문이다.
③ BOD보다 COD값이 더 큰 경우는 미생물에 독성을 끼치는 물질이 함유함을 의미한다.
④ COD값이 BOD보다 더 큰 경우는 COD 측정 중에 방해물질이 폐수에 함유됨을 의미한다.

45

다음 중 유기물이 하천으로 대량 방출되었을 때 BOD와 DO 값의 변화로 맞는 것은 무엇인가?

① BOD와 DO 모두 높아진다.
② BOD와 DO 모두 낮아진다.
③ BOD는 높아지고 DO는 낮아진다.
④ BOD는 낮아지고 DO는 높아진다.

46

다음 수질오염 지표 중에 병원성 세균의 존재를 확인할 수 있는 것은 무엇인가?

① SS
② DO
③ BOD
④ MPN

47

다음 중 MPN이 20일 때 의미하는 것은 무엇인가?

① 10 mL 중의 대장균 수가 20이다.
② 20 mL 중의 대장균 수가 20이다.
③ 100 mL 중의 대장균 수가 20이다.
④ 200 mL 중의 대장균 수가 20이다.

48

먹는 물 10 mL에서 처음 대장균을 검출하였다면 대장균지수는 얼마인가?

① 0.01   ② 0.1
③ 1   ④ 10

49

다음 중 하천의 수질기준이 Ⅲ(보통)일 때 BOD의 기준으로 옳은 것은 무엇인가?

① 1 이하
② 2 이하
③ 3 이하
④ 5 이하

50

다음 중 하천의 수질기준이 Ⅰa(매우 좋음)일 때 COD의 기준으로 옳은 것은 무엇인가?

① 1 이하
② 2 이하
③ 3 이하
④ 4 이하

51

다음 중 부영양화 유발 물질에 해당하는 것이 <u>아닌</u> 것은 무엇인가?

① 칼륨
② 수산염
③ 인산염
④ 탄산염

52

다음 중 부영양화에 대한 설명으로 옳지 <u>않은</u> 것은 무엇인가?

① 수질의 색 변화
② 다량의 산소 소비
③ 유기물 생성 증가
④ 혐기성 세균 이상 증식

53

다음 중 부영양화일 때 DO와 COD 농도의 변화로 옳은 것은 무엇인가?

① DO와 COD 모두 증가한다.
② DO와 COD 모두 감소한다.
③ DO는 감소하고 COD는 증가한다.
④ DO는 증가하고 COD는 감소한다.

54

다음 중 적조현상 및 부영양화 현상을 방지하기 위해 사용하는 것으로 무엇인가?

① 아연   ② 황산
③ 황산동   ④ 탄산염

55

다음 중 적조현상에 대한 설명으로 관련이 <u>없는</u> 것은 무엇인가?

① 수온 상승이 원인이 될 수 있다.
② 어패류의 질식사 결과가 나타난다.
③ 영양염류의 부족이 원인이 될 수 있다.
④ 플랑크톤의 이상적인 대량 증식 현상이 나타난다.

제11장 식품위생

01

아래 상자 안에 있는 WHO의 식품위생의 정의로 괄호 안에 들어갈 식품위생관리 3대 요소가 바르게 나열된 것은 무엇인가?

> 식품위생이란 식품의 재배, 생산, 제조로부터 최종적으로 사람에 섭취되기까지의 모든 단계에 걸친 식품의 (   )을 확보하기 위한 모든 필요한 수단을 말한다.

① 안전성, 건강성 및 위생성
② 보건성, 위생성 및 건전성
③ 건전성, 보존성 및 완전무결성
④ 안전성, 건전성 및 완전무결성

02

다음 중 우리나라 식품위생법에서 말하는 식품위생의 대상이 될 수 <u>없는</u> 것은 무엇인가?

① 기구
② 식당
③ 식품
④ 포장

03

다음 중 식품의 일일섭취허용량을 나타내는 것은 무엇인가?

① ADI
② ADE
③ GDE
④ GI50

04

다음 중 식품안전관리인증기준을 나타내는 용어는 무엇인가?

① ASCPI
② BAPIC
③ HACCP
④ CHAPC

05

다음 중 식품안전관리인증기준의 7가지 원칙에 해당하지 <u>않는</u> 것은 무엇인가?

① 기록관리
② 한계기준 설정
③ 위해요소 분석
④ 식품평가예산 관리

06

다음은 식품안전관리인증기준에 관한 설명으로 옳지 <u>않은</u> 것은 무엇인가?

① 예방차원의 계획적 위생관리시스템이다.
② 식품의 안전성, 건전성, 품질의 확보를 위함이다.
③ 우리나라는 1995년 12월 5일 HACCP 제도를 도입하였다.
④ 식품공정에서의 위해요소를 완전히 없애는데 그 목적이 있다.

07

다음 중 식품의 변질 상태로 미생물의 작용에 의해 단백질이 분해되어 악취 물질로 변화하는 현상을 무엇이라고 하는가?

① 부패
② 발효
③ 산패
④ 변질

08

다음 중 탄수화물이 미생물의 작용을 받아 분해되어 알코올을 생성하는 현상을 무엇이라고 하는가?

① 부패
② 발효
③ 산패
④ 변질

09

다음 중 식품의 변질 상태로 미생물의 작용에 의해 지방 및 당질이 분해되는 현상을 무엇이라고 하는가?

① 부패
② 발효
③ 산패
④ 변패

10

다음 중 유지의 불포화지방산이 산화 분해되어 비정상적인 맛과 냄새가 나는 현상을 무엇이라고 하는가?

① 부패
② 발효
③ 산패
④ 변질

11

다음은 식중독에 관한 내용으로 옳지 <u>않은</u> 것은 무엇인가?

① 예방접종 불필요하다.
② 격리치료가 필요하다.
③ 가장 발생률이 높은 것은 세균성 식중독이다.
④ 식중독은 오염 및 유해물질을 경구 섭취하여 발생하는 질병이다.

12

다음 중 세균성 식중독에 대한 설명으로 옳지 <u>않은</u> 것은 무엇인가?

① 2차 감염이 없다.
② 면역형성이 안 된다.
③ 잠복기가 매우 짧다.
④ 소량의 균이나 독소에서 발생된다.

13

다음 중 감염형 식중독에 해당되는 것은 무엇인가?

① 복어 식중독
② 살모넬라 식중독
③ 포도상구균 식중독
④ 보툴리누스균 식중독

14

다음 세균성 식중독의 종류 중 독소형 식중독에 해당하는 것은 무엇인가?

① 살모넬라
② 포도상구균
③ 병원성대장균
④ 장염비브리오

15

다음 중 세균성 식중독과 수인성 감염병에 대한 설명으로 옳지 <u>않은</u> 것은 무엇인가?

① 수인성 감염병은 격리시킨다.
② 세균성 식중독은 면역이 생기지 않는다.
③ 수인성 감염병은 소량의 병원체에 의해서도 감염된다.
④ 수인성 감염병과 세균성 감염병 모두 2차 감염이 성립된다.

16

다음 중 비브리오 패혈증의 원인균은 무엇인가?

① Vibrio Aureus
② Vibrio Arizona
③ Vibrio Cholerae
④ Vibrio Vulnificus

17

작년 여름에 50대 한 여성이 횟집에서 어패류를 먹고 약 10시간 후에 구토, 설사 증세로 응급실에 입원하였다. 확인할 수 있는 질병은 무엇인가?

① 살모넬라 식중독
② 포도상구균 식중독
③ 보툴리누스균 식중독
④ 장염 비브리오 식중독

18

다음 식중독 중 발생 후 급속한 발열증상을 보이는 것은 무엇인가?

① 살모넬라 식중독
② 포도상구균 식중독
③ 보툴리누스균 식중독
④ 병원성 대장균 식중독

19

다음은 노로 바이러스에 관한 설명으로 옳지 <u>않은</u> 것은 무엇인가?

① 저온에 강하다.
② 감염력이 강하다.
③ 잠복기는 보통 24~48시간이다.
④ 주로 여름에 급성 위장염을 유발한다.

20

다음 중 식품에서 발견된 대장균의 의미는 무엇인가?

① 독소형 식중독
② 음식물의 부패
③ 오염된 가금류에서 발생
④ 병원 미생물의 오염 가능

21

다음 중 독소물질 verotoxin을 생산하는 병원성 대장균 0–157은 무엇인가?

① ETEC   ② EHEC
③ EAEC   ④ EIEC

22

40대 중반의 한 남성이 소고기를 먹고 약 15시간 후에 혈변과 설사로 응급실에 실려 갔다. 관련 있는 질병은 무엇인가?

① 살모넬라 식중독
② 아리조나 식중독
③ 보툴리누스균 식중독
④ 병원성 대장균 식중독

23

다음 중 독소를 분비하는 식중독은 무엇인가?

① 살모넬라 식중독　② 리스테리아 식중독
③ 포도상구균 식중독　④ 장염 비브리오 식중독

24

다음 중 장독소 Enterotoxin을 생성함으로 감염되는 식중독은 무엇인가?

① 식물성 식중독　② 살모넬라 식중독
③ 포도상구균 식중독　④ 보툴리누스 식중독

25

세균성 식중독 중 잠복기가 가장 짧은 식중독은 무엇인가?

① 웰치균 식중독　② 살모넬라 식중독
③ 포도상구균 식중독　④ 장염비브리오 식중독

26

다음 설명과 관련된 식중독은 무엇인가?

· 100℃에서 1시간 가열하여도 활성을 잃지 않는다.

· 120℃에서 20분 가열하여도 완전 파괴되지 않고,
　220～250℃에서 30분 이상 가열하여야 파괴된다.

① 살모넬라균 식중독
② 포도상구균 식중독
③ 보툴리누스균 식중독
④ 병원성 대장균 식중독

27

다음 중 사람의 화농소에 존재할 수 있는 식중독 원인균에 해당하는 것은 무엇인가?

① Bacillus cereus
② Escherichia Coli
③ Clostridium Botulinum
④ Staphylococcus Aureus

28

유치원 어린이들이 유치원에서 주는 단체 도시락을 먹고 3시간 후에 구토, 복통, 설사 등에 시달려 인근 병원으로 옮겨졌다. 의심할 수 있는 질병은 무엇인가?

① 노로 바이러스
② 아리조나 식중독
③ 살모넬라 식중독
④ 포도상구균 식중독

39

다음 중 치명률이 가장 높은 식중독은 무엇인가?

① 살모넬라 식중독
② 포도상구균 식중독
③ 보툴리누스균 식중독
④ 병원성 대장균 식중독

30

다음 중 보툴리누스균 식중독의 원인균이 분비하는 독소는 무엇인가?

① Verotoxin

② Neurotoxin

③ Enterotoxin

④ Mytilotoxin

31

OO시의 OO중학교에서 학생들이 단체 급식으로 통조림 용 소시지와 햄을 먹고 호흡곤란 등의 증세를 보여 병원 입원 중이다. 어떤 질병을 의심할 수 있는가?

① 살모넬라 식중독

② 포도상구균 식중독

③ 보툴리누스균 식중독

④ 병원성 대장균 식중독

32

다음 중 보툴리누스균 식중독의 증세가 아닌 것은 무엇인가?

① 발열　　　　　② 복시

③ 호흡곤란　　　④ 신경마비 증세

33

다음 중 유해금속에 의한 식중독을 일으킬 수 있는 금속과 관련 없는 것은 무엇인가?

① 구리　　　　　② 아연

③ 비소　　　　　④ 칼륨

34

다음 중 미생물의 증식으로 발생하는 식품의 부패나 변질을 방지하기 위하여 사용하는 것을 무엇이라고 하는가?

① 살균료　　　　② 보존료

③ 표백제　　　　④ 안정제

35

다음 중 식품첨가물이 아닌 것은 무엇인가?

① 호료　　　　　② 발색제

③ 착색료　　　　④ 산화제

36

다음 중 식품의 허용 살균제에 해당하는 것은 무엇인가?

① 황산제1철

② 프로피온산

③ 아질산나트륨

④ 차아염소산나트륨

37

다음 중 식품의 허용 발색제에 해당하지 않는 것은 무엇인가?

① 질산칼륨

② 황산제2철

③ 황산나트륨

④ 질산나트륨

38

다음 중 유해감미료로 설탕의 250배의 단맛을 가지나 혈액독으로 인체 유해하여 금지된 것은 무엇인가?

① PCB
② Dulcin
③ Toluidine
④ Auramine

39

다음 중 주로 어묵이나 과자 등에 사용된 핑크빛 타르색소로 화학성 식중독을 일으키는 유해착색제는 무엇인가?

① PCB　　　　② Rongalit
③ Auramine　　④ Rhodamin B

40

다음 중 법랑용기에 식품을 보관할 때 용출될 수 있는 유해성 금속은 무엇인가?

① 구리　　　　② 아연
③ 비소　　　　④ 안티몬

41

다음 중 사용 가능한 보존료가 아닌 것은 무엇인가?

① 안식향산
② 소르빈산
③ 사카린 나트륨
④ 디하이드로초산

42

다음 중 Tetrodotoxin을 원인 독소로 하여 일어나는 식중독은 무엇인가?

① 감자 식중독
② 버섯 식중독
③ 복어 식중독
④ 조개류 식중독

43

다음 중 복어 식중독을 일으키는 독성분의 함유 순서로 바르게 나열한 것은 무엇인가?

① 알 → 난소 → 고환 → 간장 → 내장 → 표피
② 고환 → 난소 → 내장 → 간장 → 표피 → 알
③ 간장 → 난소 → 고환 → 알 → 내장 → 표피
④ 표피 → 난소 → 알 → 간장 → 내장 → 고환

44

다음 중 복어 식중독 증상에 해당하지 않은 것은 무엇인가?

① 지각이상　　② 운동장애
③ 언어장애　　④ 고열 및 구토

45

다음 중 조개류 식중독의 독소이며, 바지락, 굴 등에 발견되는 것은 무엇인가?

① Choline
② Tetramine
③ Venerupin
④ Ciguatoxin

46

다음 중 대합조개에서 분비되는 것으로 마비성 패독 유발의 독소는 무엇인가?

① Saxitoxin
② Muscarine
③ Tetramine
④ Ciguatoxin

47

다음 중 동물성 식중독에 해당하는 독소는 무엇인가?

① Neurine
② Cicutoxin
③ Temuline
④ Tetramine

48

다음 중 독버섯의 감별법으로 가장 이상적인 것은 무엇인가?

① 향이 좋고 아름다운 것이 독버섯이다.
② 색깔이 흐리고 표면이 거칠어 보이는 것이 독버섯이다.
③ 버섯에 알코올을 뿌렸을 때 검게 변화시키는 것이 독버섯이다.
④ 물에 넣고 버섯을 끓일 때 은수저를 검게 변화시키는 것이 독버섯이다.

49

다음 중 식물성 식중독과 관련된 독소로 연결이 바르지 <u>않은</u> 것은 무엇인가?

① 청매 – Saponin
② 독미나리 – Cicutoxin
③ 목화씨 – Gossypol
④ 맥각독 – Ergotoxin

50

다음 중 곰팡이 식중독 원인 독소로 구성된 것은 무엇인가?

① Neurin, Citrinine, Saponin
② Ergotoxin, Citrinine, Aflatoxin
③ Ciguatoxin Saxitoxin, Phalin
④ Saponin, Cicutoxin, Gossypol

51

다음 중 곡류, 두류, 땅콩 등에서 생성되는 독소로 간암을 유발할 수 있는 것은 무엇인가?

① Neurin
② Choline
③ Saponin
④ Aflatoxin

52

다음 중 식품 보관방법에 해당하지 <u>않는</u> 것은 무엇인가?

① 염장법   ② 건조법
③ 탈회법   ④ 훈연법

53

다음 중 식품 보관방법 중 물리적 처리에 해당하지 <u>않는</u> 것은 무엇인가?

① 통조림법
② 저온저장법
③ 가열살균법
④ 방부제 첨가법

54

식품의 보존 방법 중 건조법의 기준은 무엇인가?

① 수분 5% 이하가 되도록 한다.
② 수분 10% 이하가 되도록 한다.
③ 수분 15% 이하가 되도록 한다.
④ 수분 20% 이하가 되도록 한다.

55

다음은 식품 보관방법에 관한 설명으로 옳지 <u>않은</u> 것은 무엇인가?

① 고온단시간살균법은 72~75℃에서 15초간 가열 살균하는 방법이다.
② 냉장법은 0~10℃의 저장, 냉동법은 0℃ 이하의 저장법을 의미한다.
③ 움 저장법은 온도는 10℃, 습도는 70%, 땅속 7~8 m 저장하는 방법이다.
④ 산절임법은 pH 4.9 이하의 낮은 산도에서 미생 물의 발육이 억제되어 식품을 보존하는 방법 이다.

56

다음 중 식품 보관방법 중 화학적 처리에 해당하는 것은 무엇인가?

① 염장법
② 밀봉법
③ 냉동법
④ 통조림법

57

다음 중 당장법에 관한 설명으로 옳은 것은 무엇인 가?

① 3% 이상의 설탕에 저장하여 미생물의 발육을 억제
② 5% 이상의 설탕에 저장하여 질소화합물의 발육 을 억제
③ 10% 이상의 설탕에 저장하여 질소화합물의 발육을 억제
④ 50% 이상의 설탕에 저장하여 미생물의 발육을 억제

제12장 보건영양

01

다음 중 신체에서 조절소 역할을 하는 것은 무엇인가?

① 지방
② 호르몬
③ 비타민
④ 소화효소

02

다음 중 영양소의 대표적인 3대 기능에 해당하는 조합은 무엇인가?

① 수분 공급, 신체 조직 구성, 신체 항상성 조절
② 신체 조직 구성, 신체 항상성 조절, 산 염기 평형 조절
③ 신체 생리 기능 조절, 신체 조직 구성, 신체 항상성 조절
④ 에너지 생산 및 공급, 신체 생리 기능 조절, 신체 조직 구성

03

다음 중 3대 영양소에 해당하는 것으로 바르게 조합된 것은 무엇인가?

① 비타민 – 단백질 – 물
② 지방 – 단백질 – 비타민
③ 비타민 – 무기질 – 단백질
④ 탄수화물 – 지방 – 단백질

04

다음 중 5대 영양소에 해당하지 않는 것은 무엇인가?

① 물
② 지방
③ 무기질
④ 비타민

05

다음 중 우리 몸을 구성하는 영양소에 해당하지 않는 것은 무엇인가?

① 물
② 지방
③ 무기질
④ 비타민

06

다음 중 우리 몸을 구성하는 영양소의 비율이 높은 순서대로 잘 조합된 것은 무엇인가?

① 물 > 지방 > 탄수화물 > 단백질 > 비타민
② 물 > 단백질 > 지방 > 무기질 > 탄수화물
③ 물 > 무기질 > 단백질 > 지방 > 탄수화물
④ 물 > 탄수화물 > 비타민 > 무기질 > 단백질

07

탄수화물, 지방, 단백질의 체내 열량 공급 비율은 어떻게 되는가?

① 4 : 9 : 4
② 4 : 4 : 9
③ 9 : 4 : 4
④ 1 : 4 : 9

08

다음 중 Kwashiokor 질병은 무엇의 결핍으로 발생하는가?

① 지방
② 비타민
③ 단백질
④ 무기질

09

다음 중 단백질의 결핍으로 생길 수 있는 질병과 관련 없는 것은 무엇인가?

① 부종　　　　② 빈혈
③ 불임증　　　④ Marasmus

10

다음 중 인체 내의 호르몬과 효소를 구성하고 혈액 응고 조절 작용을 하는 것은 무엇인가?

① 지방
② 무기질
③ 단백질
④ 비타민

11

다음 중 1 g당 4 kcal의 열량을 발생하며 탄소, 수소, 산소로 구성된 우리 몸의 필수 영양소 중 하나는 무엇인가?

① 지방
② 무기질
③ 단백질
④ 탄수화물

12

다음 중 탄수화물 과다 섭취 시 나타날 수 있는 현상은 무엇인가?

① 탈수
② 부종
③ 비만
④ 고혈압

13

다음은 무기질에 관한 설명으로 옳지 않은 것은 무엇인가?

① 신체의 조절소로 작용한다.
② 신체의 구성소로 작용한다.
③ 신체의 열량소로 작용한다.
④ 체내의 수분함량 조절 기능을 한다.

14

다음 중 무기질의 기능이 아닌 것은 무엇인가?

① 수분 공급
② 혈액 응고
③ 인슐린 분비
④ 신체구조 구성

15

다음 중 부족 시 열중증이 발생하는 것은 무엇인가?

① 아연
② 식염
③ 칼슘
④ 칼륨

16

다음 중 우리 몸의 뼈와 치아에 주로 존재하는 무기질은 무엇인가?

① 인
② 칼륨
③ 철분
④ 요오드

17

다음 중 무기질 인의 결핍으로 발생할 수 있는 질병은 무엇인가?

① 당뇨
② 저혈압
③ 골연화증
④ 근육 약화

18

다음 중 요오드의 결핍으로 발생할 수 있는 질병은 무엇인가?

① 불임
② 구루병
③ 열중증
④ 크레틴병

19

다음 중 비타민 A의 결핍 시 일어날 수 있는 질병은 무엇인가?

① 야맹증   ② 피부병
③ 꼽추병   ④ 신경염

20

다음 중 비타민과 그 결핍 질병을 바르게 연결한 것은 무엇인가?

① 비타민 B_1 – 각기병
② 비타민 B_2 – 펠라그라
③ 비타민 B_6 – 괴혈병
④ 비타민 B_{12} – 불임증

21

다음 중 결핍 시 악성빈혈을 초래할 수 있는 비타민은 무엇인가?

① 비타민 B_1
② 비타민 B_2
③ 비타민 B_6
④ 비타민 B_{12}

22

무기물의 종류 중 비타민 B_{12}의 구성성분으로 적혈구 생성에 중요한 역할을 하는 것은 무엇인가?

① 아연
② 망간
③ 코발트
④ 셀레늄

23

다음 중 비타민 C의 섭취 부족으로 걸릴 수 있는 질병은 무엇인가?

① 각기병   ② 야맹증
③ 괴혈병   ④ 신부전증

24

다음 중 결핍 시 구루병을 일으키는 비타민은 무엇
인가?

① 비타민 A
② 비타민 B
③ 비타민 C
④ 비타민 D

25

다음 중 부족 시 불임증을 초래할 수 있는 비타민
은 무엇인가?

① 비타민 B_1
② 비타민 B_6
③ 비타민 B_{12}
④ 비타민 E

26

다음 중 지용성 비타민에 해당하지 <u>않는</u> 것은 무엇
인가?

① 비타민 A
② 비타민 B
③ 비타민 D
④ 비타민 E

27

다음 중 비타민 결핍으로 나타날 수 있는 질병과
관련 <u>없는</u> 것은 무엇인가?

① 구순염   ② 괴혈병
③ 장폐색   ④ 펠라그라

28

다음 중 펠라그라(pellagra)를 유발할 수 있는 것
은 무엇인가?

① 철분 결핍증
② 칼슘 결핍증
③ 니아신 결핍증
④ 셀레늄 결핍증

29

다음 중 성인의 기초대사량은 얼마인가?

① 200~500 kcal
② 500~800 kcal
③ 800~1,200 kcal
④ 1,200~1,800 kcal

30

다음 중 BMR이 가장 높은 계절은 언제인가?

① 봄
② 여름
③ 가을
④ 겨울

31

다음 중 기초대사량 측정 시에 알맞은 측정 온도는
무엇인가?

① 10℃
② 15℃
③ 17℃
④ 20℃

32

다음 중 특이동적 작용을 나타내는 약어는 무엇인가?

① BMR
② BSD
③ SDA
④ STA

33

다음 중 SDA에서 가장 많이 소비되는 에너지는 무엇인가?

① 지방
② 무기질
③ 단백질
④ 비타민

34

다음 중 특이동적 작용에 소요되는 열량이 가장 큰 영양소는 무엇인가?

① 지방
② 비타민
③ 단백질
④ 무기질

35

다음 중 표준체중 대비 비만도 지수를 측정하는 것은 무엇인가?

① WH ratio
② BMI 지수
③ Kaup 지수
④ Broca 지수

36

체중이 80 kg, 키가 190 cm인 체대 청년이 있다. 이 사람의 체질량 지수로 옳은 것은 무엇인가?

① 17
② 22
③ 27
④ 32

37

어떤 학생의 몸무게가 75 kg, 키가 190 cm일 때 BMI에 따른 범위는 어디에 속하는가?

① 저체중
② 정상체중
③ 과체중
④ 위험체중

38

다음 판정법에 해당하는 것은 무엇인가?

체중(kg)÷[신장(m)×신장(m)]

① Broca 지수
② BMI 지수
③ Kaup 지수
④ Rohrer 지수

39

다음 중 영유아의 비만 판정에 사용되는 지수는 무엇인가?

① WH ratio
② BMI 지수
③ Kaup 지수
④ Broca 지수

40

다음 중 Rohrer 지수 측정법은 무엇인가?

① 체중(kg)/신장(cm)^3×107
② 체중(kg)/신장(cm)^3×104
③ 체중(kg)/신장(cm)^2×107
④ 체중(kg)/신장(cm)^2×104

41

다음 판정법에 해당하는 것은 무엇인가?

체중(kg)÷[신장(m)×신장(m)]×104

① BMI 지수
② Kaup 지수
③ Broca 지수
④ Rohrer 지수

공중보건학 예상문제

보건관리

part

04

제13장	보건행정
제14장	의료보장
제15장	보건통계

제13장 보건행정

01

다음 중 보건행정이 일반행정과 다른 것은 어떤 특징이 있어서인가?

① 교육행정　　② 기술행정
③ 인사행정　　④ 조직행정

02

다음 중 보건행정의 특성이 아닌 것은 무엇인가?

① 사회성　　② 교육성
③ 봉사성　　④ 창조성

03

다음 중 세계보건기구(WHO)가 정하는 보건행정의 범위에 해당하지 않는 것은 무엇인가?

① 보건교육
② 모자보건
③ 전염병 관리
④ 만성병 관리

04

다음 중 에머슨(Emerson)의 보건행정의 범위에 해당하지 않는 것은 무엇인가?

① 보건교육
② 모자보건
③ 보건간호
④ 환경위생

05

다음 중 WHO가 정한 국가보건의료체계 5요인에 해당하지 않는 것은 무엇인가?

① 감염병 관리
② 재정적 지원
③ 자원의 조직적 배치
④ 보건의료자원의 개발

06

다음 중 보건의료자원에 해당하지 않는 것은 무엇인가?

① 보건의료인력　　② 보건의료시설
③ 보건의료장비　　④ 보건의료정책

07

다음 중 Roemer의 matrix형 보건의료체계 분류(1991년)에 해당하지 않는 것은 무엇인가?

① 저개발국형
② 복지지향형
③ 자유기업형
④ 사회주의형

08

다음 중 Roemer의 국가보건의료체계 유형이 아닌 것은 무엇인가?

① 자유기업형
② 복지국가형
③ 사회보장형
④ 개발도상국형

09

다음 중 Myers의 적정 보건의료서비스의 요소가 아닌 것은 무엇인가?

① 질적 적정성
② 접근의 용이성
③ 보건의료의 경제성
④ 의료서비스의 계속성

10

다음 중 보건복지부 직제 6국에 해당하는 기관이 아닌 것은 무엇인가?

① 연금정책국
② 장애인정책국
③ 보건산업정책국
④ 보건의료정책국

11

다음 중 보건소의 역할로 거리가 먼 것은 무엇인가?

① 가족계획사업
② 노인보건사업
③ 특수한 대상자 중심 사업
④ 감염병의 예방, 관리 및 진료

12

다음 중 보건소에 관한 설명으로 옳지 않는 것은 무엇인가?

① 보건소의 업무 중 정신보건, 노인보건, 모자보건이 포함된다.
② 대통령이 정하는 기준에 따라 시, 군, 구별로 1개소를 설치 가능하며 보건소의 설치는 지방자치단체 조례로 정한다.
③ 시장, 군수, 구청장이 지역주민의 보건의료를 위하여 특히 필요하다고 인정하는 경우에 필요한 지역에 보건소를 추가로 설치, 운영할 수 있다.
④ 보건소장은 의사의 면허를 가진 자 중에 보건복지부장관이 임명하며, 의사의 면허를 가진 자로서 충원하기 곤란한 경우에는 의료기술직 공무원을 보건소장으로 임명할 수 있다.

13

다음 중 보건소가 현재 형태로 운영되기 시작한 해는 언제인가?

① 1946년
② 1956년
③ 1962년
④ 1973년

14

다음 중 WHO 본부가 있는 곳은 어디인가?

① 스위스 제네바
② 인도 뉴델리
③ 이집트 알렉산드리아
④ 미국 워싱턴

15

다음의 WHO 지역사무소 중 북한이 속해 있는 지역은 어디인가?

① 태국 방콕
② 인도 뉴델리
③ 네팔 카트만두
④ 필리핀 마닐라

16

우리나라는 WHO 어느 지역사무소의 소속이며 몇 번째로 가입되었는가?

① 동남아시아 지역 – 65번째
② 북태평양 지역 – 65번째
③ 서태평양지역 – 65번째
④ 동북아시아 지역 – 60번째

17

다음 중 WHO의 주요 보건사업의 내용이 <u>아닌</u> 것은 무엇인가?

① 성병사업
② 의료개선사업
③ 영양개선사업
④ 환경위생사업

제14장 의료보장

01

다음 중 최초의 사회보장제도 창시자는 누구인가?

① Pasteur
② Bismark
③ Beveridge
④ Ramazzini

02

다음 중 최초의 사회보장이라는 용어를 처음 사용한 사람은 누구인가?

① 영국 찰스 왓슨 총리
② 미국 루즈벨트 대통령
③ 프랑스 샤를 드골 대통령
④ 미국 에이브러햄 링컨 대통령

03

다음 중 최초로 사회보장법을 제정한 나라는 어디인가?

① 미국
② 영국
③ 프랑스
④ 스웨덴

04

다음 중 우리나라 의료보험법이 제정된 시기는 언제인가?

① 1945년
② 1953년
③ 1960년
④ 1963년

05

다음 중 우리나라에서 기초연금노령제도를 처음 실시한 해는 언제인가?

① 1982년
② 1991년
③ 2000년
④ 2008년

06

다음 중 사회보장의 구성으로 바르게 조합된 것은 무엇인가?

① 사회보험 – 의료급여 – 국민연금
② 사회보험 – 공공부조 – 사회복지서비스
③ 노인장기요양보험 – 공공부조 – 사회보험
④ 국민기초생활보험 – 사회보험 – 의료급여

07

다음 중 사회보험의 종류가 <u>아닌</u> 것은 무엇인가?

① 고용보험
② 국민연금보험
③ 산업재해보상보험
④ 국민기초생활보험

08

다음 중 우리나라 5대 사회보험 시행 순서로 옳은 것은 무엇인가?

① 국민연금보험 → 노인장기요양보험 → 고용보험 → 산업재해보상보험 → 건강보험
② 산업재해보상보험 → 건강보험 → 국민연금보험 → 고용보험 → 노인장기요양보험
③ 건강보험 → 국민연금보험 → 고용보험 → 국민기초생활보험 → 노인장기요양보험
④ 노인장기요양보험 → 산업재해보상보험 → 건강보험 → 고용보험 → 국민연금보험

09

다음 중 우리나라 국민연금보험에 관한 내용이 <u>아닌</u> 것은 무엇인가?

① 1988년에 만들어졌다.
② 전 국민을 대상으로 한다.
③ 소득보장의 특징을 갖는다.
④ 소득에 비례하여 납부한다.

10

다음 중 노인장기요양보험이 처음 실시된 해는 언제인가?

① 1964년
② 1991년
③ 2004년
④ 2008년

11

다음은 사회보험과 사보험의 비교로 옳지 <u>않은</u> 것은 무엇인가?

	사회보험	사보험
①	강제가입	임의가입
②	균등급여	차등급여
③	집단보험	개별보험
④	보험료 선택부담	능력비례부담

12

다음 중 공공부조에 해당하지 <u>않는</u> 것은 무엇인가?

① 의료급여　　② 산재급여
③ 생계급여　　④ 자활급여

13

다음 중 공공부조에 대한 설명으로 옳지 <u>않은</u> 것은 무엇인가?

① 조세에 의존한다.
② 일종의 구빈제도이다.
③ 노인장기요양보험이 해당한다.
④ 자산조사를 통해 수혜자를 결정한다.

14

다음 중 사회복지서비스에 해당하지 <u>않는</u> 것은 무엇인가?

① 노인복지　　② 아동복지
③ 연금복지　　④ 부녀복지

15

다음 중 NHS의 특징에 해당하는 것은 무엇인가?

① 양질의 의료 제공 가능하다.
② 비스마르크 방식이라고도 한다.
③ 의료공급자, 보험자, 피보험자가 존재한다.
④ 국내 거주 모든 사람에게 포괄적인 보건의료서비스를 무료로 제공한다.

16

다음 중 사회보험형 의료보장에 관한 내용이 <u>아닌</u> 것은 무엇인가?

① 정부의존을 최소화한다.
② 비스마르크 방식으로도 불린다.
③ 보험재정 불안정 가능성이 있다.
④ 영국, 스웨덴, 이탈리아, 캐나다 등에서 시행된다.

17

우리나라는 의료보장의 분류 중 어디에 속하는가?

① 사회보험형　　② 생계급여형
③ 민간보험형　　④ 국민보건서비스형

18

다음 중 행위별수가제의 장점에 해당하지 <u>않는</u> 것은 무엇인가?

① 행정적으로 간편하다.
② 합리적이고 현실적이다.
③ 의사의 자율성이 보장된다.
④ 서비스의 양과 질을 극대화시킨다.

19

다음 중 2012년 7월부터 우리나라에서 7개의 질환에 대해서 적용하는 진료비 지불 보상제도는 무엇인가?

① 인두제
② 봉급제
③ 총괄계약제
④ 포괄수가제

20

다음 중 진료비 지불 보상제도에서 미국에서 실시하는 제도는 무엇인가?

① 봉급제
② 인두제
③ 포괄수가제
④ 총괄계약제

21

다음 중 포괄수가제의 단점은 무엇인가?

① 행정업무가 복잡하다.
② 치료비의 부담이 있다.
③ 과대진료 가능성이 있다.
④ 의료서비스의 질 저하를 초래할 가능성이 있다.

22

다음 중 진료보수 총액을 사전에 체결하여 진료측은 총액의 범위 내에서 진료를 진행하고, 보험자측은 의료기관에 일괄적으로 지급하고 보건의료서비스를 이용하는 방식을 무엇이라고 하는가?

① 봉급제
② 인두제
③ 포괄수가제
④ 총괄계약제

23

다음 중 환자 수나 제공하는 서비스의 양과 상관없이 일정한 기간에 따라 보상하는 방식의 진료비 지불 보상제도는 무엇인가?

① 봉급제
② 인두제
③ 포괄수가제
④ 총괄계약제

24

다음 중 인두제에 관한 설명으로 옳지 <u>않은</u> 것은 무엇인가?

① 과소치료 가능
② 행정적 업무절차 간편
③ 예방활동이나 질병의 조기발견에 집중하기 보다는 치료에 집중한다.
④ 의사 1인당 등록된 환자 수 또는 실제 이용자 수를 기준으로 진료비가 지불되는 방식

25

다음 중 우리나라 의료보장 종류로 바르게 조합된
것은 무엇인가?

① 건강보험 – 의료급여 – 산업재해보상보험
② 의료급여 – 노인장기요양보험 – 건강보험
③ 노인장기요양보험 – 건강보험 – 의료급여
④ 국민기초생활보장보험 – 의료급여 – 건강보험

26

다음 중 국민건강보험 의료보험 3요소에 해당하는
것은 무엇인가?

① 식품의약품안전처 – 국민 – 병원
② 국민건강보험관리공단 – 국민 – 병원
③ 보건복지부 – 국민건강보험관리공단 – 병원
④ 잘병관리청 – 국민건강보험관리공단 – 국민

27

다음 중 국민건강보험의 보험자는 누구인가?

① 보건복지부
② 질병관리청
③ 요양취급기관
④ 국민건강보험관리공단

28

국민건강보험에서 피보험자는 본인 일부 부담금과
비급여 비용만 부담하고 나머지 진료비는 누가 보
험자에게 청구하는 방식인가?

① 국민
② 보건복지부
③ 요양취급기관
④ 건강보험심사평가원

29

다음 중 건강보험급여에서 현물급여에 해당하는
것은 무엇인가?

① 요양비
② 건강진단
③ 장애인 보장구
④ 본인부담환급금

30

다음 중 건강보험급여에서 현금급여에 해당하지
않는 것은 무엇인가?

① 요양비
② 요양급여
③ 본인부담환급금
④ 보인부담보상금

31

다음 중 우리나라 건강보험에서 본인일부부담금에 관한 내용으로 옳지 <u>않은</u> 것은 무엇인가?

① 과잉진료 및 과잉수진의 부작용 문제를 보안할 수 있다.
② 본인부담금은 비급여 진료비와 법정 본인부담금을 합한 금액이다.
③ 외래진료는 요양기관 종별에 따라 본인부담률에 차등을 두고 있다.
④ 입원 시에는 요양기관 종별에 상관없이 요양급여비용 총액의 10%를 본인부담으로 한다.

32

다음 중 진료비를 요양취급기관에 지불하는 기관은 어디인가?

① 보건복지부
② 질병관리청
③ 국민건강보험공단
④ 식품의약품안전처

33

다음 중 우리나라 의료급여에 관한 설명 중 옳지 <u>않은</u> 것은 무엇인가?

① 공적부조 제도이다.
② 급여수준은 동일하다.
③ 본인의 신청에 의하여 수혜가 결정된다.
④ 수혜자가 저소득층이나 빈곤층으로 한정된다.

34

다음 중 우리나라 의료급여 제도의 관리운영 주체에 해당하지 <u>않는</u> 것은 무엇인가?

① 중앙정부
② 건강보험공단
③ 요양취급기관
④ 시·군·구 자치단체

35

다음 중 의료와 소득을 동시에 보장해주는 의료보장제도는 무엇인가?

① 고용보험
② 건강보험
③ 국민연금보험
④ 산업재해보상보험

36

우리나라 산재보험의 보험료는 누가 납부하는가?

① 정부　　　　② 사업주
③ 근로자　　　④ 건강보험공단

37

다음은 노인장기요양보험에 관한 설명으로 옳지 <u>않은</u> 것은 무엇인가

① 사회보험형식이다.
② 국민건강보험공단에서 관리·운영한다.
③ 장기요양인정 절차에 따라 수급권 부여된다.
④ 급여의 종류로 방문요양, 방문간호, 치료비 등이 있다.

38

다음 중 노인장기요양보험의 대상자에 해당하는 것은 무엇인가?

① 55세의 조현병 환자
② 57세의 뇌출혈 할아버지
③ 60세의 고혈압 할머니
④ 62세의 당뇨병 할아버지

제15장 보건통계

01

다음 중 보건통계학의 역할에 해당하지 <u>않는</u> 것은 무엇인가?

① 보건사업의 평가에 결정 자료가 된다.
② 보건사업의 행정활동의 지침이 될 수 있다.
③ 보건사업을 통해 질병을 최소화 할 수 있다.
④ 보건사업의 필요성을 결정하며 보건사업계획의 기초가 된다.

02

다음 통계학의 기본 용어 중 통계적인 관찰의 조사 대상이 되는 집단 전체에 해당하는 것은 무엇인가?

① 변수
② 표본
③ 모집단
④ 산포도

03

다음 중 측정값을 모두 합한 후 측정수로 나눈 값으로 일반적으로 평균이라 할 때 의미하는 것은 무엇인가?

① 조화평균
② 기하평균
③ 산술평균
④ 이상평균

04

다음 중 대표값과 관련 없는 것은 무엇인가?

① 평균값   ② 최대값
③ 중앙값   ④ 최빈값

05

일정한 분포에 있어서 각 범주들이 평균값을 중심으로 흩어진 정도를 의미하는 것으로 편차의 제곱의 평균값으로 나눈 것은 다음 중 무엇인가?

① 분산
② 평균값
③ 중앙값
④ 표준편차

06

다음 중 산포도의 척도에 해당하지 않는 것은 무엇인가?

① 분산
② 평균
③ 표준편차
④ 평균편차

07

다음 중 산포도 측정 시 가장 많이 사용되는 것은 무엇인가?

① 분산
② 평균
③ 표준편차
④ 평균편차

08

다음 중 상대적 산포도이며, 측정치의 크기 차이가 많이 날 때 사용되는 것은 무엇인가?

① 편차
② 분산
③ 평균편차
④ 변이계수

09

다음 중 통계학에서 사용하는 척도의 종류에 해당하지 않는 것은 무엇인가?

① 비척도
② 표준척도
③ 간격척도
④ 순서척도

10

다음 척도의 종류 중 남자는 1, 여자를 2로 표시하거나 운동선수의 유니폼 등번호를 임의로 부여하는 것에 해당하는 것은 무엇인가?

① 비척도
② 순서척도
③ 간격척도
④ 명목척도

11

다음 중 좋아하는 가수에 대한 선호순위를 1위, 2위, 3위로 정하여 측정하는 척도에 해당하는 것은 무엇인가?

① 비척도
② 순서척도
③ 간격척도
④ 명목척도

12

다음 척도의 종류 중에서 가장 상위의 척도에 해당하는 것은 무엇인가?

① 비척도
② 순서척도
③ 간격척도
④ 명목척도

13

다음은 정규분포에 관한 설명으로 옳지 <u>않은</u> 것은 무엇인가?

① 전체면적은 2이다.
② 가우스(gaus)분포라고도 한다.
③ 평균값, 중앙값, 최빈값이 일치하는 연속형 분포이다.
④ 정규분포의 모양은 평균을 중심으로 좌우 대칭이며 종(bell)을 엎어놓은 모양이다.

14

정규분포 표본의 크기와 신뢰도에 관한 설명으로 옳은 것은 무엇인가?

① 표본의 크기가 클수록 신뢰도는 낮아지고, 신뢰구간의 폭은 좁아진다.
② 표본의 크기가 클수록 신뢰도는 낮아지고, 신뢰구간의 폭은 넓어진다.
③ 표본의 크기가 클수록 신뢰도는 높아지고, 신뢰구간의 폭은 좁아진다.
④ 표본의 크기가 클수록 신뢰도는 높아지고, 신뢰구간의 폭은 넓어진다.

15

다음 중 전수조사에 관한 내용이 <u>아닌</u> 것은 무엇인가?

① 신속, 정확하다.
② 비용이 많이 든다.
③ 많은 인력이 필요하다.
④ 다른 표본조사의 기초자료로 활용 가능하다.

16

다음 중 표본조사에 관한 설명이 <u>아닌</u> 것은 무엇인가?

① 경제적이다.
② 정확성이 떨어진다.
③ 조사가 신속하게 처리된다.
④ 심도 있는 조사가 가능하다.

17

다음 표본추출 방법 중 확률표본추출에 해당하지 않는 것은 무엇인가?

① 층화표본추출
② 임의표본추출
③ 집락표본추출
④ 계통적표본추출

18

다음 추출법 중 난수표를 주로 이용하며 추출될 확률이 모두 동일하고 주기성이 없는 특징을 갖는 것은 무엇인가?

① 집락표본추출
② 임의표본추출
③ 층화표본추출
④ 단순무작위표본추출

19

다음 중 표본추출단위들 간에 순서가 있는 경우 표본추출간격으로 표본을 추출하는 방법에 대한 설명이 옳은 것은 무엇인가?

① 난수표를 주로 이용한다.
② 집락표본추출방법에 해당한다.
③ 첫번째 표본은 단순무작위표본추출로 뽑는다.
④ 하위집단 내 구성은 동질적이며, 하위집단 간 구성은 이질적인 특징을 갖는다.

20

다음 중 (1일 평균 재원환자 수/병상 수)×100 공식과 관련 있는 지표는 무엇인가?

① 입원율
② 병원이용율
③ 병상회전율
④ 병상이용율

21

다음 중 병상회전율의 분자에 해당하는 것은 무엇인가?

① 병상 수
② 평균 퇴원환자 수
③ 기간 중 재원일수
④ 기간 중 외래환자 수

22

다음 중 일반출산률 지표에 해당하는 것은 무엇인가?

① (1년간 총 출생아 수/당해연도 연앙인구)×1,000
② (1년간 총 출생아 수/당해연도 사망자 수)×1,000
③ (당해연도 가임연령 여자인구/당해연도 연앙인구)×1,000
④ (1년간 총 출생아 수/당해연도 가임연령 여자인구)×1,000

23

다음 중 연앙인구를 산출하는 날짜로 옳은 것은 무엇인가?

① 1월 1일
② 5월 1일
③ 7월 1일
④ 9월 1일

24

다음 중 가족계획사업 효과 판정으로 가장 좋은 지표는 무엇인가?

① 조출생률
② 재생산율
③ 일반출산률
④ 영아사망률

25

다음 중 가임 연령 나이로 옳은 것은 무엇인가?

① 10~40세
② 13~45세
③ 15~49세
④ 16~50세

26

다음 중 한 여성이 평생 동안 여아를 총 몇 명 출생하는가를 나타낸 지수로 어머니의 사망률을 고려하지 않은 것은 무엇인가?

① 재생산율   ② α – Index
③ 총재생산율   ④ 순재생산율

27

다음 중 순재생산율이 1일 때의 설명으로 옳은 것은 무엇인가?

① 보건 평가가 높다.
② 다음세대 인구의 증가
③ 다음세대 인구의 감소
④ 인구의 증감 없이 1세대와 2세대 간의 여자수가 같다.

28

다음 중 순재생산율이 1.0 이하일 때 의미하는 것은 무엇인가?

① 보건수준이 높다.
② 보건수준이 낮다.
③ 다음 세대의 인구 증가
④ 다음 세대의 인구 감소

29

다음 중 조사망률 공식은 무엇인가?

① (1년간 총 사망자 수/당해연도 연앙인구)×1,000
② (1년간 총 사망자 수/당해연도 출생아 수)× 1,000
③ (어떤 연도의 영아 사망자 수/어떤 연도의 신생아 사망자 수)
④ (어떤 연도의 50세 이상 사망자 수/어떤 연도의 사망자 수)×1,000

30

다음 중 주산기 사망률 공식은 무엇인가?

① (연간 영아 사망자 수/연간 출생아 수)×1,000
② (어떤 연도의 영아 사망자 수/어떤 연도의 신생아 사망자 수)
③ (어떤 연도 중 생후 28일 미만의 사망자 수/어떤 연도의 총 출생아 수)×1,000
④ {(연간 임신 만 28주 이후 사산 수+생후 1주 미만 사망 수)/연간 출생아수}×1,000

31

다음 중 보건지표에 대한 공식으로 바른 것은 무엇인가?

① 치명률 = (연간 발병자 수/위험에 노출된 인구 수)×1,000
② 발병률 = (어떤 시점의 환자 수/어떤 시점의 인구 수)×1,000
③ 비례사망지수 = (어떤 연도의 50세 이상 사망자 수/어떤 연도의 출생자 수)×1,000
④ 신생아후기사망률 = (어떤 연도 중 생후 28일부터 1년 미만의 사망자 수/어떤 연도의 총 출생아 수)×1,000

32

다음 중 한 국가나 지역사회의 보건수준을 나타내는 가장 대표적인 지표는 무엇인가?

① 조출생률
② 모성사망률
③ 영아사망률
④ 신생아사망률

33

다음 중 α − Index 공식에 해당하는 것은 무엇인가?

① (합계출산율/총출생수)×1,000
② (연간 영아 사망자수/연간 출생아수)×1,000
③ 어떤 연도의 영아 사망자수/어떤 연도의 신생아 사망자수
④ (어떤 연도의 영아 사망자수/어떤 연도의 신생아 사망자수)×1,000

34

다음 중 α − Index 에 관한 설명으로 옳지 <u>않은</u> 것은 무엇인가?

① α − Index 값이 1.0에 가까울수록 선진국형이다.
② α − Index 값이 1.0에 가까울수록 보건수준이 높다.
③ α − Index 값이 1.0이면 보건수준이 최저임을 의미한다.
④ α − Index 값이 1.0이면 영아사망이 전부 신생아사망이다.

35

다음 중 모성사망률 공식에 해당하는 것은 무엇인가?

① (연간 영아 사망자 수/연간 모성 사망자 수)×1,000
② (연간 가임기 여성 수/연간 모성 사망자 수)×1,000
③ (연간 모성 사망자 수/연간 가임기 여성 수)×100,000
④ (연간 임신, 분만, 산욕기 모성 사망자 수/연간 사망자 수)×1,000

36

다음 보건지표 중 출산통계에 해당하지 않는 것은 무엇인가?

① 조출생률
② 재생산율
③ 합계출산율
④ 비례사망지수

37

다음 중 비례사망지수 공식에 해당하는 것은 무엇인가?

① (어떤 연도의 10세 이하 사망자 수/어떤 연도의 사망자 수)×100
② (어떤 연도의 20세 이하 사망자 수/어떤 연도의 사망자 수)×100
③ (어떤 연도의 30세 이상 사망자 수/어떤 연도의 사망자 수)×100
④ (어떤 연도의 50세 이상 사망자 수/어떤 연도의 사망자 수)×100

38

다음 중 비례사망지수에 관한 내용으로 옳지 않은 것은 무엇인가?

① PMI
② 비례사망지수가 높으면 건강수준이 낮다.
③ 비례사망지수가 높으면 장수인구가 많다고 할 수 있다.
④ 비례사망지수가 낮으면 낮은 연령층의 사망에 관심이 필요하다.

39

다음 중 WHO의 3대 보건(건강)지표에 해당하는 것으로 바르게 조합된 것은 무엇인가?

① 발생률, 유병률, 발병률
② 평균여명, 조출생률, 영아사망률
③ 평균수명, 조사망률, 비례사망지수
④ 평균수명, 조출생률, 사인별사망률

40

다음 중 국가 및 지역 간의 3대 보건(건강)지표에 해당하는 것으로 바르게 조합된 것은 무엇인가?

① 평균여명, 영아사망률, 유병률
② 평균수명, 조출생률, 조사망률
③ 평균수명, 조사망률, 비례사망지수
④ 평균수명, 영아사망률, 비례사망지수

41

다음 중 평균수명은 몇 세의 평균여명이라고 할 수 있는가?

① 0세
② 1세
③ 10세
④ 18세

42

다음 중 감염병의 발생률과 유병률에 관한 설명으로 옳은 것은 무엇인가?

① 만성 감염병일 때 발생률과 유병률 모두 높다.
② 급성 감염병일 때 발생률은 낮고, 유병률은 높다.
③ 만성 감염병일 때 발생률은 높고, 유병률은 낮다.
④ 감염병 유행기간이 짧으면 발생률과 유병률은 거의 같다.

43

서울시 OO고등학교에서 총 고등학생 900명 중에 콜레라 환자 15명, 예방접종 학생이 300명, 콜레라 이전 발병학생이 50명일 때 발병률은 얼마인가?

① (15/900)×100
② (65/600)×100
③ (15/550)×1,000
④ (15/600)×1,000

44

서울에 있는 OO병원 응급실에서 105명의 환자 중 처음 코로나19에 5명이 감염되었고, 그 후로 20명이 추가로 발견되었다. 코로나19에 감수성이 있는 환자는 환자 전체였는데 이 병원에서의 2차 발병률은 얼마인가?

① 10%
② 15%
③ 20%
④ 25%

45

다음 중 2차 발병률에 관한 내용으로 옳은 것은 무엇인가?

① 발생률×이환기간이다.
② 치명률이 높을수록 2차 발병률도 높다.
③ 전염병 관리 수단의 효과 평가에 효과적이다.
④ 감염병 유행기간이 짧을수록 2차 발병률은 높다.

46

2022년 6월에 우리나라 코로나19 감염환자가 전체의 0.02%로 나타났을 때, 이 사실과 관련된 것은 무엇인가?

① 메르스 치명률
② 메르스 발병률
③ 메르스 발생률
④ 메르스 유병률

47

다음 중 유병률과 발생률의 관계로 옳은 것은 무엇
인가?

① 유병률 = 발생률
② 유병률 = 발생률/이환 기간
③ 유병률 = 발생률×이환 기간
④ 유병률 = 발생률2/이환 기간

48

다음 중 치명률에 관한 설명으로 옳은 것은 무엇인
가?

① 치명률이 낮을수록 감염량이 많다.
② 치명률이 낮을수록 병원체의 독성이 낮다.
③ 치명률이 높을수록 인구집단의 건강도가 높다.
④ 치명률이 높다는 것은 질병에 대한 면역력이 높
  음을 의미한다.

49

다음 중 이환율의 공식에 해당하는 것은 무엇인
가?

① (연간 발병자 수/위험에 노출된 인구 수)×1,000
② (그 기간의 환자 수/어떤 기간의 중앙인구)×
  1,000
③ (어떤 시점의 환자 수/어떤 시점의 인구 수)×
  1,000
④ (어떤 질병에 의한 사망자 수/어떤 질병에 이환
  된 환자 수)×100

공중보건학 예상문제

영역별 보건

part

05

제16장	학교보건
제17장	보건교육
제18장	산업보건
제19, 20장	인구보건, 모자보건
제21, 22장	노인보건과 정신보건, 성인보건

제16장 학교보건

01

다음 중 학교보건법에서의 학교보건의 최종 목표는 무엇인가?

① 보건학습의 습관화
② 학생과 교직원의 건강 보호, 증진
③ 학생들의 쾌적한 면학 분위기 조성
④ 학생들의 보건교육을 통한 간접 교육

02

다음은 학교보건의 중요성에 관한 설명으로 옳지 <u>않은</u> 것은 무엇인가?

① 학교는 대상자들이 흩어져 있어 교육의 효과가 빠르게 나타난다.
② 학생은 보건교육의 효과가 비교적 빨리 나타나고 성장발달 시기에 질병의 조기발견이 가능하다.
③ 학교의 학생들을 대상으로 하는 보건교육은 가족 및 지역사회에 간접교육 파급효과 기대할 수 있다.
④ 학생인구는 대상 인구 규모가 크고 지역사회 중심체로서의 역할을 하여 학생을 통해 파급되는 효과가 크다.

03

다음 중 우리나라 보건교육 중 가장 큰 효과를 기대할 수 있는 것은 무엇인가?

① 병원 보건교육
② 학교 보건교육
③ 직장 보건교육
④ 지역사회 보건교육

04

다음 중 학교보건교육 시행 시 학생인구는 총 인구의 몇 %에 해당하는가?

① 약 5%   ② 약 10%
③ 약 25%   ④ 약 40%

05

다음 중 학교보건에서 가장 우선시 되는 사업은 무엇인가?

① 치료사업
② 학교급식사업
③ 예방접종사업
④ 감염병관리사업

06

다음 중 학교의 보건교사의 직무에 해당하지 <u>않는</u> 것은 무엇인가?

① 학교보건계획의 수립
② 학생건강기록부의 관리
③ 보건지도를 위한 학생 가정방문
④ 학교에서 사용하는 의약품 검사

07

다음 중 학교의 절대보호구역은 그 구분을 어디에서부터 기준을 잡아 설정하는가?

① 학교교실
② 학교후문
③ 학교출입문
④ 학교경계선

08

다음 중 학교환경위생에서 절대보호구역은 시작점으로부터 직선거리로 몇 m 이내의 지역인가?

① 50 미터
② 100 미터
③ 150 미터
④ 200 미터

09

다음 중 학교 상대보호구역으로 맞는 것은 무엇인가?

① 학교후문으로부터 직선거리로 100미터인 지역 중 절대보호구역을 포함한 지역
② 학교출입문으로부터 직선거리로 100미터인 지역 중 절대보호구역을 포함한 지역
③ 학교경계선으로부터 직선거리로 100미터인 지역 중 절대보호구역을 포함한 지역
④ 학교경계선으로부터 직선거리로 200미터인 지역 중 절대보호구역을 제외한 지역

10

다음 중 감염병 감염 의심 학생에게 등교를 중지시킬 수 있는 사람은 누구인가?

① 교육감
② 보건교사
③ 학교의 장
④ 해당 학급 교사

11

학교의 장은 초등학교 입학생의 입학한 날로부터 몇 일 이내에 시장·군수·구청장에게 예방접종 증명서를 발급받아 검사한 후 교육정보시스템에 기록하여야 하는가?

① 30일   ② 60일
③ 90일   ④ 120일

12

다음 중 학교장의 의무에 해당하지 <u>않는</u> 것은 무엇인가?

① 건강검사의 실시
② 교직원의 보건관리
③ 학생 방문검사 실시
④ 질병 예방과 휴교조치

13

다음 중 학교 환경위생보호구역을 설정 및 고시할 수 있는 사람은 누구인가?

① 교육감   ② 학교장
③ 보건소장   ④ 보건복지부장관

14

다음은 학교보건법에 관한 내용으로 그 설명이 옳지 <u>않은</u> 것은 무엇인가?

① 학교보건의 중요시책을 심의하기 위하여 교육감 소속으로 시·도 학교보건위원회를 둔다.

② 보건교사는 학생의 신체 및 정신 건강증진을 위한 학생건강증진계획을 수립·시행하여야 한다.

③ 건강검사란 신체의 발달상황 및 능력, 정신건강 상태, 생활습관, 질병의 유무 등에 대하여 조사하거나 검사하는 것을 말한다.

④ 학교의 장은 학생과 교직원에 대하여 건강검사를 하여야 한다. 다만, 교직원에 대한 건강검사는 「국민건강보험법」에 따른 건강검진으로 갈음할 수 있다.

15

다음은 보호구역 관리에 관한 설명으로 옳은 것은 무엇인가?

① 보호구역은 시장, 군수, 구청장이 관리한다.

② 학교설립예정지의 경우에 학교가 개교하기 전까지 해당 학교의 장이 관리한다.

③ 상, 하급 학교 간에 보호구역이 서로 중복될 경우에는 상급학교의 장이 관리한다.

④ 학교 간에 절대보호구역과 상대보호구역이 서로 중복될 경우에는 절대보호구역이 설정된 학교의 장이 관리한다.

16

다음은 학교 내 환경관리에 관한 내용으로 옳지 <u>않은</u> 것은 무엇인가?

① 비교습도는 30퍼센트 이상 80퍼센트 이하로 할 것

② 인공조명에 의한 눈부심이 발생되지 아니하도록 할 것

③ 최대조도와 최소조도의 비율이 5대 1을 넘지 아니하도록 할 것

④ 교실의 조명도는 책상면을 기준으로 300 룩스 이상이 되도록 할 것

17

다음은 학교보건의 환경기준에 관한 설명으로 옳지 <u>않은</u> 것은 무엇인가?

① 교실 내의 미세먼지 기준은 20 $\mu g/m^3$

② 교실 내의 소음은 55 dB 이하로 할 것

③ 교실 내의 난방온도는 섭씨 18도 이상 20도 이하로 할 것

④ 교실 내의 냉방온도는 섭씨 26도 이상 28도 이하로 할 것

⑤ 교실의 조명도는 책상면을 기준으로 300 룩스 이상이 되도록 할 것

18

다음 중 교실 내의 이산화탄소 허용수치로 맞는 것은 무엇인가?

① 10 ppm

② 50 ppm

③ 100 ppm

④ 1,000 ppm

19

다음 중 교무실 및 행정실의 오존의 허용농도로 맞는 것은 무엇인가?

① 0.01 ppm
② 0.03 ppm
③ 0.06 ppm
④ 0.1 ppm

20

다음 중 초등학교의 보건교육에서 가장 중요한 역할을 하는 사람은 누구인가?

① 부모
② 학교장
③ 담임교사
④ 보건교사

21

다음 중 학교보건의 전문인력에 해당하는 것은 무엇인가?

가) 간호사
나) 학교의사
다) 담임교사
라) 보건교사
마) 학교약사
바) 학교장

① 가, 나, 다
② 가, 다, 라
③ 다, 라, 마
④ 나, 라, 마

22

다음은 학교의 보건인력 배치에 관한 내용으로 옳은 것은 무엇인가?

① 고등학교 이하 학교에는 2명 이상의 보건교사를 배치
② 18학급 이상의 초등학교 – 학교의사 1명, 학교약사 1명 및 보건교사 1명
③ 18학급 미만의 초등학교 – 학교의사 또는 학교약사 중 1명과 보건교사 1명
④ 9학급 이상인 중학교와 고등학교 – 학교의사 1명, 학교약사 1명 및 보건교사 1명

제17장 보건교육

01

다음은 보건교육에 대한 정의로 누가 정의했는가?

> 보건교육은 건강에 관한 지식을 교육이라는 수단을 통해 개인, 집단 또는 지역사회 주민의 바람직한 행동으로 바꾸어 놓는 것이다.

① Heinrich
② R. Grout
③ James Mill
④ J. Peter Frank

02

다음 중 보건교육의 궁극적 목표는 무엇인가?

① 문제 인식
② 정보 습득
③ 행동 변화
④ 교육 전달

03

다음 중 보건교육의 특징은 무엇인가?

① 자율성
② 자발성
③ 강제성
④ 독립성

04

코로나19 감염병에 걸린 가족 전체 구성원에게 보건의료전문가가 그 교육요구를 파악하여 보건교육을 실시하고자 할 때 알맞은 학습요구 유형은 무엇인가?

① 규범적 요구
② 내면적 요구
③ 외향적 요구
④ 상대적 요구

05

다음 중 국민건강증진법의 보건교육 내용에 해당하지 않는 것은 무엇인가?

① 구강건강에 관한 사항
② 만성질환 치료에 관한 사항
③ 영양 및 식생활에 관한 사항
④ 금연·절주 등 건강생활의 실천에 관한 사항

06

다음 중 보건교육 평가에 관한 평가도구의 조건으로 해당하지 않는 것은 무엇인가?

① 타당도
② 신뢰도
③ 객관도
④ 형평도

07

다음 보건교육방법 중 노인 또는 저소득층 대상에 적합한 교육방법은 무엇인가?

① 포스터
② 가정방문
③ 집단접촉교육
④ 대중접촉교육

08

다음 보건교육방법 중 집단접촉으로 이루어진 방법이 <u>아닌</u> 것은 무엇인가?

① 역할극
② 강연회
③ 건강상담
④ 페널토의

09

다음 중 매우 급하고 중요한 정보를 많은 사람들에게 알려야 할 경우 가장 효과적인 방법에 해당하는 것은 무엇인가?

① 강의
② 라디오
③ 워크샵
④ 심포지엄

10

다음 중 보건교육에 있어서 Edgar Dale의 가장 효과적인 교육방법은 무엇인가?

① 영화
② 견학
③ 시각기호
④ 직접경험

11

다음 중 Edgar Dale의 보건교육효과 순서로 바르게 연결된 것은 무엇인가?

① 직접경험 → 시범 → 전시 → 영화
② 견학 → 시범 → 라디오 → 극화경험
③ 영화 → 전시 → 직접경험 → 시각기호
④ 직접경험 → 시범 → 극화경험 → 전시

12

다음 중 2~5명의 전문가가 관련된 주제에 대하여 발표하고, 사회자가 청중을 공개토론에 참여시키는 보건교육방법은 무엇인가?

① 강연회
② 역할극
③ 집단토론
④ 심포지엄

13

다음 교육방법 중 모든 참가자들이 해당 문제의 전문가들로 구성된 것은 무엇인가?

① 강의
② 워크샵
③ 심포지엄
④ 버즈세션

14

다음 중 특정 문제에 대하여 각기 상반되는 내용으로 청중 앞에서 4~7명의 소수의 대표자들이 그룹 토의하는 교육방법은 무엇인가?

① 세미나
② 분단토의
③ 패널토의
④ 그룹토의

15

다음 교육방법 중 여러 개의 분단으로 나누어 토의한 후 다시 전체회의에서 종합하는 방법은 무엇인가?

① 워크샵
② 분단토의
③ 패널토의
④ 심포지엄

16

교육방법 중 포럼에 대한 설명으로 옳은 것은 무엇인가?

① 세미나보다 규모가 작고, 문제 해결 방안을 모색하는 전문가의 소집단 활동
② 교육자가 학습자에게 학습내용의 전달에 초점을 두는 방법으로 일방적 주입
③ 사회자의 진행 하에 2명 이상의 전문가와 여러 구성원들이 제시된 과제에 대하여 공개적으로 토의하는 방법
④ 구성원의 자유 발언을 통하여 아이디어를 내어 어떠한 계획을 세우거나 창조적인 아이디어 필요 시 사용되는 방법

17

다음 교육방법 중 참여자의 갑자기 떠오르는 생각을 정리하여 논리화하는 방법으로 창조적인 아이디어를 필요로 하는 것은 무엇인가?

① 역할극
② 세미나
③ 패널토의
④ 브레인스토밍

18

다음 중 보건교육에 가장 많이 사용되는 방법은 무엇인가?

① 견학
② 시범
③ 심포지엄
④ 브레인스토밍

19

부산시 OO초등학교에서 손씻기 교육을 실시하려고 하는데 1학년이라 아무리 설명을 해도 잘 이해하지 못하는 경우 가장 효과적인 교육방법은 무엇인가?

① 강의
② 시범
③ 견학
④ 역할극

20

다음 중 학습자들이 직접 어떤 상황 중의 인물로 등장하여 그 상황에 놓인 사람들의 입장을 이해하고 해결방안을 모색하는 방법은 무엇인가?

① 견학
② 세미나
③ 워크샵
④ 역할극

제18장 산업보건

01

다음 중 직업병에 관한 연구를 통하여 저서 『근로자의 질병』을 집필한 사람은 누구인가?

① Bismarck
② G. Agricola
③ Hippocrates
④ B. Ramazzini

02

다음 중 작업 에너지 대사율에 관한 내용으로 옳지 않은 것은 무엇인가?

① RMR
② 작업(노동) 대사량 / 기초대사량
③ 여성 근로자의 작업 근로 강도는 RMR 3.0 이하로 제한한다.
④ (작업 시 필요한 칼로리 – 안정 시 필요한 칼로리) / 기초대사량

03

다음 중 중등노동의 RMR(에너지 대사율)에 해당하는 것은 무엇인가?

① RMR 0~1
② RMR 1~2
③ RMR 2~4
④ RMR 4~7

04

우리나라의 근로기준법에 따른 근로시간에 대해 바르게 설명한 것은 무엇인가?

① 1일 8시간, 주 40시간을 초과할 수 없다.
② 1일 8시간, 주 44시간을 초과할 수 없다.
③ 1일 10시간, 주 50시간을 초과할 수 없다.
④ 1일 10시간, 주 55시간을 초과할 수 없다.

05

다음 중 소음작업에 종사하는 근로자가 특히 섭취해야 할 영양소는 무엇인가?

① 식염
② 단백질
③ 비타민 A
④ 비타민 B_1

06

다음 중 저온작업에 종사하는 근로자에게 필요한 영양소에 해당되지 않는 것은 무엇인가?

① 식염
② 지방질
③ 비타민 A
④ 비타민 B_1

07

다음 중 소음작업에 많이 노출된 근로자에게 필요한 영양은 무엇인가?

① 식염
② 지방질
③ 비타민 A
④ 비타민 B_1

08

다음 중 작업환경관리의 기본원리에 해당하지 않는 것은 무엇인가?

① 환기
② 교육
③ 격리
④ 검역

09

다음 중 작업관리 농도로 미국의 ACGIH에 의해 선정되는 기준을 의미하는 것은 무엇인가?

① TLCs
② TLAs
③ TLVs
④ BLDs

10

서한도의 종류 중 하나인 TLVs-TWA에 대한 설명으로 올바른 것은 무엇인가?

① 단시간노출허용농도라고 한다.
② 단 한 순간이라도 초과되어서는 안 되는 농도를 의미한다.
③ 근로자에게 노출되어 유해성이 입증되었을 때의 평균 농도를 의미한다.
④ 정상근무(1일 8시간, 1주일 40시간) 할 경우에 근로자에게 노출되어도 아무런 해를 주지 않는 평균 농도를 의미한다.

11

다음 중 작업장의 TLVs-STEL에 관한 내용으로 옳은 것은 무엇인가?

① 시간가중평균농도
② 최고허용한계농도
③ 단 한 순간이라도 초과되지 않아야 하는 농도
④ 근로자가 15분 노출되어도 증상이 나타나지 않는 허용농도

12

다음 중 작업장의 최고허용한계농도를 의미하는 것은 무엇인가?

① TLVs-C
② TLVs-MI
③ TLVs-TPA
④ TLVs-TWA

13

다음 중 잠함병과 관련된 원인 물질은 무엇인가?

① 황
② 수소
③ 질소
④ 저압환경

14

다음 중 잠함병의 대표적인 증상이 <u>아닌</u> 것은 무엇인가?

① 내이 장애
② 척추 장애
③ 피부소양감
④ 소화기 장애

15

다음 중 직업병과 관련 직업의 연결로 바르게 조합된 것은 무엇인가?

① 고산병 – 해녀
② 질소색전증 – 광부
③ 레이노현상 – 방사선사
④ 청각장애 – 중장비 운전

16

다음 중 감압병과 관련이 <u>없는</u> 것은 무엇인가?

① 해녀
② 폐수종
③ 잠수작업
④ 질소색전증

17

다음 중 고산병과 관련 <u>없는</u> 것은 무엇인가?

① 등산
② 항공병
③ 이상저압
④ 질소 부족

18

다음 중 체내의 수분과 염분 손실로 일어나는 열중증 장애로 사지 경련 증상이 나타나는 질병은 무엇인가?

① 열경련증
② 열허탈증
③ 열실신증
④ 열쇠약증

19

다음 중 고온 환경에서의 근무로 뇌의 온도 상승과 체온조절 장애를 일으키는 질병은 무엇인가?

① 열사병
② 열경련
③ 열쇠약
④ 열탈진

20

다음 중 열쇠약의 원인에 해당하는 것으로 바르게 조합된 것은 무엇인가?

가) 체내 수분 손실

나) 뇌온 상승

다) 만성적 체열 소모

라) 비타민 B1 부족

마) 마그네슘 부족

바) 저혈압

① 가, 나
② 다, 라
③ 마, 바
④ 나, 라

21

다음 중 고온, 저온환경으로 인한 질병과 관련 없는 것은 무엇인가?

① 참호족
② 침수족
③ 울열증
④ 열중독

22

다음 중 참호족과 관련된 것은 무엇인가?

① 고압에 의한 장애
② 저압에 의한 장애
③ 방사선에 의한 장애
④ 저온에 노출된 경우의 장애

23

다음 중 조직의 동사에서 조직의 괴사가 일어나기 시작하는 상태는 무엇인가?

① 동상 제1도
② 동상 제2도
③ 동상 제3도
④ 동상 제4도

24

다음 중 C5-dip 현상이 발생하는 영역은 무엇인가?

① 250 Hz
② 700 Hz
③ 1,500 Hz
④ 4,000 Hz

25

다음 중 가청주파수 영역으로 옳은 것은 무엇인가?

① 10~500 Hz
② 10~10,000 Hz
③ 20~10,000 Hz
④ 20~20,000 Hz

26

다음 중 진동에 의해 발생할 수 있는 질병은 무엇인가?

① 잠함병
② 참호족
③ 비중격천공
④ 레이노 현상

27

다음 중 소변검사에서의 코프로폴피린 검출로 의심할 수 있는 것은 무엇인가?

① 납중독
② 수은중독
③ 벤젠중독
④ 크롬중독

28

다음 중 미나마타병의 주요 원인은 무엇인가?

① 납 중독
② 비소 중독
③ 수은 중독
④ 알류미늄 중독

29

다음 중 일본에서 1950년대 이타이이타이병을 집단유발 시켰던 중금속은 무엇인가?

① 납
② 수은
③ 망간
④ 카드뮴

30

다음 중 카드뮴 중독의 3대 증상에 해당되는 것은 무엇인가?

가) 간기능 장애
나) 신장 장애
다) 빈혈
라) 폐기종
마) 폐렴
바) 골격계 장애

① 가, 다, 마
② 나, 라, 바
③ 다, 마, 바
④ 가, 라, 마

31

다음 중금속 중독 증상 중 크롬 중독에 해당하는 것은 무엇인가?

① 미나마타병
② 비중격천공
③ 중추신경마비
④ 이타이이타이병

32

다음 중 파킨슨병을 유발할 수 있는 중금속 중독은 무엇인가?

① 납
② 수은
③ 망간
④ 크롬

33

다음은 방사선에 의한 장애현상으로 해당하지 않는 것은 무엇인가?

① 불임
② 피부암
③ 녹내장
④ 조혈기능 장애

34

다음 인체 기관계 중 전리 방사선의 감수성이 가장 높은 곳은 어디인가?

① 피부기관
② 생식기관
③ 소화기관
④ 신경기관

35

다음 장기 중 방사선에 가장 민감한 부위는 어디인가?

① 뼈   ② 신경
③ 골수   ④ 심장

36

다음 중 자외선의 작용에 대한 설명으로 옳지 않은 것은 무엇인가?

① 살균작용
② 색소침착
③ 비타민 A 생성
④ 적혈구 생성 촉진

37

다음 중 건강선으로도 불리는 Dorno 선의 파장으로 맞는 것은 무엇인가?

① 2,000~2,300 A
② 2,400~2,800 A
③ 2,800~3,200 A
④ 3,200~3,600 A

38

다음은 유해광선에 관한 설명으로 옳지 않은 것은 무엇인가?

① 적외선은 열선에 해당한다.
② 가시광선의 파장은 7,800~30,000 A이다.
③ 적외선 장애로 초자공 백내장이 나타난다.
④ 도노라선은 건강선 또는 생명선이라고도 한다.

39

다음 중 3대 직업병에 해당하는 것으로 바르게 조합된 것은 무엇인가?

가) 수은 중독
나) 규폐증
다) 납중독
라) 크롬 중독
마) 벤젠중독
바) 카드뮴 중독

① 가, 나, 라
② 나, 다, 마
③ 다, 라, 바
④ 가, 라, 마

40

다음 중 유리 규산이 원인이 되어 인체에 발생하는 질병은 무엇인가?

① 탄폐증
② 규폐증
③ 석면폐증
④ 비중격천공

41

다음 중 규폐증을 유발할 수 있는 환경과 관련 없는 것은 무엇인가?

① 나방관
② 주물 공장
③ 유리 공장
④ 도자기 공장

42

다음은 폐암을 유발할 수 있는 석면의 종류로 인체에 가장 유해한 것은 무엇인가?

① 적석면
② 청석면
③ 갈석면
④ 백석면

43

다음 중 컴퓨터 등의 사무자동화로 인해 생기는 질환과 관련된 것은 무엇인가?

① DVS 증후군
② VCT 증후군
③ VDT 증후군
④ SDT 증후군

44

다음 중 유기용제 중독의 주요 증상은 무엇인가?

① 당뇨
② 저혈압
③ 배뇨기능 장애
④ 중추신경계 장애

45

다음 건강관리 판단기준에서 2차 건강진단 대상자에 해당되는 결과는 무엇인가?

① A
② D
③ C
④ R

46

다음 건강관리 판단기준에서 직업성 질환의 소견을 보이는 직업병 유소견자에 해당되는 결과는 무엇인가?

① B
② C1
③ C2
④ D1

47

다음 중 산업재해보상 보험급여에 해당하지 <u>않는</u> 것은 무엇인가?

① 퇴직급여
② 장해급여
③ 간병급여
④ 요양급여

48

다음은 Heinrich 법칙에서의 재해발생 비율로 올바른 것은 무엇인가?

① 현성 재해 : 불현성 재해 : 잠재성 재해
   = 3 : 1 : 300
② 현성 재해 : 불현성 재해 : 잠재성 재해
   = 1 : 29 : 300
③ 현성 재해 : 불현성 재해 : 잠재성 재해
   = 1 : 30 : 300
④ 현성 재해 : 불현성 재해 : 잠재성 재해
   = 29 : 1 : 300

49

다음은 Heinrich의 사고예방 기본윤리 5단계로 1단계부터 순서대로 나열한 것은 무엇인가?

> 가) 평가분석
>
> 나) 사실의 발견
>
> 다) 시정방법의 선정
>
> 라) 안전관리 조직
>
> 마) 시정방법의 적용

① 가 – 나 – 다 – 라 – 마
② 나 – 다 – 가 – 라 – 마
③ 라 – 나 – 가 – 다 – 마
④ 라 – 가 – 나 – 다 – 마

50

다음 산업재해 통계지표에서 재해 손상 정도를 나타내는 상해지수는 무엇인가?

① 도수율
② 강도율
③ 중독률
④ 건수율

51

다음 중 재해 건수 당 평균작업 손실 정도를 나타내는 산업재해 지표는 무엇인가?

① 도수율
② 강도율
③ 재해일수율
④ 평균손실일수율

52

다음 중 재해 발생 파악을 위한 표준 지표는 무엇인가?

① 도수율
② 강도율
③ 중독률
④ 건수율

53

다음 중 강도율에 해당하는 공식으로 맞는 것은 무엇인가?

① (재해건수/근로손실일 수) × 100
② (재해건수/평균 실 근로자 수) × 1,000
③ (연 재해일수/연 근로시간 수) × 1,000
④ (근로 손실일수/연 근로시간 수) × 1,000

54

다음은 건수율에 해당하는 것으로 분자에 들어갈 것은 무엇인가?

$$건수율 = \frac{(\quad)}{평균\ 실근로자\ 수} \times 1,000$$

① 재해건수
② 연 재해일수
③ 연 근로시간 수
④ 평균 근로자 수

55

다음은 중독률을 나타낸 것으로 분모에 해당하는 것은 무엇인가?

$$중독률 = \frac{근로 손실일수}{(\quad)} \times 1,000$$

① 재해건수
② 연 재해일수
③ 평균 근로자 수
④ 연 근로시간 수

56

다음 중 연 재해일수를 연 근로시간 수로 나누어 산출한 재해지표에 해당하는 것은 무엇인가?

① 도수율
② 강도율
③ 중독률
④ 재해일수율

제19장 인구보건

01

다음 중 맬더스 인구이론에서 인구 문제 해결로 제시한 예방적 억제 방법에 해당하는 것은 무엇인가?

① 피임
② 전쟁
③ 만혼
④ 가족계획

02

다음 중 맬더스 인구이론에 관한 내용 중 관련 원리로 바르게 조합된 것은 무엇인가?

가) 규제원리
나) 파동원리
다) 생태원리
라) 책임원리
마) 분포원리
바) 증식원리

① 가, 나, 다
② 라, 마, 바
③ 나, 다, 라
④ 가, 나, 바

03

맬더스 주의에서 인구는 특별한 방해요인이 없는 한 생존자료가 증가하면 인구도 증가한다는 내용의 원리는 무엇인가?

① 규제의 원리
② 증식의 원리
③ 파동의 원리
④ 증감의 원리

04

다음 중 맬더스 주의에서 규제의 원리에 대한 설명으로 옳은 것은 무엇인가?

① 인구는 생존자료인 식량에 의해서 규제된다.
② 인구는 생존자료인 식량과 자연환경에 의해서 규제된다.
③ 인구는 특별한 방해요인이 없는 한 생존자료가 증가하면 인구도 증가한다.
④ 인구는 기하급수적으로 증가하고, 식량은 산술급수적으로 증가하여 인구를 규제해야 한다.

05

다음 중 신 맬더스주의에서 제시한 인구 증가 방지법은 무엇인가?

① 피임
② 금욕
③ 순결
④ 만혼

06

다음 중 신 맬더스주의를 주장한 사람은 누구인가?

① Guillard
② John Graunt
③ Fransis Place
④ C. P. Blacker

07

다음 중 이론적 인구에서 자연증가가 전혀 일어나지 않는 것은 무엇인가?

① 봉쇄인구
② 안정인구
③ 평행인구
④ 정지인구

08

다음 중 출생과 사망이 동일하고 인구증가율이 0인 이론인구는 무엇인가?

① 봉쇄인구
② 정지인구
③ 안정인구
④ 유출인구

09

다음 중 인구이론상의 개념 중 인구이동이 전혀 일어나지 않는 인구로 단지 출생과 사망에 의해서만 변동하는 인구를 무엇이라고 하는가?

① 봉쇄인구
② 자연인구
③ 정지인구
④ 안정인구

10

다음 중 Notestein과 Thompson의 인구 전환 이론 분류에 따를 때 다산다사기에 해당하는 단계에 관하여 옳은 것은 무엇인가?

① 선진국
② 개발도상국
③ 인구감소 시작단계
④ 고잠재적 성장단계

11

다음 중 C. P. Blacker의 인구성장 5단계 분류에서 일본은 어디에 해당되는가?

① 1단계
② 2단계
③ 3단계
④ 5단계

12

다음 중 C. P. Blacker의 인구성장 5단계 분류에서 출생률과 사망률 모두 높은 인구 정지형은 어느 단계에 속하는가?

① 1단계
② 2단계
③ 3단계
④ 4단계

13

다음 중 C. P. Blacker의 인구성장 5단계 분류에서 출생률과 사망률이 최저로 낮은 인구성장 정지형은 어느 단계에 속하는가?

① 1단계
② 2단계
③ 3단계
④ 4단계

14

다음 중 개발도산국은 C. P. Blacker의 인구성장 5단계 분류에서 어느 단계에 해당하는가?

① 1단계
② 2단계
③ 3단계
④ 4단계

15

다음 중 생명표의 구성요소에 해당하지 <u>않는</u> 것은 무엇인가?

① 사력
② 생존율
③ 사망률
④ 평균수명

16

다음 중 생명표에 관한 내용으로 바르게 조합된 것은 무엇인가?

> 가. 현재의 사망 수준이 그대로 지속된다는 가정 하에 어떤 출생 집단의 연령이 높아짐에 따라 연령별로 몇 세까지 살 수 있는지 정리한 표이다.
>
> 나. 평균수명을 얼마나 유지할 수 있는지 연도별로 정리한 표이다.
>
> 다. 구성요소로 평균수명, 영아사망률, 생존율 등이 포함된다.
>
> 라. 보건의료 정책수립, 국가간 보건수준의 비교자료 등의 기초자료로 이용된다.
>
> 마. 인구동태와 인구정태에 관한 내용을 파악하는 데 유용하다.

① 가, 다
② 나, 라
③ 가, 라
④ 다, 마

17

다음 중 처음으로 국세조사를 실시한 나라는 어디인가?

① 영국
② 미국
③ 프랑스
④ 스웨덴

18

우리나라는 현재 몇 년을 주기로 국세조사를 실시하고 잇는가?

① 6개월마다
② 매년
③ 3년마다
④ 5년마다

19

지난 2010년 11월에 시행된 우리나라 국세조사의 정식 명칭은 무엇인가?

① 국세조사
② 인구센서스
③ 총인구조사
④ 인구주택총조사

20

다음 중 인구 동태에 해당하는 항목으로 바르게 조합된 것은 무엇인가?

> 가) 출생률
>
> 나) 성별
>
> 다) 직업별 인구구성
>
> 라) 이혼율
>
> 마) 연령별
>
> 바) 전입

① 가, 나, 다
② 라, 마, 바
③ 가, 라, 바
④ 다, 마, 바

21

다음 중 인구정태와 관련된 것은 무엇인가?

① 전입
② 전출
③ 결혼율
④ 주민등록부

22

다음 중 인구 정태조사와 동태조사에 관한 설명으로 옳지 <u>않은</u> 것은 무엇인가?

① 국세조사는 인구 정태조사에 해당한다.
② 인구 정태조사에는 전입과 전출이 포함된다.
③ 인구 동태조사는 출생률과 사망률이 해당된다.
④ 인구 정태조사는 일정 시점에서의 인구 구성 상태를 파악한다.

23

다음 중 인구증가에 해당하는 것은 무엇인가?

① 자연증가 - 사회증가
② 사회증가 - 자연증가
③ 자연증가 + 사회증가
④ 전입인구 - 전출인구

24

다음은 인구증가에 관한 것으로 옳은 것은 무엇인가?

① 인구증가 = 사회증가 - 자연증가
② 자연증가 = 출생건수 - 신생아사망수
③ 자연증가 = 사망건수 - 출생건수
④ 사회증가 = 전입인구 - 전출인구

25

다음 중 인구증가율에 해당하는 것은 무엇인가?

① {(자연증가인구+사회증가인구)/연앙인구}×1,000
② {(자연증가인구−사회증가인구)/연앙인구}×1,000
③ {(자연증가인구+사회증가인구)/전입인구}×1,000
④ {(사회증가인구−자연증가인구)/연앙인구}×1,000

26

다음 중 성비(sex ratio)에 대한 설명으로 옳지 <u>않은</u> 것은 무엇인가?

① 1차 성비는 태아 성비를 의미한다.
② 2차 성비는 출생 성비를 의미한다.
③ 3차 성비는 현재 인구의 성비를 의미한다.
④ 성비 = (여자 수 / 남자 수) × 100

27

다음 해당 인구수를 고려하여 계산한 총부양비는 얼마인가?

· 0~14세 인구: 2,000명

· 15~64세 인구: 10,000명

· 65세 이상 인구: 4,500명

① 8
② 45
③ 55
④ 65

28

다음 중 노령화지수의 공식에 해당하는 것은 무엇인가?

① $\dfrac{65세 이상 인구}{0\sim64세 인구} \times 100$

② $\dfrac{65세 이상 인구}{0\sim14세 인구} \times 100$

③ $\dfrac{65세 이상 인구}{5\sim64세 인구} \times 100$

④ $\dfrac{0\sim14세 인구 + 65세 이상 인구}{15\sim64세 인구} \times 100$

29

다음 해당 인구수를 고려하여 계산한 노년부양비는 얼마인가?

· 0~14세 인구: 6,000명

· 15~64세 인구: 12,000명

· 65세 이상 인구: 7,200명

① 60

② 70

③ 75

④ 80

30

다음 해당 인구수를 고려하여 계산한 노령화 지수는 얼마인가?

· 0~14세 인구: 2,000명

· 15~64세 인구: 17,000명

· 65세 이상 인구: 1,200명

① 20

② 40

③ 60

④ 80

31

다음 해당 인구수를 고려하여 계산한 노령화 지수와 노년부양비 얼마인가?

· 0~14세 인구: 3,000명

· 15~64세 인구: 60,000명

· 65세 이상 인구: 1,500명

	노령화지수	노년부양비
①	40	2
②	50	2.5
③	50	3
④	55	2.5

32

다음 인구 구조의 유형 중 다산다사형에 해당하는 것은 무엇인가?

① 종형　　　② 별형

③ 기타형　　④ 피라미드형

33

인구구조의 유형 중 도시지역 인구구조에 해당하는 것은 무엇인가?

① 종형   ② 별형
③ 항아리형   ④ 피라미드형

34

다음 중 사망률이 출생률보다 많은 인구감소형의 구조는 무엇인가?

① 종형   ② 별형
③ 항아리형   ④ 피라미드형

35

다음 중 인구정지형 또는 소산소사형의 인구 구조는 무엇인가?

① 종형   ② 별형
③ 항아리형   ④ 피라미드형

36

다음 중 이상적인 피임법에 해당하지 않는 것은 무엇인가?

① 효과가 정확해야 한다.
② 사용하기 편리하며 경제적이어야 한다.
③ 몸에 해롭지 않은 안정성이 있어야 한다.
④ 성생활에 지장이 있어 피임이 용이하도록 해야 한다.

37

다음 중 가족계획 방법 중 일시적인 방법에 해당하지 않는 것은 무엇인가?

① 난관수술
② 월경주기법
③ 다이어프램
④ 경구용 피임

제20장 모자보건

01

다음 중 모자보건법에 따른 인공임신중절수술의 허용한계 내에서 인공임신중절수술이 가능한 시기로 옳은 것은 무엇인가?

① 임신 12주 이내
② 임신 16주 이내
③ 임신 24주 이내
④ 임신 28주 이내

02

다음 중 인공임신중절수술의 허용 한계 범위에 해당되지 않는 것은 무엇인가?

① 강간 또는 준강간에 의하여 임신된 경우
② 본인이나 배우자가 대통령령으로 정하는 전염성 질환이 있는 경우
③ 양수 검사에서 이상이 생겨 태아의 기형아 출산 가능성이 있는 경우
④ 임신의 지속이 보건의학적 이유로 모체의 건강을 심각하게 해치고 있거나 해칠 우려가 있는 경우

03

다음은 모자보건법의 용어에 관한 정리로 옳지 않은 설명은 무엇인가?

① 영유아는 출생 후 6년 미만인 사람을 말한다.
② 신생아란 출생 후 28일 이내의 영유아를 말한다.
③ 임산부란 임신 중이거나 분만 후 6개월 미만인 여성을 말한다.
④ 모자보건사업의 대상자는 모성과 가임기의 남성과 여성을 포함한다.

04

다음 중 모자보건법에서 정의한 미숙아에 해당되는 것은 무엇인가?

① 임신 37주 미만의 출생아
② 임신 39주 미만의 출생아
③ 출생 시 체중이 2.8 kg 미만인 자
④ 출생 시 체중이 3.2 kg 미만인 자

05

다음 중 모자보건법상 임신 9개월된 임산부의 정기건강진단 시행 날짜로 맞는 것은 무엇인가?

① 1주일마다 1회
② 2주일마다 1회
③ 1개월마다 1회
④ 2개월마다 1회

06

다음 중 산욕기 기간에 해당하는 것은 무엇인가?

① 분만 후 2주까지
② 분만 후 4~6주까지
③ 분만 후 6~8주까지
④ 분만 후 10주까지

07

다음은 모유수유의 장점에 대한 설명으로 옳지 <u>않</u>은 것은 무엇인가?

① 유방암의 발생빈도가 낮다.
② 배란을 유도하여 다음 임신이 용이하다.
③ 아이가 안정감을 느끼고 어머니와 연대감이 강해진다.
④ 옥시토신의 분비로 자궁수축이 촉진되며 출산 후 회복이 빨라진다.

08

다음 중 모성사망과 관련 <u>없는</u> 것은 무엇인가?

① 임신중독증
② 산과적 색전증
③ 임산부의 임신, 분만, 산욕 과정에서 생긴 질병이나 합병증으로 발생
④ 모성사망률 =

$$\frac{\text{임신, 분만, 산욕기 모성 사망 수}}{\text{연간 신생아 수}} \times 100$$

09

다음 중 모자보건사업의 수행 경과를 평가할 수 있는 모자보건 지표로 해당하는 것은 무엇인가?

가) 영아사망률
나) 모성사망비
다) 모성사망률
라) 보통사망률
마) 주산기사망률
바) 순재생산률

① 가, 다, 마
② 나, 라, 바
③ 가, 나, 마
④ 나, 라, 바

10

다음 중 분모가 '연간 출생아 수'에 해당하는 지표로 조합된 것은 무엇인가?

가) 조출생률
나) 일반출산율
다) 모성사망비
라) 영아사망률
마) 신생아사망률
바) α-index

① 가, 나, 다
② 나, 다, 라
③ 다, 라, 마
④ 라, 마, 바

11

다음 중 가족계획의 성과지표로 사용되는 것은 무엇인가?

① 재생산율   ② 조출생률
③ 일반출산률   ④ 모성사망률

12

다음 중 보건 지표에서 α – index는 무엇인가?

① (1년간 총 출생아 수/당해연도 인구)×1,000
② (연 신생아 사망 수/연간 출생아 수)×1,000
③ (영아 사망수/신생아 사망수)×1,000
④ (합계출산율×여아 출생 구성비)

13

다음 중 어머니의 사망률을 고려한 가임기간 동안 일생에 여아를 몇 명 출산하였는가를 나타내는 지표는 무엇인가?

① 조출생률
② 재생산율
③ 순재생산율
④ 총재생산율

14

다음 중 한 여성이 일생 동안 평균 몇 명의 자녀를 낳는가를 나타내는 지표는 무엇인가?

① 재생산율
② 합계출산율
③ 총재생산율
④ 합계재생산율

15

다음 중 순재생산율에 관한 내용으로 옳지 <u>않은</u> 것은 무엇인가?

① 순재생산율이 1 이상일 때 인구 증가
② 순재생산율이 1 이하일 때 인구 감소
③ 순재생산율이 1일 때 인구 변화 없음
④ 순재생산율 = 합계출산율 × 출생여아의 생존율

16

다음 중 인구증감과 관련 있는 지표는 무엇인가?

① 모성사망률
② 순재생산율
③ 총재생산율
④ 합계생산율

17

다음 중 임신중독증의 3대 증상에 해당하는 것은 무엇인가?

가) 고혈압	마) 산성뇨
나) 저혈압	바) 단백뇨
다) 당뇨	사) 부종
라) 저혈당	아) 손발저림

① 가, 다, 마
② 나, 라, 바
③ 다, 바, 아
④ 가, 바, 사

18

다음은 영유아의 구분으로 해당하지 <u>않는</u> 것은 무엇인가?

① 초생아: 출생 후 3주일 이내의 영유아

② 신생아: 출생 후 28일 미만의 영유아

③ 영아: 출생 후 1세 미만의 영유아

④ 유아: 만 1세 이상 출생 후 6세 미만의 어린이

19

다음 중 정상기간 출생아에 해당하는 것은 무엇인가?

① 25주 이상에서 32주 미만 출생아

② 32주 이상에서 37주 미만 출생아

③ 37주 이상에서 42주 미만 출생아

④ 42주 이후 출생아

20

다음 중 조산아 4대 관리에 해당하지 <u>않는</u> 것은 무엇인가?

① 체중관리

② 호흡관리

③ 영양관리

④ 체온관리

01

노인보건 사업 대상에서 노인인구는 몇 세부터 해당되는가?

① 60세　　　　② 63세

③ 65세　　　　④ 67세

02

고령화 사회는 노인인구가 차지하는 비율이 전체의 몇 % 이상일 때를 의미하는가?

① 5% 이상　　　② 7% 이상

③ 14% 이상　　④ 20% 이상

03

다음 중 신체의 노화현상이 <u>아닌</u> 것은 무엇인가?

① 색소침착

② 폐활량 감소

③ 성 호르몬 감소

④ 소화분비액 증가

04

다음 중 정신보건의 목적에 해당하지 <u>않는</u> 것은 무엇인가?

① 사회로의 안전한 복귀

② 정신장애의 예방 및 치료

③ 정신질환자의 조기발견 및 치료

④ 일반인과의 구분을 통한 사회적 안정 구축

05

다음 중 G. Caplan의 지역정신보건사업 원칙에 해당하지 <u>않는</u> 것은 무엇인가?

① 포괄적인 서비스
② 정신보건사업의 평가와 연구
③ 팀적 접근보다 단독으로 접근
④ 환자의 가정과 가까운 곳에서 치료

06

양친 모두 조현병에 걸렸을 경우 자녀에게서 나타날 수 있는 확률은 얼마인가?

① 10%　　　　② 30%
③ 50%　　　　④ 60%

07

다음 중 우리나라 정신질환자 종류 중 가장 많은 것은 무엇인가?

① 조현병
② 조울증
③ 뇌전증
④ 정신지체

08

다음은 정신질환에 관한 설명으로 옳지 <u>않은</u> 것은 무엇인가?

① 지적장애는 질병으로 분류된다.
② IQ 25 미만을 중증(백치)으로 구분한다.
③ 조울증과 조현병은 2대 내인성 정신병이다.
④ 뇌전증은 발작증세가 만성적으로 재발하는 질환이다.

제22장　성인보건

01

다음 중 성인병은 어디에 속하는가?

① 만성 역학 질환
② 만성 감염성 질환
③ 만성 퇴행성 질환
④ 급성 호흡기 질환

02

다음은 만성질환의 특징에 관한 설명으로 옳지 <u>않은</u> 것은 무엇인가?

① 개인적인 발생이 아닌 집단발생 형태로 나타난다.
② 건강 취약계층에 많이 발생하고 일단 발생하면 오랜 기간 경과를 취한다.
③ 개인의 일상적인 건강행동 변화로 예방 가능하며 생활습관과 관련이 높다.
④ 직접적인 원인이 되는 요인이 존재하지 않고 여러 요인들이 복잡하게 얽힌다.

03

다음은 만성질환의 특징에 관한 설명으로 관련 <u>없</u>는 것은 무엇인가?

① 발생시점이 불분명하다.
② 시간이 걸리지만 완치가 가능하다.
③ 다양한 원인들이 복잡하게 얽혀 있다.
④ 개인의 일상적인 건강행동 변화로 예방 가능하다.

04

다음 중 우리나라 5대 사망원인을 순서대로 바르게 나열한 것은 무엇인가?

① 암 → 심장질환 → 폐렴 → 뇌혈관질환 → 자살
② 뇌혈관 질환 → 암 → 심장 질환 → 당뇨병 → 자살
③ 심장 질환 → 뇌혈관 질환 → 암 → 당뇨병 → 자살
④ 암 → 뇌혈관 질환 → 심장 질환 → 자살 → 당뇨병

05

다음 중 만성질환의 종류가 아닌 것은 무엇인가?

① 위암   ② 고혈압
③ 뇌졸중   ④ 말라리아

06

다음 중 우리나라 국가암 검진사업에 포함되지 않는 것은 무엇인가?

① 위암   ② 폐암
③ 간암   ④ 갑상선암

07

다음 중 정상인의 혈압판정 기준은 무엇인가?

① 최저혈압: 60, 최고혈압: 80
② 최저혈압: 70, 최고혈압: 100
③ 최저혈압: 80, 최고혈압: 120
④ 최저혈압: 100, 최고혈압: 150

08

다음 중 고혈압의 발생원인과 관련 없는 것은 무엇인가?

① 비만   ② 빈혈
③ 스트레스   ④ 소금 과다 섭취

09

다음은 고혈압에 대한 설명으로 옳지 않은 것은 무엇인가?

① 속발성 고혈압을 1차성 고혈압이라고 한다.
② 본태성 고혈압은 원인을 정확히 알 수 없다.
③ 속발성 고혈압은 발생 원인 질환이 존재한다.
④ 본태성 고혈압은 전체 고혈압 환자의 약 90% 이상이다.

10

다음 중 당뇨병의 3대 증상에 해당하는 조합으로 옳은 것은 무엇인가?

① 다음, 다식, 다뇨
② 다갈, 다식, 피로
③ 다뇨, 다음, 다뇨
④ 다뇨, 다갈, 다식

11

다음은 당뇨병에 관한 설명으로 옳은 것은 무엇인가?

① 1형 당뇨는 주로 40세 이후 증가한다.
② 1형 당뇨를 인슐린 비의존형이라고 한다.
③ 2형 당뇨를 소아 당뇨라고도 한다.
④ 2형 당뇨는 인슐린 기능 장애에 해당한다.

12

다음은 2형 당뇨병에 관한 설명으로 그 내용이 옳지 <u>않은</u> 것은 무엇인가?

① 환경적인 영향이 크다.
② 인슐린의 기능 장애이다.
③ 췌장 수술 후에 나타날 수 있다.
④ 췌장의 인슐린 생산이 불가능한 상태이다.

13

다음 중 인슐린 비의존형 당뇨병에 해당하는 것으로 바르게 조합된 것은 무엇인가?

가) 제1형 당뇨	나) 제2형 당뇨
다) 성인 당뇨	라) 소아 당뇨
마) 췌장의 인슐린 생산 불가능	바) 인슐린 분비량 부족

① 가, 나, 라   ② 나, 다, 바
③ 다, 라, 마   ④ 가, 라, 마

14

다음 중 대사증후군에 대한 설명으로 옳은 것은 무엇인가?

① 의학적인 단독 치료가 안되고 사회, 경제, 간호, 의학 등 전반적인 접근으로 치료해야 한다.
② 임산부의 임신, 분만, 산욕 과정에서 생긴 질병이나 합병증 때문에 발생하는 산모 사망과 관련이 있다.
③ 고혈압, 고혈당, 고지혈증, 비만 등의 여러 질환이 한 개인에게서 한꺼번에 나타나는 상태를 의미한다.
④ 병인이 불분명하고 노화와의 구분이 어려우며 선천적 원인과 후천적 원인이 복잡하게 상관하여 질병이 시작된다.

15

다음 중 대사증후군 진단 기준에 관하여 옳지 <u>않은</u> 것은 무엇인가?

① 공복혈당이 100 mg/dL 이상
② 고중성지방 혈증: 중성지방이 150 mg/dL 이상
③ 고혈압: 수축기 혈압이 130 mmHg 또는 이완기 혈압이 85 mmHg 이상인 경우
④ 복부비만: 한국인 남자의 경우 허리둘레가 90 cm 초과, 여자의 경우 허리둘레가 80 cm 초과

16

다음 중 만성질환의 예방 대책으로 2차 예방에 해당하는 것은 무엇인가?

① 재활   ② 보건교육
③ 환경위생   ④ 집단건강검진

17

다음 중 만성질환의 예방에 관한 내용으로 옳은 것은 무엇인가?

① 조기진단은 1차 예방에 해당한다.
② 집단검진은 2차 예방에 해당한다.
③ 건강증진은 3차 예방에 해당한다.
④ 1차 예방의 효과로 유병률이 감소한다.

공중보건학 예상문제

실전 모의고사

1회	실전 모의고사
2회	실전 모의고사
3회	실전 모의고사
4회	실전 모의고사
5회	실전 모의고사

01

다음 중 공중보건학의 목적으로 바르게 조합된 것은 무엇인가?

① 질병 치료 – 건강 보건 – 삶의 질 향상
② 생명 연장 – 질병 치료 – 삶의 질 향상
③ 질병 예방 – 생명 연장 – 신체적·정신적 건강과 효율 증진
④ 환경 위생 – 건강 증진 – 신체적·정신적 건강과 효율 증진

02

다음 중 국민건강증진종합계획(Health Plan) 2030의 목표에 해당하는 것은 무엇인가?

① 건강증진과 수명연장 목표
② 건강수명의 연장과 삶의 질 제고
③ 건강수명의 연장과 건강형평성 제고
④ 온 국민이 함께 만들고 누리는 건강세상

03

다음 중 풍토병의 유행 현상은 지역적 변수 중 어디에 해당하는가?

① 범발적
② 유행적
③ 지방적
④ 산발적

04

다음 중 역학의 가장 중요한 역할에 해당하는 것은 무엇인가?

① 질병의 치료
② 질병의 발생 예방
③ 보건의료사업 평가
④ 질병 발생의 원인 파악

05

다음 중 급성 감염병에 대한 역학적 특징으로 옳은 것은 무엇인가?

① 발생률과 유병률 모두 높다.
② 발생률과 유병률 모두 낮다.
③ 발생률이 높고 유병률이 낮다.
④ 발생률이 낮고 유병률이 높다.

06

다음 중 소화기계 감염병 예방에 가장 좋은 방법은 무엇인가?

① 예방접종
② 검역관리
③ 보건교육
④ 환경위생

07

다음 중 스카치테이프법으로 진단하는 기생충은 무엇인가?

① 회충
② 요충
③ 사상충
④ 분선충

08

다음은 WHO의 식품위생의 정의로 괄호 안에 들어갈 용어로 바르게 나열된 것은 무엇인가?

> 식품위생이란 식품의 재배, 생산, 제조로부터 최종적으로 사람에 섭취되기까지의 모든 단계에서 식품의 (A), (B) 및 (C)을 확보하기 위한 모든 필요한 수단을 말한다.

	A	B	C
①	방부성	완전성	건전성
②	보건성	안전성	완전무결성
③	안전성	건전성	완전무결성
④	건전성	방부성	안전성

09

신체 조직을 구성하는 구성소로 함량이 높은 순서대로 바르게 나열한 것은 무엇인가?

① 물 > 지방 > 단백질 > 탄수화물 > 비타민
② 물 > 단백질 > 지방 > 무기질 > 탄수화물
③ 물 > 탄수화물 > 단백질 > 지방 > 무기질
④ 물 > 단백질 > 탄수화물 > 지방 > 무기질

10

외국의 공중보건 역사 중 감염병의 만연시기로 암흑기인 시대는?

① 중세기
② 여명기
③ 확립기
④ 발전기

11

다음 중 Gulick의 7대 관리과정의 순서로 바른 것은 무엇인가?

① 기획 → 조직 → 인사 → 지휘 → 조정 → 보고 → 예산
② 기획 → 조정 → 조직 → 지휘 → 인사 → 보고 → 예산
③ 기획 → 인사 → 조직 → 조정 → 지휘 → 보고 → 예산
④ 기획 → 보고 → 인사 → 조정 → 지휘 → 조직 → 예산

12

다음 중 학교의 환경위생 상대보호구역 범위는 학교 경계선으로부터 직선거리로 몇 m 이내의 지역을 의미하는가?

① 50 m 이내
② 100 m 이내
③ 150 m 이내
④ 200 m 이내

13

다음 중 소음성 난청의 초기 단계로 C5-dip 현상이 일어나는 주파수 영역에 해당하는 것은 무엇인가?

① 100 Hz
② 500 Hz
③ 1,000 Hz
④ 4,000 Hz

14

다음 중 하인리히의 법칙으로 현성재해, 불현성재해, 잠재성재해 비율에 해당하는 것은 무엇인가?

① 1 : 29 : 300
② 1 : 30 : 300
③ 29 : 1 : 300
④ 30 : 1 : 300

15

다음 중 맬더스주의와 신 맬더스주의의 차이점은 무엇인가?

① 적정인구론
② 인구 이론 원리
③ 인구 규제 방법
④ 인구 전환 이론

16

다음은 노인질환의 특징으로 옳지 않은 것은 무엇인가?

① 만성적이고 퇴행적으로 진행된다.
② 병인이 불분명하고 노화와의 구분이 어렵다.
③ 선천적 원인과 후천적 원인이 복잡하게 상관하여 질병이 발생한다.
④ 동일한 질병일 때 성인병과 노인질환의 임상형태 및 병상의 차이가 없다.

17

다음은 모자보건법에 정의된 모자보건 관련 용어의 설명으로 옳지 않은 것은 무엇인가?

① 모성이란 임산부와 가임기 여성을 말한다.
② 영유아란 출생 후 6년 이하인 사람을 말한다.
③ 신생아란 출생 후 28일 이내의 영유아를 말한다.
④ 임산부란 임신 중이거나 분만 후 6개월 미만인 여성을 말한다.

18

다음 중 기후요소에 해당하지 않는 것은 무엇인가?

① 풍향
② 기류
③ 기습
④ 해류

19

다음은 불쾌지수(DI)에 관한 설명으로 옳지 않은 것은 무엇인가?

① 실내와 실외 모두 적용 가능하다.
② 불쾌지수는 기온과 습도의 영향을 받는다.
③ 불쾌지수(DI) = (건구온도℃+습구온도℃)× 0.72+40.6
④ 약 10% 사람이 불쾌감을 느끼는 불쾌지수(DI)는 70부터이다.

20

다음 중 전수조사와 비교하였을 때 표본조사의 특징에 해당하는 것은 무엇인가?

① 경제적이다
② 조사 시간이 오래 걸린다.
③ 비표본오차가 많이 발생한다.
④ 심도 있는 조사에는 시행하기 어렵다.

 2회 실전 모의고사

01

다음 중 Anderson의 공중보건 사업수행 요소 중 가장 효과적인 접근방법에 해당하는 것은 무엇인가?

① 보건행정
② 보건환경
③ 보건예방
④ 보건교육

02

다음 중 WHO에서 정한 공중보건의 3대 핵심 원칙으로 바르게 조합된 것은 무엇인가?

① 참여 – 형평 – 협동
② 참여 – 조정 – 평등
③ 평등 – 옹호 – 조정
④ 옹호 – 가능화 – 조정

03

다음 중 역학 연구 방법에서 2단계 역학에 해당하는 것은 무엇인가?

① 기술역학
② 이론역학
③ 분석역학
④ 작전역학

04

다음 중 단면조사 연구의 장점이 <u>아닌</u> 것은 무엇인가?

① 경제적이다.
② 질병의 유병률을 구할 수 있다.
③ 인구집단의 대상이 작아도 가능하다.
④ 동시에 여러 종류의 질병과 발생요인과의 관련성을 알 수 있다.

05

다음 중 감염병 생성 과정 순서로 옳은 것은 무엇인가?

① 병원체 → 병원소 → 병원소로부터 병원체의 탈출구 → 전파 → 신숙주로의 침입 → 숙주 감수성
② 병원소 → 병원체 → 병원소로부터 병원체의 탈출구 → 신숙주로의 침입 → 전파 → 숙주 감수성
③ 병원체 → 병원소 → 전파 → 병원소로부터 병원체의 탈출구 → 신숙주로의 침입 → 숙주 면역성
④ 병원소 → 병원체 → 전파 → 신숙주로의 침입 → 병원소로부터 병원체의 탈출구 → 숙주 면역성

06

다음 중 감염병과 그 진단검사방법이 바르지 <u>않은</u> 것은 무엇인가?

① 성홍열 – Dick test
② 한센병 – Lepromin test
③ 장티푸스 – Widal test
④ 파라티푸스 – Schick test

07

다음 중 어패류 매개 기생충에 해당하지 <u>않는</u> 것은 무엇인가?

① 간흡충
② 사상충
③ 요코가와흡충
④ 광절열두조충

08

다음은 HACCP 제도에 관한 내용으로 관련이 <u>없</u>는 것은 무엇인가?

① 7가지 원칙이 있다.
② 식품안전관리인증기준이다.
③ HA는 위해요소 제거를 의미이다.
④ CCP는 중점관리기준을 의미한다.

09

다음 중 단백질의 필수 아미노산이 <u>아닌</u> 것은 무엇인가?

① 발린   ② 라이신
③ 메티오닌   ④ 이소알라닌

10

다음 중 보건행정 관리과정에서 기획의 방법 중 비용—효과 분석의 방법은 무엇인가?

① OR
② CBA
③ CEA
④ PERT

11

일산화탄소는 인체 내에서 어떤 작용을 하여 인체에 해를 끼치는가?

① 체액 및 지방조직에 질소 기포를 형성한다.
② 에너지원으로 활용되어 산소중독을 일으킨다.
③ 헤모글로빈과 결합하여 산소결핍증을 일으킨다.
④ 맹독성이 다른 오염물질에 비교하면 적은 편이라 인체에 무해하다.

12

서울시 은평구 OO동에는 36학급의 한 초등학교가 있다. 이 학교에 배치되는 보건인력에 관한 설명으로 옳은 것은 무엇인가?

① 보건교사 2명을 둔다.
② 학교의사 1명과 보건교사 1명을 둔다.
③ 학교의사 1명 및 학교약사 1명을 둔다.
④ 학교의사 1명, 학교약사 1명 및 보건교사 1명을 둔다.

13

다음 중 작업장 내 작업환경 관리 시 기본원리에 해당하지 않는 것은 무엇인가?

① 대치
② 격리
③ 보건
④ 환기

14

다음 중 C.P. Blacker(블랙커)의 인구성장 5단계 분류 중 저사망률과 저출생률의 인구성장 둔화형으로 우리나라가 속한 단계는?

① 1단계 고위정지기
② 2단계 초기확장기
③ 3단계 후기확장기
④ 4단계 저위정지기

15

다음은 고혈압에 관한 설명으로 옳지 않은 것은 무엇인가?

① 속발성 고혈압은 원인이 불명확하다.
② 정상혈압의 범위는 120/80 mmHg 이다.
③ 1차성 고혈압과 2차성 고혈압으로 분류한다.
④ 본태성 고혈압은 전체 고혈압 환자의 약 90%에 해당한다.

16

다음 중 모자보건법에 따를 때 임신 5개월의 임산부가 받아야 할 정기건강진단 주기로 옳은 것은 무엇인가?

① 1주마다 1회
② 2주마다 1회
③ 4주마다 1회
④ 1개월마다 1회

17

다음 중 기온, 기습, 기류의 3가지 요소가 종합하여 인체의 열을 뺏는 힘을 의미는 무엇인가?

① 복사열
② 감각온도
③ 온도지수
④ 카타냉각력

18

다음 중 실내 공기의 CO_2 서한량은 얼마인가?

① 0.01%
② 0.1%
③ 1.0%
④ 10%

19

다음 중 가족계획사업 효과 판정으로 가장 좋은 보건지표는 무엇인가?

① 조출생률
② 재생산율
③ 일반출산률
④ 합계출산율

20

다음은 사망통계에 관한 내용으로 옳지 <u>않은</u> 것은 무엇인가?

① α-Index 값이 1.0에 가까울수록 보건수준이 높다.
② 모성사망비 = (연간 모성 사망자 수/연간 가임기 여성 수)×1,000
③ α-Index = (어떤 연도의 영아 사망자 수/어떤 연도의 신생아 사망자 수)
④ α-Index 값이 3.0이면 예방 가능한 영아의 후기 사망이 없음을 의미한다.

3회 실전 모의고사

01

다음 중 건강의 정의에서 사회적 안녕의 개념에 대해 바른 설명은 무엇인가?

① 사회복지 체계가 잘 잡힌 나라에서 삶을 영위하는 개념
② 정신적, 도덕적, 영적인 상태가 건강한 삶을 영위하는 개념
③ 사회보장제도가 잘 되어 있는 나라에서 삶을 영위하는 개념
④ 사회적 지위, 자신의 일, 타인과의 융화 등 사회 속에서 자신의 역할을 잘 수행하고 있는 생활 개념

02

다음 중 오늘날의 보건소제도의 효시가 된 방문간호사업을 시행한 나라는 어디인가?

① 영국   ② 미국
③ 러시아   ④ 프랑스

03

다음 중 교차비(Odds ratio) = 1이 의미하는 것으로 바르게 설명한 것은 무엇인가?

① 상대위험비 = 1을 의미한다.
② 건강문제의 원인이 위험요인이다.
③ 위험요인에 대한 노출이 질병발생과 관련이 없다.
④ 위험요인에 대한 노출이 질병에 대한 예방 효과를 가져온다.

04

다음 중 이미 있는 과거 자료를 이용하여 과거의 관찰시점으로 돌아가서 그 시점으로부터 연구시점까지의 기간을 조사하는 방법으로 특정 위험요인에 노출된 집단과 그렇지 않은 집단을 대상으로 하는 역학연구 방법은 무엇인가?

① 기왕조사
② 단면조사 연구
③ 환자-대조군 연구
④ 후향적 코호트연구

05

어느 해 6월에 코로나19에 노출된 사람이 1,500명이고, 불현성 감염자는 100명이다. 감염으로 인한 사망자수는 15명, 중환자 수는 10명, 증상이 있는 현성 감염자 수는 250명일 때의 독력은 얼마인가?

① 7%
② 10%
③ 14%
④ 19%

06

다음 중 장티푸스에 관한 내용으로 관련 없는 것은 무엇인가?

① 제2급 감염병
② 수인성 감염병
③ Widal test로 진단
④ 쌀뜨물 같은 설사

07

다음 중 회충의 인체 기생장소는 어디인가?

① 위
② 폐
③ 소장
④ 신장

08

다음은 세균성 식중독과 소화기계 감염병의 비교 설명으로 옳지 <u>않은</u> 것은 무엇인가?

① 세균성 식중독은 소화기계 감염병에 비교해 발병력이 낮다.
② 세균성 식중독은 잠복기와 경과가 길고, 소화기계 감염병은 짧다.
③ 세균성 식중독은 2차 감염이 없고, 소화기계 감염병은 2차 감염이 있다.
④ 세균성 식중독은 다량의 균에서 발생되며 소화기계 감염병은 소량이라도 감염된다.

09

다음 중 단백질 부족으로 발생할 수 있는 것과 관련이 <u>없는</u> 것은?

① 빈혈
② 콰시오커
③ 면역결핍
④ 혈액응고 지연

10

다음 중 우리나라 보건복지부 직제 6국에 해당하지 <u>않는</u> 것은 무엇인가?

① 연금정책국　　② 건강정책국
③ 보건산업정책국　④ 사회복지정책국

11

다음 중 보건소의 업무에 해당하지 <u>않는</u> 것은 무엇인가?

① 감염병의 치료
② 노인보건사업
③ 공중위생 및 식품위생
④ 모자보건 및 가족계획사업

12

다음은 보건교육 방법의 하나인 분단토의에 관한 내용으로 관련 <u>없는</u> 것은 무엇인가?

① 버즈세션
② 배심토의
③ 와글와글학습법
④ 참석인원이 많아도 진행 가능

13

다음 중 산업보건의 역사에 관한 관련인물과 해당 내용의 조합이 바르지 <u>않은</u> 것은 무엇인가?

① 라마찌니 – 산업보건학 시조
② 해밀턴 – 미국의 직업보건 선구자
③ 비스마르크 – 근로자질병보호법 제정
④ 아그리콜라 – 굴뚝청소부의 직업병 '음낭암' 발견

14

다음 중 생명표의 생명함수에 해당하지 <u>않는</u> 것은 무엇인가?

① 사력
② 사망률
③ 생존률
④ 평균수명

15

다음 중 제1형 당뇨병에 관한 내용에 해당하는 것은 무엇인가?

① 소아당뇨
② 인슐린 기능 장애
③ 인슐린 분비 과다
④ 인슐린 비의존형 당뇨병

16

다음 중 산욕기에 해당하는 것은 무엇인가?

① 분만 전후 3~4주 기간
② 분만 전후 6~8주 기간
③ 분만 후 4~5일까지의 기간
④ 분만 후 6~8주까지의 기간

17

다음 중 폭기의 기능에 해당하지 <u>않는</u> 것은 무엇인가?

① 맛 제거
② 냄새 제거
③ pH 산성화
④ 가스류 제거

18

다음 중 THM(트리할로메탄)이라는 물질을 형성하는 소독제의 방법은 무엇인가?

① 오존 소독
② 염소 소독
③ 표백분 소독
④ 자외선 소독

19

다음 중 WHO의 3대 보건지표로 바르게 조합된 것은 무엇인가?

① 평균수명, 조출생률, 영아사망률
② 조출생률, 조사망률, 영아사망률
③ 평균수명, 조사망률, 비례사망지수
④ 평균수명, 영아사망률, 비례사망지수

20

다음은 유병률에 관한 설명으로 옳지 <u>않은</u> 것은 무엇인가?

① 유병률 = 발병률 × 이환기간
② 급성 감염병은 발생률은 높고, 유병률은 낮다.
③ 만성 감염병은 발생률은 낮고, 유병률은 높다.
④ 감염병의 유행기간이 짧으면 발생률과 유병률은 비슷해진다.

01

다음 중 Laevell과 Clark이 분류한 질병의 자연사 과정 중 집단검진은 어느 단계에 해당되는 것인가?

① 회복기
② 비병원성기
③ 초기병원성기
④ 불현성감염기

02

다음 중 WHO의 지역 사무소의 연결로 옳지 않은 것은 무엇인가?

① 범미주 지역 – 미국 워싱턴
② 유럽 지역 – 덴마크 코펜하겐
③ 서태평양 지역 – 필리핀 마닐라
④ 동지중해 지역 – 이집트 카이로

03

다음은 환자–대조군 연구에 관한 내용으로 옳지 않은 것은 무엇인가?

① 기왕조사
② 후향성연구
③ 연구자료 분석 시 주로 상대위험도를 사용한다.
④ 연구하고자 하는 특정 질병에 이환된 환자군과 그렇지 않은 대조군을 선정한다.

04

다음 표에서 민감도는 얼마인가?

구분	질병에 걸린 환자	건강한 자	합계
양성	75	50	125
음성	25	50	75
합계	100	100	200

① 15%   ② 30%
③ 50%   ④ 75%

05

다음 중 인수공통 감염병에 해당하지 <u>않는</u> 것은 무엇인가?

① 결핵   ② 큐열
③ 황열   ④ 공수병

06

다음은 영유아 예방접종에 관한 설명으로 옳지 <u>않은</u> 것은 무엇인가?

① 폴리오는 2, 4, 6개월 3회 접종한다.
② 폐렴구균은 12~15개월 1회 접종한다.
③ BCG (결핵)는 출생 후 4주 이내 접종한다.
④ B형간염은 출생 후 1주 이내에 1차, 1개월 2차, 6개월 3차 접종한다.

07

다음 중 일본뇌염을 매개하는 위생해충은 무엇인가?

① 열대숲모기   ② 빨간집모기
③ 토고숲 모기   ④ 작은 빨간집모기

08

다음 중 독소형 식중독에 해당하는 것은 무엇인가?

① 아리조나균
② 리스테리아균
③ 노로바이러스
④ 황색포도상구균

09

특이동적 작용(SDA)은 먹는 음식의 양과 종류에 따라 다양한데 단백질은 어느 정도의 열량을 필요로 하는가?(최대값)

① 4~5% ② 10%
③ 15%   ④ 30%

10

다음 중 Roemer(뢰머, 1976년)의 보건의료체계 분류에 속하지 않는 것은 무엇인가?

① 보편주의형
② 복지국가형
③ 저개발국형
④ 자유기업형

11

다음 중 우리나라의 생활보호법이 제정되기까지 사회복지사업의 근간이 된 것은 무엇인가?

① 위생과
② 활인서
③ 혜민국
④ 조선구호령

12

다음 중 3~5명의 전문가가 동일한 주제에 대하여 각각 발표하고 발표내용을 중심으로 사회자가 청중을 공개토론에 참여시키는 교육방법은 무엇인가?

① 포럼
② 심포지엄
③ 버즈세션
④ 집단토론

13

다음 중 유해물질 허용 기준에서 최고허용한계농도에 해당하는 것은 무엇인가?

① TLVs−C
② TLVs−F
③ TLVs−P
④ TLVs−TWA

14

다음은 부양비에 관한 설명으로 옳지 않은 것은 무엇인가?

① 총부양비가 높을수록 후진국이다.
② 우리나라에서 총부양비는 농촌이 도시보다 높다.
③ 노년부양비 = (65세 이상 인구/15~64세 인구)× 100
④ 유년부양비는 선진국이 높고, 노년부양비는 개발도상국이 높다.

15

다음 중 당뇨병의 대표적인 증상에 해당하지 <u>않는</u> 것은 무엇인가?

① 다뇨   ② 다갈
③ 다한   ④ 다음

16

다음 중 임신중독증의 3대 증상으로 맞는 것은 무엇인가?

① 고혈압, 당뇨, 비만
② 고혈압, 단백뇨, 부종
③ 고혈압, 부종, 당뇨
④ 저혈압, 단백뇨, 부종

17

다음 중 활성오니법에 과한 설명으로 옳지 <u>않은</u> 것은 무엇인가?

① 온도에 민감하다.
② 조작 방법이 간단하다.
③ 슬러지 팽화현상이 발생한다.
④ 처리 면적이 작아도 가능하다.

18

다음 중 London 형 스모그와 LA형 스모그의 비교로 옳지 <u>않은</u> 것은 무엇인가?

	구분	LA 형 스모그	London형 스모그
①	인체 영향	눈과 목의 자극	가래, 기침, 호흡기 질환
②	발생 시간	이른 아침	낮
③	발생 월	8월, 9월	12월, 1월
④	역전 종류	침강성 역전	복사성(방사성) 역전

19

다음은 정규분포에 관한 설명으로 옳지 <u>않는</u> 것은 무엇인가?

① 가우스 분포라고도 한다.
② 평균값, 중앙값이 일치하며 최빈값은 항상 1이다.
③ 통계분석 시 가장 많이 쓰이는 기본적인 분포 이다.
④ 평균을 중심으로 좌우 대칭이며 전체 데이터에 대한 정보도 각각 50%씩 속해 있다.

20

다음 중 표본추출에서 확률표본추출에 해당하지 <u>않는</u> 것은 무엇인가?

① 할당표본추출
② 집락표본추출
③ 층화표본추출
④ 계통적표본추출

5회 실전 모의고사

01

다음 중 질병의 자연사에 따른 예방수준에서 적극적 예방에 해당하는 것은 무엇인가?

① 재활치료　　② 환경위생
③ 집단검진　　④ 예방접종

02

다음 중 한국의 공중보건 역사에서 고려시대와 조선시대의 의료기관을 비교할 때 고려시대의 상약국에 해당하는 조선시대의 의료기관은 무엇인가?

① 전의감　　② 태의감
③ 내의원　　④ 혜민서

03

다음 중 (가) – (나) – (다)에 들어갈 역학조사 방법이 바르게 연결된 것은 무엇인가?

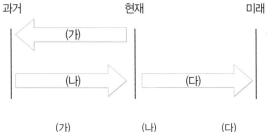

	(가)	(나)	(다)
①	전향적 코호트	후향적 코호트	전향적 조사
②	환자-대조군 연구	후향적 코호트	전향적 코호트
③	환자-대조군 연구	전향적 코호트	후향적 코호트
④	전향적 조사	코호트 연구	후향적 조사

04

다음 중 질병에 대해 양성으로 판정 받은 사람 중에 실제 양성으로 판정될 확률을 의미하는 것은 무엇인가?

① 민감도
② 신뢰도
③ 위양성도
④ 양성예측도

05

다음 중 수인성 감염병의 특징에 해당하지 않는 것은 무엇인가?

① 가족 집적성이 낮다.
② 2차 감염 환자가 적다.
③ 치명률과 발병률이 높다.
④ 계절과 무관하게 발생한다.

06

다음 중 어린이 폐결핵 검진 순서로 바른 것은 무엇인가?

① TB 검사 → X선 간접촬영 → X선 직접촬영
② TB 검사 → X선 직접촬영 → 배양(객담)검사
③ 배양(객담)검사 → X선 간접 촬영 → TB 검사
④ X선 직접 촬영 → X선 간접 촬영 → 배양(객담)검사

07

다음 중 바퀴의 특징에 해당하지 <u>않는</u> 것은 무엇인가?

① 군거성
② 야행성
③ 잡식성
④ 조직성

08

다음 중 포도상구균 식중독에 관하여 관련이 <u>없는</u> 것은 무엇인가?

① 평균 잠복기가 8~10시간이다.
② 급성위장염의 증상이 나타난다.
③ Enterotoxin에 의해 식중독 발생한다.
④ 원인균은 Staphylococcus Aureus이다.

09

다음은 무기질의 결핍 시 발생하는 질병으로 바르지 <u>않은</u> 것은 무엇인가?

① 칼슘 - 구루병
② 요오드 - 빈혈
③ 인 - 골연화증
④ 칼륨 - 근육약화

10

다음 중 사회보험이 시행된 순서로 바르게 나열된 것은 무엇인가?

① 건강보험 → 국민연금보험 → 산업재해보상보험 → 고용보험 → 노인장기요양보험
② 국민연금보험 → 산업재해보상보험 → 건강보험 → 고용보험 → 노인장기요양보험
③ 산업재해보상보험 → 건강보험 → 국민연금보험 → 고용보험 → 노인장기요양보험
④ 건강보험 → 국민연금보험 → 고용보험 → 산업재해보상보험 → 노인장기요양보험

11

다음 중 의료보장의 분류 중 사회보험형(NHI)과 관련이 <u>없는</u> 것은 무엇인가?

① 강제 가입
② 예방중심적
③ 비스마르크 방식
④ 한국, 일본, 독일 등에서 시행

12

다음은 학교 내 환경관리에 관한 설명으로 옳지 <u>않은</u> 것은 무엇인가?

① 비교습도는 30% 이상 80% 이하로 할 것
② 학교 교실 내의 미세먼지 기준은 100 μg/m^{3}이다.
③ 학교 교실 내의 이산화탄소 허용수치는 10 ppm이다.
④ 교실의 조명도는 책상면을 기준으로 300 lux 이상이 되도록 할 것

13

다음은 중금속의 중독에 따른 증상에 관한 내용으로 옳지 <u>않은</u> 것은 무엇인가?

① 크롬 중독: 비중격천공
② 망간 중독: 호흡기계 장애
③ 수은 중독: 구내염, 근육진전, 정신증상
④ 카드뮴 중독: 신장 장애, 골격계 장애, 폐기종

14

다음 인구구조의 유형 중 15~49세 인구가 전체인구의 50% 이상을 차지하는 것은 무엇인가?

① 별형
② 종형
③ 기타형
④ 항아리형

15

다음 중 대사증후군을 진단하는 기준에 해당하지 <u>않는</u> 것은 무엇인가?

① 체중   ② HDL
③ 혈압   ④ 공복혈당

16

다음 중 조산아 4대 관리에 해당하는 것은 무엇인가?

① 체중관리, 체온관리, 호흡관리, 영양관리
② 호흡관리, 체력관리, 영양관리, 면역관리
③ 산모관리, 감염관리, 체온관리, 영양보급
④ 호흡관리, 체온관리, 영양보급, 감염병의 감염
   방지

17

다음 중 오존층 파괴로 인한 영향과 관련 <u>없는</u> 것은 무엇인가?

① 기온 역전
② 피부암 발생
③ 기후 온난화
④ 백내장 증가

18

다음의 수질오염 지표 중 기압이 높을수록, 수온이 낮을수록 증가하는 것은 무엇인가?

① DO   ② BOD
③ COD   ④ 대장균 수

19

다음 중 순재생산율이 1.0 이상일 때 의미하는 것은 무엇인가?

① 인구 증감 없는 상태
② 과거 세대의 인구의 증가
③ 현재 세대의 인구의 증가
④ 다음 세대의 인구의 증가

20

비례사망지수는 총 사망자수에 대한 (   )세 이상의 사망자 수를 백분율로 표시한 지수를 의미하는 것이다. 괄호 안에 들어갈 올바른 숫자는 무엇인가?

① 20   ② 40
③ 50   ④ 60

공중보건과 건강

part

01

제1장	공중보건학
제2장	건강의 의해
제3장	보건의료의 이해

제1장 공중보건학

01
정답 ④

공중보건학의 정의

조직된 지역사회의 노력을 통해 질병을 예방하고 생명을 연장시키며 신체적, 정신적 효율을 증진시키는 기술이며 과학 – C.E.A. Winslow(윈슬로, 1920)

02
정답 ④

공중보건학의 정의

01번 해설 참고

03
정답 ④

공중보건의 목적 달성을 위한 지역사회의 노력

- 질병의 조기진단 및 치료를 위한 의료 및 간호 봉사의 조직 체계화, 환경위생의 개선, 감염병 관리, 개인 위생교육, 사회제도의 개선 등의 환경위생이나 질병예방 차원의 사업
- 질병치료 사업은 해당하지 않는다.

04
정답 ②

공중보건학의 유사 영역

위생학, 예방의학, 사회의학, 지역사회의학, 건설의학, 포괄보건의학 등

05
정답 ④

공중보건학의 유사 영역

위생학, 예방의학, 사회의학, 지역사회의학, 건설의학, 포괄보건의학 등

06
정답 ②

공중보건학의 유사 영역

위생학, 예방의학, 지역사회의학, 사회의학, 포괄보건의학, 건설의학 등

- 예방의학: 질병예방을 목적으로 질병과 관련된 건강문제의 상호작용 관계를 포괄적으로 다룬다는 점에서 공중보건과 유사하지만 예방의학의 연구대상은 개인, 가족을 중심으로 하고 공중보건학의 연구대상은 지역사회의 인구집단이라는 점에서 차이가 있다.

07
정답 ①

공중보건학의 역사

고대기 → 중세기 → 여명기(근세기) → 확립기(근대기) → 발전기(현대기)

08
정답 ②

중세기(500년~1500년)

- 암흑기, 감염병 만연기
- 콜레라, 나병, 홍역, 페스트, 결핵 등의 감염병 유행
- 페스트 발생지역에 최초 검역소 설치(검역제도 최초 시행, 검역법 제정)

09

정답 ②

중세기(500년~1500년)

- 암흑기, 감염병 만연기
- 콜레라, 나병, 홍역, 페스트, 결핵 등의 감염병 유행
- 페스트 발생지역에 최초 검역소 설치(검역제도 최초 시행, 검역법 제정)

10

정답 ③

여명기(근세기, 요람기, 르네상스시대) (1500~1850년)

- 최초의 인구학과 보건통계학의 논문 발표: 영국의 John Graunt(1662년)
- 현미경 발견: 네덜란드의 Leeuwe Hock(1683년)
- 직업병 저서 『직업병에 관하여』 발간: 이탈리아의 B. Ramazzini(1713년)
- 최초의 공중보건학 저서 『전의사 경찰체계』: 독일의 J.P. Frank(1745~1821년)
- 최초로 국세조사 실시: 스웨덴(1749년)
- 종두법(우두종두법) 개발, 면역학의 아버지: 영국의 Jenner(1798년)
- 최초의 공중보건법 제정 계기: 영국의 Edwin Chadwick(1848년)

John Snow: 콜레라 원인규명은 확립기 시대에 해당

11

정답 ④

발전기(현대기)(1900년 이후~)

사회보장제도와 보건소 제도가 확대, 발전된 시기, 탈미생물학 시기, 신공중보건 태동으로 기존의 개인적 접근 범위의 공중보건에서 포괄적 보건사업으로 발전되는 시기

12

정답 ③

최초의 공중보건학 저서

독일의 J.P. Frank(1745~1821년)이 『전의사 경찰체계』라는 공중위생에 관한 책 12권 출간하며 개인의 건강이 국가의 책임이라는 건강의 국가책임론 주장

13

정답 ④

보건통계학의 시조

영국의 John Graunt: 최초의 인구학과 보건통계학 논문 발표, 보건통계학의 시조

14

정답 ②

세계 최초로 공중보건법 제정

영국(1848년): 이 법을 근거로 하여 공중보건국과 지방보건국, 보건부 설치

15

정답 ③

최초로 국세조사 실시

스웨덴(1749년)

16

정답 ②

종두법 개발

영국의 Jenner(1798년)

17

정답 ①

최초의 보건소 제도 실시

Rathborne: 1862년 방문간호사법 시작 → 최초의 보건소 제도 실시

18

정답 ③

Ramazzini

직업병에 관한 저서 출간, 산업보건의 기초 확립

19

정답 ①

Koch

콜레라균, 결핵균, 파상풍 발견

20

정답 ④

Jonh Snow

콜레라에 관한 역학조사 보고서 발표, 감염병의 감염설 입증

21

정답 ②

근대 역학 시조

John Snow, 콜레라 조사 발표(1855년)

22

정답 ③

세계 최초로 공중보건법 제정

영국(1848년, 근세기): 이 법을 근거로 하여 공중보건국과 지방보건국, 보건부 설치

23

정답 ④

최초 사회보장제도 실시

독일의 Bismark(1883년): 세계 최초 근로자 질병보호법 제정 → 사회보장제도 만드는데 공헌

24

정답 ④

통일신라시대, 고려시대, 조선시대 보건기관 비교

	통일신라시대	고려시대	조선시대
서민의료 담당		혜민국	혜민국
감염병 환자 치료		동서대비원	활인서
왕실의료 담당	내공봉의사	상약국	내의원
의약행정 담당	약전	태의감	전의감
구료기관		제위보	제생원 (의녀근무)

25

정답 ③

혜민국

고려시대 서민의료담당기관

24번 해설 참고

26

정답 ②

감염병 환자 치료기관

– 고려시대 : 동서대비원

– 조선시대 : 활인서

24번 해설 참고

27

정답 ③

제위보

고려시대 서민구휼 담당 기관이다.

28

정답 ①

통일신라시대, 고려시대, 조선시대 보건기관 비교

	통일신라시대	고려시대	조선시대
서민의료 담당		혜민국	혜민국
감염병 환자 치료		동서대비원	활인서
왕실의료 담당	내공봉의사	상약국	내의원
의약행정 담당	약전	태의감	전의감
구료기관		제위보	제생원 (의녀근무)

29

정답 ②

광혜원

최초의 서양식 병원

30

정답 ④

대한민국 정부수립 이후 보건복지부 형성 과정

위생국(1894) → 경찰국 위생과(1910) → 위생국 (1945) → 보건후생부(1946) → 대한민국정부수립 (1948년 8월 15일) → 사회부(1948년) → 보건부(1949) → 보건사회부(1955) → 보건복지부(1994) → 보건복지가족부(2008) → 보건복지부(2010)

31

정답 ④

대한민국 정부수립 이후 보건복지부 형성 과정

30번 해설 참고

32

정답 ④

공중보건사업의 최소단위

지역사회 전체주민 대상

33

정답 ③

공중보건사업 활동

보건봉사(서비스), 보건교육, 보건법규 (가장 중요한 요소는 보건교육)

34

정답 ④

공중보건사업 활동

33번 해설 참고

35
정답 ②

Ashton & Seymour의 공중보건 4단계

산업보건 시기 → 개인위생 시기 → 치료의학 시기 →
신공중보건 시기

제2장 **건강의 이해**

01
정답 ④

건강의 정의(세계보건기구, 1948년)

건강은 단순히 질병이 없거나 허약하지 않을 뿐만 아
니라 신체적, 정신적 및 사회적으로 안녕한 완전한
상태를 말한다.

02
정답 ①

건강의 정의

- 건강: 단지 질병이 없거나 허약하지 않을 뿐만 아
  니라 신체적, 정신적, 사회적 및 영적 안녕이 역동
  적이며 완전한 상태
- 1998년에 영적 안녕의 개념을 추가하기로 했으나,
  1999년 총회에서 취소

03
정답 ③

사회적 안녕

사회에서 개인에게 부과되는 사회적인 기능을 다하
는 것으로 사회적 위치, 인간관계, 일에 대한 만족
도, 안정된 사회, 범죄로부터의 해방 등 생활개념을
의미

04

정답 ③

Leavell & Clark(리벨과 클락)이 분류한
질병의 자연사 과정

① 비병원성기(무병기): 적극적 예방, 건강이 유지되고 있는 기간으로 숙주의 저항력이나 환경요인이 숙주에게 유리하게 작용하여 병원체의 숙주에 대한 자극을 억제 또는 극복할 수 있는 상태, 건강증진 및 환경위생

② 초기병원성기(전병기): 소극적 예방, 질병 전기로 병원체의 자극이 시작되고 질병에 대한 저항력이 요구되는 상태, 특수예방 및 예방접종

③ 불현성감염기(잠복기): 조기의 병적인 변화기로 자각 증상이 없는 초기 단계이며 병원체의 자극에 대한 반응이 시작되는 상태, 조기치료, 건강검진 및 조기발견

④ 발현성질환기(진병기): 임상적인 증상이 나타나는 시기로 적절한 치료가 필요한 상태, 악화방지 위한 치료

⑤ 회복기(정병기): 재활 시기로 회복기에 있는 환자에게 후유증을 최소화시키고 사회 복귀를 최대화시키는 상태

05

정답 ③

Leavell & Clark(리벨과 클락)이 분류한 질병의
자연사 과정

04번 해설 참고

06

정답 ④

Leavell & Clark(리벨과 클락)이 분류한 질병의
자연사 과정

- 1차적 예방: 환경위생개선, 건강증진, 예방접종, 특수예방 등
- 2차적 예방: 조기발견(진단), 조기치료, 악화방지(장애제한) 치료 등
- 3차적 예방: 재활

07

정답 ②

Leavell & Clark(리벨과 클락)이 분류한 질병의
자연사 과정

06번 해설 참고

08

정답 ④

Leavell & Clark(리벨과 클락)이 분류한 질병의
자연사 과정

① 비병원성기(무병기): 적극적 예방, 건강이 유지되고 있는 기간으로 숙주의 저항력이나 환경요인이 숙주에게 유리하게 작용하여 병원체의 숙주에 대한 자극을 억제 또는 극복할 수 있는 상태, 건강증진 및 환경위생

② 초기병원성기(전병기): 소극적 예방, 질병 전기로 병원체의 자극이 시작되고 질병에 대한 저항력이 요구되는 상태, 특수예방 및 예방접종

③ 불현성감염기(잠복기): 조기의 병적인 변화기로 자각 증상이 없는 초기 단계이며 병원체의 자극에 대한 반응이 시작되는 상태, 조기치료, 건강검진 및 조기발견

④ 발현성질환기(진병기): 임상적인 증상이 나타나는 시기로 적절한 치료가 필요한 상태, 악화방지 위한 치료

⑤ 회복기(정병기): 재활 시기로 회복기에 있는 환자에게 후유증을 최소화시키고 사회 복귀를 최대화시키는 상태

09
정답 ④

질병의 자연사에 따른 질병 예방법

구분	I	II	III	IV	V
질병의 과정	무병기 (비병원성기)	전병기 (초기병원성기)	잠복기 (불현성감염기)	진병기 (발현성질환기)	정병기 (회복기)
예비적 조치	• 적극적 예방 • 환경위생 • 건강증진	• 소극적 예방 • 특수예방 • 예약접종	• 중증의 예방 • 조기진단 및 집단검진	• 치료 • 질병의 진행 방지	• 무능력 예방 • 재활치료 • 사회생활 복귀
예방 차원	1차적 예방		2차적 예방		3차적 예방

10
정답 ④

질병의 자연사에 따른 질병 예방법

09번 해설 참고

11
정답 ③

WHO가 제시한 3대 종합건강지표

조사망률(보통사망률), 비례사망지수, 평균수명

12
정답 ③

영아사망률

지역사회의 보건수준을 평가하는 대표적 지표

13
정답 ④

국가의 보건수준을 나타내는 건강지표

신생아사망률, 영아사망률, 조사망률, 모성사망률, 평균수명, 비례사망지수, 질병이환율 등

14
정답 ④

국가 간이나 지역사회 간의 보건수준을 비교하는 3개 보건지표

영아사망률, 평균수명, 비례사망지수

15
정답 ②

비례사망지수(PMI)

$$= \frac{\text{연간 50세 이상의 사망자 수}}{\text{연간 총 사망자 수}} \times 100$$

16
정답 ③

비례사망지수(PMI)

• PMI: 연간 총 사망자 수에 대한 연간 50세 이상 사망자 수의 비율

• 수치가 높으면 보건수준이 높음을 의미하고, 낮으면 보건수준이 낮음을 의미

01
정답 ②

질병의 예방대책

- 1차 예방: 예방접종, 특수예방, 생활환경 개선, 위생관리, 보건교육 등
- 2차 예방: 건강진단, 질병의 조기발견, 감염병 환자의 조기 치료 등
- 3차 예방: 재활치료, 사회생활복귀를 위한 노력

02
정답 ④

질병의 예방대책

01번 해설 참고

03
정답 ③

포괄적 보건의료활동

- 일차 보건의료: 지역사회에서 발생하는 기본적인 보건활동을 시행하며 보다 전문적인 의료서비스가 필요한 환자를 해당 의료기관으로 의뢰하는 전통적인 보건활동(모자보건사업, 예방접종, 영양개선사업, 일반적인 질병 치료사업, 풍토병 관리사업 등)
- 이차 보건의료: 전문활동의 요구, 급성 질환의 관리, 전문적인 인력과 입원시설, 장비 등이 제공되어야 하는 보건활동(급성질환의 관리사업, 응급처치를 요하는 질병이나 병원 입원 치료를 받아야 하는 환자 관리 사업 등)
- 삼차 보건의료: 환자 재활, 노인성 질환의 관리 등을 주로 담당하며, 3차 의료서비스는 재활을 요하는 환자 및 노인의 장기요양이나 만성질환자 관리사업 등이 중심이 되며, 특히 노인성 질환 관리가 중요. 특성 의료영역에 대해서 보다 전문적인 팀으로 구성되며 특수한 장비와 시설을 제공할 수 있는 환경이 필요

04
정답 ②

포괄적 보건의료활동

03번 해설 참고

05
정답 ④

포괄적 보건의료

- 예방의학과 치료의학의 통합으로 1차 의학(예방) + 2차 의학(치료) + 3차 의학(재활) + 건강증진을 의미
- 외과적 수술은 이에 해당하지 않는다.

06
정답 ①

포괄적 보건의료활동

03번 해설 참고

07

정답 ④

알마아타(Alma-Ata) 선언

1978년 소련 알마아타 시에서 개최된 국제회의에서 건강권을 철학적 배경으로 일차 보건의료를 확립

08

정답 ②

알마아타(Alma-Ata) 선언

07번 해설 참고

09

정답 ①

일차 보건의료의 접근법(4A)

Accessible (접근성), Acceptable (수용가능성), Available (주민참여), Affordable (지불부담능력)

10

정답 ②

건강증진 3대 원칙

옹호, 역량강화, 연합

11

정답 ④

제1차 건강증진을 위한 국제회의 – 오타와(Ottawa)

- 캐나다 오타와에서 개최하였으며(1986년 11월), 오타와 헌장 채택
- 주제: 오타와 헌장에서의 건강증진 활동 영역
  - 건강한 공공정책 수립
  - 건강지향적 환경조성
  - 지역사회활동 강화
  - 개인의 기술 개발
  - 보건의료사업의 방향 재설정

12

정답 ②

제1차 건강증진을 위한 국제회의 – 오타와(Ottawa)

11번 해설 참고

13

정답 ③

제2차 건강증진을 위한 국제회의 – 애들레이드(Adelaid)

- 호주의 애들레이드에서 개최(1988년 4월)
- 주제: 건강증진 활동 영역 중 건강에 관한 공공정책 수립 강조
- 최초로 여성보건 제시된 회의

14

정답 ④

국민건강증진종합계획 2030

- 5차 Health Plan 2030
- 목표: 건강수명의 연장과 건강형평성 확보

15
정답 ③

국민건강증진종합계획 2030
건강수명 2020년까지 73.3세

16
정답 ③

국민건강증진종합계획
보건복지부장관은 『국민건강증진법』에 따라 국민건강증진정책심의위원회의 심의를 거쳐 국민건강증진종합계획을 5년마다 수립하여야 한다. (단, 3차 계획은 10년 단위로 수립)

공중보건학 정답 및 해설

역학과
질병관리

part

02

제4장 　　　　　　　　역학

제5장 　　　　　　　감염병 관리

제6장 　　　　　　급 · 만성 감염병

제7장 　　　　　　　위생해충

제8장 　　　　　　　기생충

제4장　역학

01
정답 ④

역학

- 질병의 원인을 규명하는 학문
- 인간 집단을 대상으로 질병의 발생, 분포 및 경향 등을 파악하고 분포양상을 결정하는 원인을 연구하며 예방대책을 수립하는 학문

02
정답 ③

역학

- 질병의 원인을 규명하는 학문
- 인간 집단을 대상으로 질병의 발생, 분포 및 경향 등을 파악하고 분포양상을 결정하는 원인을 연구하며 예방대책을 수립하는 학문

04
정답 ②

역학의 역할

- 질병 예방을 위하여 질병발생의 원인 규명(역학의 가장 중요한 역할)
- 질병의 측정과 유행발생의 감시 역할
- 질병의 기술적 역할
  - 자연사에 관한 기술
  - 건강수준과 질병양상에 대한 기술
  - 인구동태에 관한 기술
  - 보건지수 개발 및 계량치에 대한 정확도와 신뢰도의 검증

- 보건사업의 기획과 평가를 위한 자료 제공
- 임상연구 분야에 활용

05
정답 ④

역학의 역할

04번 해설 참고

06
정답 ①

영국의 John Snow

독일의 Robert Koch에 의해 콜레라 균이 발견되기 전에 콜레라의 유행양상을 기술역학적 방법으로 규명하였다.

07
정답 ④

Doll and Hill

- 흡연과 폐암과의 관계: 비교위험도가 매우 크며, 흡연량과 폐암 발생의 비례적 반응 관계 성립, 통계적 유의성을 입증하였다.

08
정답 ④

Doll and Hill의 폐암과 흡연의 관련성 역학조사(후향적 코호트)

1950년에 발표한 영국의 연구자 Doll과 Hill은 영국인 의사들(남자 1,298명, 여자 120명)을 대상으로 한 역학연구에서 일반적으로 흡연자는 비흡연자에 비하여 폐암에 걸릴 위험이 14배 높다는 결론을 내렸다. Doll과 Hill은 1954년 재차 10년에 걸친 조사

연구를 발표했는데, 하루 한 갑 이상 흡연자는 비흡연자에 비해서 폐암의 위험도가 30배이며, 하루 15개피 이하 흡연자는 7배에 달함을 보고하여 흡연이 폐암의 으뜸가는 원인이라는 사실을 명확히 확인하였다. 코호트 연구방법 중 후향적 코호트 연구방법을 사용하였다.

09
정답 ④

Goldberger의 pellagra 역학조사

- pellagra: 스페인에서 1735년부터 한센병의 일종으로 기재 → 1914년 미국 Goldberger는 감염병이 아닌 영양결핍증임을 실험역학적으로 입증하였다.

10
정답 ①

질병의 3대 요인

병인적 요인, 숙주적 요인, 환경적 요인

11
정답 ④

질병발생 3대 인자

- 병인적 요인: 병원체, 물리, 화학, 정신, 영양소, 유전적 인자 등
- 숙주적 요인: 식생활, 개인위생, 직업 등
- 환경적 요인: 대기오염, 소음, 주거환경, 기상, 교육환경, 문화, 전쟁, 매개곤충 등

12
정답 ④

수레바퀴 모형

- 질병발생: 숙주의 내적 요인(유전, 환경)과 숙주를 둘러싸고 있는 환경 요인(생물학적, 물리적, 사회적 환경)의 상호작용에 의해서 질병이 발생한다.
- 질병발생 요인을 알 수 있어 역학적 연구에 활용

13
정답 ④

수레바퀴 모형

12번 해설 참조

14
정답 ③

거미줄 모형

- 원인망 모형이라고도 하며, 질병은 다원적 요인들이 다른 여러 형태의 요인들과 상호관계로 복잡하게 얽혀져 발생하게 된다.
- 질병의 예방대책 수립에 유리하다.

15
정답 ①

다요인 이론

만성질병 발생을 설명하기 좋은 모형으로써 만성질병은 단일원인 작용보다는 다요인설의 주장에 가깝기 때문에 공통점은 다요인 이론이라고 볼 수 있다.

16

정답 ③

역학의 분류

기술역학, 분석역학, 이론역학, 실험역학, 작전역학

17

정답 ②

역학조사

기술역학(1단계 역학) → 분석역학(2단계 역학) → 이론역학(3단계 역학)

18

정답 ③

기술역학

있는 그대로의 상황을 파악하여 기술하는 것으로 인간 집단에서 발생하는 질병의 발생에서부터 종결까지의 자연사를 기술하는 것이 기술역학에서 가장 중요하게 다뤄진다.

19

정답 ④

기술역학

있는 그대로의 상황을 파악하여 기술하는 것으로 인간 집단에서 발생하는 질병의 발생에서부터 분포, 원인, 경향, 종결까지의 자연사를 인적, 지역적, 시간적, 사회적 특성에 따라 기술하는 것으로 제1단계 역학에 해당

20

정답 ②

기술역학의 시간적 현상

- 추세변화: 장티푸스, 이질, 디프테리아, 인플루엔자 등 10년 이상을 주기로 유행을 반복하는 현상
- 순환변화: 홍역, 백일해, 일본 뇌염 등 10년 미만을 주기로 유행을 반복하는 현상
- 단기변화: 주로 급성 감염병에 해당하며 요일, 주, 날짜별로 나타나는 현상
- 계절변화: 호흡기질환(겨울), 소화기질환(여름), 유행 성 출혈열(늦은 봄, 늦가을)
- 불규칙변화: 외래감염병의 국내 침입, 수인성 감염병

21

정답 ①

기술역학의 시간적 현상

20번 해설 참고

22

정답 ③

기술역학의 시간적 현상

- 반복되는 유행의 주기적 현상
- 추세변화, 주기변화, 불규칙변화, 계절변화, 단기변화 등
- 연령변화는 인구학적 변화이다.

23
정답 ③
지역적 현상
- 범발성: 치아우식증, 인플루엔자, AIDS 등
- 유행성: 콜레라, 장티푸스 등
- 지방성: 풍토병, 간흡충, 폐흡충 등
- 산발성: 렙토스피라증, 사상충 등

24
정답 ②
질병 발생의 유행현상
23번 해설 참고 – SARS는 범발성이다.

25
정답 ②
분석역학
- 기술역학의 정보들을 근거로 질병발생과 질병발생 요인들에 대한 가설을 세우고 분석하여 원인을 규명하는 것(2단계 역학)
- 단면조사연구, 환자-대조군 연구(후향적 연구), 코호트 연구(전향적 코호트 연구, 후향적 코호트 연구)로 구분

26
정답 ①
분석역학
단면조사 연구, 환자-대조군 연구(후향적 연구), 코호트 연구(전향적 코호트 연구, 후향적 코호트 연구)로 구분

27
정답 ②
분석역학
단면조사 연구, 코호트 연구, 환자-대조군 연구

28
정답 ①
분석역학
27번 해설 참고

29
정답 ④
단면조사 연구
일정한 인구집단을 대상으로 특정한 시점이나 기간 내에 건강문제의 유무와 그 건강문제의 원인으로 추정하는 위험요인의 속성 관계를 찾아내는 연구조사 방법

30
정답 ②
단면조사 연구
유병률 조사, 일정한 인구를 대상으로 특정 시점에 특정 건강문제의 유무와 그 건강문제의 원인으로 추정되는 위험요인을 동시에 연구하는 방법

31
정답 ④
단면조사 연구
30번 해설 참고

32

정답 ③

환자-대조군 연구

질병에 이환되어 있는 환자군과 질병이 없는 건강한 대조군을 선정하여, 질병의 원인이 된다고 보는 속성이나 요인이 질병과 어떤 인과관계를 가지고 있는지를 규명하는 방법

〈장점〉

- 대상자가 적어도 연구가 가능하다.
- 시간, 경비, 노력이 적게 든다.
- 연구 시행이 쉽다.
- 연구결과를 비교적 빠른 시일 내에 얻을 수 있다.
- 기존자료 활용이 가능하다.
- 희귀 질병, 만성 질환, 잠복기간이 긴 질병의 연구 가능하다.
- 중도탈락의 위험이 없다.

〈단점〉

- 대조군 선정이 어렵다.
- 과거의 정보가 연구에 활용되어 편견이 발생하거나 정확도와 신뢰도에 문제가 발생할 수 있다.
- 위험도 산출이 불가능하다.
- 일반화가 어렵다.
- 인과관계를 명확하게 확인하기 어렵다.

33

정답 ④

환자-대조군 연구(후향적 연구)

- 질병에 이환되어 있는 환자군과 질병이 없는 건강한 대조군을 선정하여, 질병의 원인이 된다고 보는 속성이나 요인이 질병과 어떤 인과관계를 가지고 있는지를 규명하는 방법

- 장점: 비교적 경비가 적게 들고, 조사 대상자의 수가 적어도 가능하며, 비교적 단기간에 결론을 얻을 수 있다. 희귀질병 조사 가능하다.
- 단점: 환자군과 대조군의 선정이 어렵고 과거의 정보가 연구에 활용되어 편견이 생기기 쉽다.

34

정답 ①

환자-대조군 연구(후향적 연구)

현재 나타난 현상이나 결과가 과거 어떤 원인에 의하여 발생하게 된 것인지를 밝히고자 하는 발생의 원인 규명을 위한 조사방법

〈장점〉

- 대상자가 적어도 연구가 가능하다.
- 시간, 경비, 노력이 적게 든다.
- 연구 시행이 쉽다.
- 연구결과를 비교적 빠른 시일 내에 얻을 수 있다.
- 기존자료 활용이 가능하다.
- 희귀 질병, 만성 질환, 잠복기간이 긴 질병의 연구가 가능하다.
- 중도탈락의 위험이 없다.

〈단점〉

- 대조군 선정이 어렵다.
- 과거의 정보가 연구에 활용되어 편견이 발생하거나 정확도와 신뢰도에 문제가 발생할 수 있다.
- 위험도 산출이 불가능하다.
- 일반화가 어렵다.
- 인과관계를 명확하게 확인하기 어렵다.

35

정답 ④

환자-대조군 연구

- 교차비를 계산하여 연구의 자료를 분석
- 교차비가 클수록 환자군의 위험요인에 노출(폭로)된 경우가 대조군보다 크다는 의미 → 위험요인으로 질병이 발생하였다는 증거
- 1에 가까울수록 환자군과 대조군의 위험요인에 노출(폭로)된 경우가 비슷하다는 의미

36

정답 ②

전향적 코호트 연구

연구하고자 하는 질병에 이환되지 않는 건강한 사람들을 대상으로 특정 위험요인에 노출(폭로)된 집단과 그렇지 않은 집단으로 나누어 추적관찰을 통하여 두 집단의 질병 발생률을 비교, 분석하며 조사하는 연구

〈장점〉

- 편견이 비교적 적으며 신뢰도가 높은 고급 자료를 얻을 수 있다.
- 질병 발생의 위험률, 발병률, 시간적 속발성 등을 정확히 파악할 수 있다.
- 인과관계를 정확히 파악할 수 있다.
- 한 번에 여러 가설을 검증할 수 있다.
- 다른 질환과의 관계 검증이 가능하다.

〈단점〉

- 발생률이 낮은 질병에는 비효율적이다.
- 시간, 비용, 노력이 많이 든다.
- 장기간 관찰해야 하며 대상자가 많아야 한다.
- 연구 대상자가 중도 탈락될 수 있어 정확도에 문제가 발생할 수 있다.
- 연구 대상자가 연구 사실을 알게 되어 결과에 영향을 미칠 수 있다.
- 진단방법, 기준 등의 변동이 가능하다.
- 연구자의 잦은 변동으로 연구에 차질이 생길 수 있다.
- 희귀질환에는 부적합하다.

37

정답 ④

코호트 연구

건강한 사람들을 대상으로 특정 위험요인에 노출(폭로)된 집단과 그렇지 않은 집단으로 나누어 계속 추적관찰한 후에 건강문제의 발생여부를 조사하는 연구

〈장점〉

- 편견이 비교적 적으며 신뢰도가 높은 고급 자료를 얻을 수 있다.
- 질병 발생의 위험률, 발병률, 시간적 속발성 등을 정확히 파악할 수 있다.
- 인과관계를 정확히 파악할 수 있다.
- 한 번에 여러 가설을 검증할 수 있다.
- 다른 질환과의 관계 검증이 가능하다.

〈단점〉

- 발생률이 낮은 질병에는 비효율적이다.
- 시간, 비용, 노력이 많이 든다.
- 장기간 관찰해야 하며 대상자가 많아야 한다.
- 연구 대상자가 중도 탈락될 수 있어 정확도에 문제가 발생할 수 있다.
- 연구 대상자가 연구 사실을 알게 되어 결과에 영향을 미칠 수 있다.

- 진단방법, 기준 등의 변동이 가능하다.
- 연구자의 잦은 변동으로 연구에 차질이 생길 수 있다.
- 희귀질환에는 부적합하다.

38
정답 ④

코호트 연구

37번 해설 참고

39
정답 ①

코호트 연구

건강한 사람들을 대상으로 특정 위험요인에 노출(폭로)된 집단과 그렇지 않은 집단으로 나누어 계속 추적관찰한 후에 건강문제의 발생여부를 조사하는 연구

40
정답 ②

코호트 연구

39번 해설 참고

41
정답 ④

전향성 조사연구

현재의 어떤 요인, 현상, 원인 등이 향후 어떤 결과를 초래하게 될 것인지를 알고자 하는 연구방법(코호트 연구도 이에 해당)

42
정답 ③

이론역학

- 질병발생 양상에 관한 모형을 설정하고 실제 결과와 설정된 이론을 수학적으로 분석하여 그 타당성을 검증, 규명하는 3단계 역학
- 감염병 발생, 유행 예측에 활용

43
정답 ①

실험역학(임상역학)

자극이나 실험 조작을 가하여 그 반응과 결과를 확인하는 연구

– 무작위추출할당, 맹검법, 위약법
- 기술역학, 분석역학, 이론역학: 관찰 연구

44
정답 ③

실험역학(임상역학)

43번 해설 참고

45
정답 ③

급성 감염병의 역학적 특성

발생률이 높고, 유병률은 낮다.
- 만성 감염병: 발생률이 낮고, 유병률은 높다.
- 이환 기간이 짧은 질병: 발생률과 유병률이 거의 동일하다.

46

정답 ②

정확도

- 민감도(감수성): [A/(A+C)]×100 실제 병이 있는 사람을 병이 있다고 판정할 수 있는 확률
- 특이도: [D/(B+D)]×100 병이 없는 사람을 병이 없다고 판정할 수 있는 확률
- 양성예측도: [A/(A+B)]×100 검사 결과 양성으로 판정된 사람 중 실제로 양성인 확률
- 음성예측도: [D/(C+D)]×100 검사 결과 음성으로 판정된 사람 중 실제로 음성인 확률
- 의양성: [B/(B+D)]×100 실제 병이 없는 사람이 검사 결과 양성으로 판정된 경우
- 의음성: [C/(A+C)]×100 실제 병이 있는 사람이 검사 결과 음성으로 판정된 경우

47

정답 ④

정확도

46번 해설 참고

48

정답 ④

정확도

민감도, 특이도, 예측도(양성예측도, 음성예측도)가 모두 높아야 하며, 위양성도와 위음성도는 낮아야 한다.

49

정답 ③

의양성(위양성)

실제 병이 없는 사람이 검사 결과 양성으로 판정

- 의음성(위음성): 실제 병이 있는 사람이 검사 결과 음성으로 판정

50

정답 ①

특이도

질병에 걸리지 않은 사람을 병이 없다고 음성으로 판정할 수 있는 능력

- 민감도(감수성): 질병에 걸린 사람을 병이 있다고 양성으로 판정할 수 있는 능력

51

정답 ④

특이도

질병에 걸리지 않은 사람을 환자가 아닌 것으로 확인할 수 있는 능력

= (400/1,000)×100 = 40%

52

정답 ⑤

민감도(감수성)

확진된 검사방법을 가진 질병에 걸린 환자를 환자로 확인할 수 있는 능력

= (250/1,000)×100 = 25%

53

정답 ④

특이도와 민감도의 변화

고혈압 판정 기준치를 낮추면 더 많은 사람이 고혈압을 판정받게 되면서 기준치가 높을 때보다 고혈압환자가 늘어나게 되어 특이도는 낮아지고 민감도는 높아지게 된다.

- 민감도(감수성): 질병에 걸린 사람을 병이 있다고 양성으로 판정할 수 있는 능력
- 특이도: 질병에 걸리지 않은 사람을 병이 없다고 음성으로 판정할 수 있는 능력

54

정답 ④

예측도

검사결과 양성인 사람들 중 질병자 수 또는 검사결과 음성인 사람들 중 건강한 사람의 수의 비율을 의미

55

정답 ③

예측도

검사결과 양성인 사람들 중 질병자수 또는 검사결과 음성인 사람들 중 건강한 사람의 수의 비율

- 양성예측도: 질병에 대해 양성으로 판정받은 사람 중에 실제 양성으로 판정될 확률
- 음성예측도: 질병에 대해 음성으로 판정받은 사람 중에 실제 음성으로 판정될 확률

따라서 음성예측도 = $(20/100) \times 100 = 20\%$

56

정답 ④

양성예측도

$= (30/120) \times 100 = 25\%$

57

정답 ④

음성예측도

질병에 대해 음성으로 판정 받은 사람 중에 실제 음성으로 판정될 확률

58

정답 ②

민감도(감수성)

질병에 걸린 사람을 병이 있다고 양성으로 판정할 수 있는 능력

- 특이도: 질병에 걸리지 않은 사람을 병이 없다고 음성으로 판정할 수 있는 능력

59

정답 ②

교차비(Odds ratio)

$$= \frac{\text{유질병자 위험인자 폭로군(a) / 유질병자 위험인자 비폭로군(c)}}{\text{무질병자 위험인자 폭로군(b) / 무질병자 위험인자 비폭로군(d)}}$$

- 교차비가 1일 경우 환자군이 위험요인에 노출된 경우와 대조군이 위험요인에 노출된 경우가 같다는 의미. 즉, 건강문제의 원인이 위험요인이라고 하기 어렵다.
- 교차비가 클수록 환자군의 위험요인 노출 경우가 대조군보다 크다는 의미. 즉, 위험요인으로 건강문제가 발생하였다고 할 수 있다.
- 교차비는 환자-대조군 연구 자료 분석에서 사용된다.

60

정답 ②

상대위험도(비교위험도, Relative Risk)

- 위험요인에 폭로된 사람이 질병에 걸릴 위험도가 폭로되지 않은 사람이 질병에 걸릴 위험도보다 몇 배나 더 높은지를 나타내는 것
- 이 비가 클수록 폭로된 요인이 질병으로 작용할 가능성이 커진다.

$$= \frac{\text{폭로군에서의 질병 발생률}}{\text{비폭로군에서의 질병 발생률}}$$

$$= \frac{a/(a+b)}{c/(c+d)} = \frac{a(c+d)}{c(a+b)}$$

$$= \frac{20(10+80)}{10(20+40)} = \frac{1800}{600} = 3$$

61

정답 ①

상대위험도(비교위험도, Relative Risk)

$$= \frac{\text{폭로군에서의 질병 발생률}}{\text{비폭로군에서의 질병 발생률}}$$

$$= \frac{a/(a+b)}{c/(c+d)} = \frac{a(c+d)}{c(a+b)}$$

$$= \frac{2/30}{1/75} = \frac{75}{15} = 5$$

62

정답 ③

상대위험도(RR)

$$= \frac{\text{폭로군에서의 질병 발생률}}{\text{비폭로군에서의 질병 발생률}}$$

63

정답 ④

상대위험도

$$= \frac{\text{폭로군에서의 질병 발생률}}{\text{비폭로군에서의 질병 발생률}}$$

$$= \frac{a/(a+b)}{c/(c+d)} = \frac{a(c+d)}{c(a+b)}$$

64

정답 ④

상대위험도

위험요인에 노출된 집단(A+B)에서 건강문제가 발생한 수(A)를 위험요인에 노출되지 않은 집단(C+D)에서 건강문제가 발생한 수(C)로 나눈 값

- 상대위험도=1은 위험요인에 노출된 사람 중에 건강문제가 발생할 비율과 노출되지 않은 사람 중에 건강문제가 발생할 비율이 같다. 즉, 노출되지 않은 사람과 위험이 같아 연관성이 없다는 의미이다.
- 코호트 연구 자료 분석에 주로 사용된다.

65

정답 ④

상대위험도

- 상대위험도(비교위험도)를 계산하여 코호트 연구의 자료를 분석
- 상대위험도가 1보다 클수록 위험요인에 노출(폭로)된 집단의 건강문제 발생 확률이 그렇지 않는 집단의 확률보다 크다는 의미 → 위험요인이 질병의 원인이라는 증거
- 비교위험도가 1이라는 것은 위험요인에 노출(폭로)된 사람 중에서 질병이 발생하는 비율이나 비폭로된 사람 중에서 질병이 발생할 비율이 같다는 의미

66

정답 ④

귀속위험도 백분율(AF)

$$= \frac{\text{폭로군에서의 질병 발생률} - \text{비폭로군에서의 질병 발생률}}{\text{폭로군에서의 질병 발생률}} \times 100$$

폭로군에서의 질병 발생률

$$= \frac{83.3\% - 25\%}{83.3\%} \times 100 \quad = 70\%$$

또는 [(상대위험도−1)÷상대위험도]×100

67

정답 ④

귀속위험도 백분율(AF)

$$= \frac{\text{폭로군에서의 질병 발생률} - \text{비폭로군에서의 질병 발생률}}{\text{폭로군에서의 질병 발생률}} \times 100$$

$$= \frac{50\% - 10\%}{50\%} \times 100 \quad = 80\%$$

또는 [(상대위험도−1)÷상대위험도]×100

68

정답 ③

귀속위험도 백분율(AF)

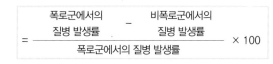

01

정답 ①

감염 요소 인자

감염성 병인, 감수성 있는 숙주, 환경의 3인자가 상호작용에 의해 진행되어 감염 발생

02

정답 ②

잠복기

병원체가 숙주에 침입하여 임상 증상이 나타날 때까지 기간

03

정답 ①

세대기

숙주로부터 병원체 배출이 시작되어 끝날 때까지의 기간으로 다른 숙주에 감염을 가장 많이 일으킨다.

04

정답 ④

감염의 분류

- 불현성 감염: 감염되었지만 임상적인 증상이 전혀 나타나지 않는 상태
- 잠복 감염: 감염되었으나 인체 면역력과 평형을 이루어 균은 천천히 증식하고 오랫동안 임상 증상이 나타나지 않는 상태
- 현성 감염: 감염되어 임상적인 증상이 나타나는 상태

- 혼합 감염: 2종 이상의 병원균이 인체에 침입한 상태
- 감염병: 여러 병원체가 숙주의 몸 안에 들어가 증식하여 손상되어 질병의 증후가 나타나는 상태

05

정답 ①

불현성 감염

병원체가 숙주에 침입하여 증식하나 임상적 증상은 없으며 따라서 숙주 활동을 제한시키지 않아 전파기회가 증가하고 현성 감염자보다 훨씬 많아 질병의 규모나 발생양상을 파악할 수 없다. 전력력을 갖고 있어 감염환자보다 더 많은 전염 기회를 제공하게 된다.

06

정답 ④

감염병의 생성 6요소

- 병원체 → 병원소 → 병원소로부터 병원체 탈출 → 전파 → 신숙주 내 침입 → 숙주 감수성

07

정답 ②

병원체

- 숙주로 침입하여 질병을 일으키는 미생물로 생체 밖에서 오랫동안 생존, 번식 불가능함
- 세균, 바이러스, 리케치아, 기생충, 진균 또는 사상충 등

08
정답 ③

세균성 병원체

결핵, 성홍열, 백일해, 디프테리아, 페스트, 매독, 임질, 장티푸스, 파라티푸스, 콜레라, 수막구균성수막염, 세균성이질, 나병 등

09
정답 ①

바이러스성 병원체

일본뇌염, 홍역, 폴리오, 유행성이하선염, 두창, 풍진, 에이즈, 유행성출혈열, A형간염, B형간염 등

10
정답 ②

발진열 병원체

Rickettsia typhi (리케치아)

11
정답 ③

리케치아성 병원체

발진티푸스, 발진열, 쯔쯔가무시증(양충병), Q열, 록키산홍반열 등

12
정답 ④

감염병에 해당하는 병원체

병원체	감염병
세균 (박테리아)	육안으로 관찰할 수 없는 하등한 미생물
	장티푸스, 파라티푸스, 디프테리아, 백일해, 성홍열, 성병, 결핵, 폐렴, 콜레라 등
바이러스	병원체 중 가장 작은 미생물로 광학현미경으로 관찰 불가능하며 전자현미경으로만 볼 수 있다. 핵산과 단백질만을 갖고 살아 있는 숙주에 의존하여 살아가며 세균여과막을 통과하는 여과성 병원체
	홍역, 유행성 이하선염, 두창, 수두, 풍진, 폴리오, 유행성 간염, 광견병, B형간염, 황열, 에이즈, 일본뇌염, 소아마비 등
기생충	회충, 흡충, 촌충 등
	아메바성 이질, 말라리아가 대표적인 기생충에 의한 질병
진균	광합성을 하지 않으며 운동성이 없는 아포형성 생물
	무좀, 진균증 등의 피부병 유발
리케치아	살아 있는 세포 안에서만 기생하는 특성을 갖고, 세균과 바이러스의 중간 크기
	발진티푸스, 발진열, 쯔쯔가무시병, 록키산홍반열, Q열 등

13
정답 ⑤

병원력(병원성)

감염된 숙주로 하여금 병원체가 질병을 일으키는 능력으로 현성 증상의 발현 정도를 의미

14
정답 ②

병원소

병원체가 생존하고 증식하면서 다른 숙주에게 전염될 수 있는 상태로 저장되는 장소

• 병원소의 종류

15

정답 ①

보균자

임상적인 증상은 없으나 감염병 병원체를 보유하고 있는 사람

16

정답 ④

회복기 보균자

- 병후 보균자, 임상증상이 완전히 없어졌으나 병원체를 배출하는 보균자
- 세균성이질, 디프테리아 등

17

정답 ②

건강보균자

- 병원체를 보유하는 보균자이지만 감염에 의한 임상증상이 전혀 없는 환자로 관리가 힘들다.
- 디프테리아, 폴리오, 일본뇌염 등에 감염된 보균자에서 볼 수 있다.

18

정답 ①

건강 보균자

- 병원체를 보유하는 보균자이지만 감염에 의한 임상증상이 전혀 없는 환자로 관리가 힘들다.
- 디프테리아, 폴리오, 일본뇌염 등에 감염된 보균자에서 볼 수 있다.

19

정답 ④

병원소

병원체가 생존, 증식하여 다른 숙주에게 전염될 수 있는 상태로 저장되는 장소

- 인간병원소: 사람
- 동물병원소: 개, 소, 돼지, 쥐 등
- 비동물병원소: 토양, 흙, 진균. 먼지, 구충, 물 등

20

정답 ④

토양

진균류의 병원소로 작용하여 탄저, 파상풍, 렙토스피라증 등 발생

21

정답 ③

개방 병소로 탈출

- 피부 상처 부위에서 피부병, 농양 등의 병원체가 나가는 것
- 한센병, 피부염, 트라코마 등

22

정답 ④

소화기계 탈출

- 주로 분변이나 구토물을 통해 병원체가 탈출하여 상하수도를 오염시켜 음식이나 음료수를 감염시키는 것
- 콜레라, 장티푸스, 파라티푸스, 세균성 이질, 콜레라, 폴리오, A형간염, 살모넬라식중독, 비브리오패혈증 등

23
정답 ②

호흡기계 탈출
- 병원체가 대화, 재채기, 기침 등을 통해 공중으로 배출되는 것
- 디프테리아, 백일해, 홍역, 유행성 이하선염, 풍진, 인플루엔자, 수두, 성홍열 등

24
정답 ④

호흡기계 탈출
23번 해설 참고

25
정답 ④

기계적 탈출
- 흡혈성 곤충이나 소독이 미비한 주사기를 통해서 나가는 것
- 발진티푸스, 발진열, 말라리아, 간염, AIDS 등

26
정답 ①

기계적 탈출
25번 해설 참조

27
정답 ①

태반감염(수직감염)에 의한 전파
매독, 풍진, 독소플라즈마, B형간염, 두창, 에이즈 등

28
정답 ②

개달물
주사기, 의복, 침구, 완구, 손수건, 서책 등 환자가 쓰던 모든 무생물(물, 우유, 음식물, 토양, 공기를 제외)

29
정답 ④

개달물에 의해 감염되기 쉬운 질병
트라코마

30
정답 ②

감수성
숙주에 침입한 병원체의 감염을 받아들이는 상태 즉, 발병을 막을 수 없는 상태

31
정답 ④

감수성 지수
두창, 홍역(95%) 〉 백일해(60%) 〉 성홍열(40%) 〉 디프테리아(10%) 〉 소아마비(0.1%)

32
정답 ①
숙주의 감염지수, 감수성 지수
- De Rudder: 급성 호흡기계 감염병에서 감수성 보유자가 감염되어 발병하는 율을 %로 표시
- 홍역, 천연두(두창): 95% 〉 백일해: 60% 〉 성홍열: 40% 〉 디프테리아: 10% 〉 소아마비(폴리오): 0.1%

33
정답 ④
숙주의 감염지수, 감수성 지수
32번 문제 참고

34
정답 ③
인공수동면역
- 인위적으로 항체를 투입하여 잠정적으로 질병에 방어할 수 있게 하는 면역
- 면역 혈청, 감마 글로불린, 항독소 접종 후 면역

35
정답 ②
인공능동면역
인위적으로 항원을 체내에 투입하는 예방접종 후 형성된 면역

인공능동면역 방법	예방할 질병
생균백신 (Living vaccine)	두창, 탄저, 광견병, 결핵, 황열, 폴리오, 홍역, 풍진, 일본뇌염, 유행성이하선염, 인플루엔자 등
사균백신 (Killed vaccine)	장티푸스, 파라티푸스, 콜레라, 백일해, 일본뇌염, 페스트, 폴리오, B형간염 등
순화독소(Toxoid)	디프테리아, 파상풍 등

36
정답 ③
인공능동면역
35번 해설 참고

37
정답 ②
인공능동면역
35번 문제 참고

38
정답 ③
인공능동면역
35번 문제 참고

39
정답 ③
생균백신

인공능동면역 방법	예방할 질병
생균백신 (Living vaccine)	두창, 탄저, 광견병, 결핵, 황열, 폴리오, 홍역, 풍진, 일본뇌염, 유행성이하선염, 인플루엔자 등
사균백신 (Killed vaccine)	장티푸스, 파라티푸스, 콜레라, 백일해, 일본뇌염, 페스트, 폴리오, B형간염 등
순화독소(Toxoid)	디프테리아, 파상풍 등

40
정답 ①
사균백신
장티푸스, 파라티푸스, 콜레라, 백일해, 인플루엔자, 페스트, 폴리오, 일본뇌염, B형간염 등

41

정답 ④

자연수동면역

- 모체로부터 태반이나 수유를 통해 얻는 면역
- 홍역, 디프테리아, 폴리오 등이 이에 해당

42

정답 ④

자연능동면역

자연능동면역 방법	예방할 질병
현성 영구	두창, 홍역, 유행성이하선염, 백일해, 수두, 성홍열, 발진티푸스, 장티푸스, 황열, 페스트, 콜레라 등
불현성 영구	일본뇌염, 폴리오 등
약한 면역	인플루엔자, 세균성이질, 폐렴, 디프테리아, 수막구균성수막염 등
무 면역	말라리아, 매독, 임질, 트라코마 등

43

정답 ④

불현성 감염 후 영구면역

일본뇌염, 폴리오

44

정답 ②

현성 감염 후 영구면역

홍역, 수두, 유행성이하선염, 콜레라, 두창, 백일해, 장티푸스, 발진티푸스, 성홍열, 페스트, 황열

45

정답 ①

외래 감염병 예방대책

검역(건강격리)

46

정답 ④

검역대상 감염병

콜레라, 페스트, 황열, 신종인플루엔자 감염증, 중증급성호흡기증후군, 동물인플루엔자 감염증

47

정답 ②

업무 종사의 일시 제한

콜레라

48

정답 ④

검역 감염병 환자 격리기간

감염력이 없어져서 환자가 완치될 때까지 격리

49

정답 ②

격리기간

중증급성호흡기증후군=SARS(10일), 조류인플루엔자감염증(10일), 콜레라(5일), 황열(6일), 페스트(6일), 황열(6일), 신종인플루엔자감염증(최대잠복기), 중동 호흡기증후군=MERS(14일)

50

정답 ③

제1급 감염병

생물테러감염병 또는 치명률이 높거나 집단 발생의 우려가 커서 발생 또는 유행 즉시 신고

51

정답 ①

제1급 감염병

생물테러감염병 또는 치명률이 높거나 집단 발생의 우려가 커서 발생 또는 유행 즉시 신고, 디프테리아 등

52

정답 ①

제1급 감염병

생물테러감염병 또는 치명률이 높거나 집단 발생의 우려가 커서 발생 또는 유행 즉시 신고

- 에볼라바이러스병, 마버그열, 라싸열, 크리미안콩고출혈열, 남아메리카출혈열, 리프트밸리열, 두창, 페스트, 탄저, 보툴리눔독소증, 야토병, 신종감염병증후군, 중증급성호흡기증후군(SARS), 중동호흡기증후군(MERS), 동물인플루엔자인체감염증, 신종인플루엔자, 디프테리아(17종)

53

정답 ④

제1급 감염병

52번 해설 참고

54

정답 ①

제1급 감염병

52번 해설 참고

55

정답 ④

제2급 감염병

- "제2급감염병"이란 전파가능성을 고려하여 발생 또는 유행 시 24시간 이내에 신고하여야 하고, 격리가 필요한 다음 각 목의 감염병을 말한다. 다만, 갑작스러운 국내 유입 또는 유행이 예견되어 긴급한 예방·관리가 필요하여 질병관리청장이 보건복지부장관과 협의하여 지정하는 감염병을 포함한다.
- 결핵, 수두, 홍역, 콜레라, 장티푸스, 파라티푸스, 세균성이질, 장출혈성대장균감염증, A형간염, 백일해, 유행성이하선염, 풍진, 폴리오, 수막구균 감염증, b형헤모필루스인플루엔자, 폐렴구균 감염증, 한센병, 성홍열, 반코마이신내성황색포도알균(VRSA) 감염증, 카바페넴내성장내세균속균종(CRE) 감염증, E형간염
- 디프테리아는 제 1급 감염병이다.

56

정답 ①

제2급 감염병

전파가능성을 고려하여 발생 또는 유행 시 24시간 이내에 신고

57

정답 ③

제3급 감염병

- 그 발생을 계속 감시할 필요가 있어 발생 또는 유행 시 24시간 이내에 신고
- 파상풍, B형간염, 일본뇌염, C형간염, 말라리아, 레지오넬라증, 비브리오패혈증, 발진티푸스, 발진열, 쯔쯔가무시증, 렙토스피라증, 브루셀라증, 공수병, 신증후군출혈열, 후천성면역결핍증(AIDS), 크로이츠펠트-야콥병(CJD) 및 변종크로이츠펠트-야콥병(vCJD), 황열, 뎅기열, 큐열, 웨스트나일열, 라임병, 진드기매개뇌염, 유비저, 치쿤구니야열, 중증열성혈소판감소증후군(SFTS), 지카바이러스 감염증(26종)

58

정답 ④

제3급 감염병

57번 해설 참고

59

정답 ②

제3급 감염병

57번 해설 참고

60

정답 ④

제4급 감염병

- 제1급감염병부터 제3급감염병까지의 감염병 외에 유행 여부를 조사하기 위하여 표본감시 활동이 필요한 감염병

- 인플루엔자, 매독, 회충증, 편충증, 요충증, 간흡충증, 폐흡충증, 장흡충증, 수족 구병, 임질, 클라미디아감염증, 연성하감, 성기단순포진, 첨규콘딜롬, 반코마이신 내성장알균(VRE) 감염증, 메티실린내성황색포도알균(MRSA) 감염증, 다제내성녹농균(MRPA) 감염증, 다제내성아시네토박터바우마니균(MRAB) 감염증, 장관감염증, 급성호흡기감염증, 해외유입기생충감염증, 엔테로바이러스감염증, 사람유두종바이러스감염증(23종)

61

정답 ①

생물테러감염병

- 고의 또는 테러 등을 목적으로 이용된 병원체에 의하여 발생된 감염병 중 보건복지부장관이 고시하는 감염병
- 탄저, 보툴리눔독소증, 페스트, 마버그열, 에볼라열, 라싸열, 두창, 야토병

62

정답 ④

인수공통감염병

- 동물과 사람 간에 서로 전파되는 병원체에 의하여 발생되는 감염병 중 보건복지부장관이 고시하는 감염병
- 장출혈성대장균감염증, 일본뇌염, 브루셀라증, 탄저, 공수병, 조류인플루엔자 인체감염증, 중증급성호흡기증후군(SARS), 변종크로이츠펠트-야콥병, 큐열, 결핵 등

63

정답 ②

천연두(두창)

법정 감염병 및 검역 질병에서 제외(전 세계적으로 사라짐)

64

정답 ①

법정 감염병의 신고 및 보고

감염병 환자의 보고를 받은 의료기관의 장은 제1급 감염병부터 제3급 감염병까지는 지체없이 관할 보건소장에게 신고

65

정답 ②

보건복지부령으로 정하는 기관

- 질병관리청, 국립검역소, 보건환경연구원
- 보건소
- 의료법에 따른 의료기관 중 진단검사의학과 전문의가 상근하는 기관 의과대학
- 대한결핵협회(결핵환자의 병원체를 확인하는 경우만 해당)
- 한센병 환자 등의 치료 및 재활을 지원할 목적으로 설립된 기관(한센병환자의 병원체를 확인하는 경우만 해당)

66

정답 ④

정기예방접종

특별자치도지사 또는 시장·군수·구청장은 관할 보건소를 통하여 정기예방접종을 실시하여야 한다.

67

정답 ③

필수예방접종 항목

디프테리아, 백일해, 파상풍, 홍역, 유행성 이하선염, 풍진, 폴리오, B형간염, 일본뇌염, 수두, b형헤모필루스인플루엔자, 폐렴구균, 결핵, A형간염, 인플루엔자, 사람유두종바이러스

68

정답 ③

정기예방접종 항목

67번 해설 참고

69

정답 ②

BCG 예방접종

출생 후 4주 이내에 예방접종 시행

70

정답 ①

영유아 기초접종 및 추가접종

구분	기초접종	추가접종
B형간염	1차: 출생 후 1주 이내	
	2차: 1개월	
	3차: 6개월	
BCG(결핵)	출생 후 4주 이내 1회	
폐렴구균	2, 4, 6개월 3회	12~15개월 1회
B형 헤모필루스 인플루엔자	2, 4, 6개월 3회	12~15개월 1회
DTaP (디프테리아, 파상풍, 백일해)	2, 4, 6개월 3회	15~18개월 1회
		4~6세 1회
폴리오	2, 4, 6개월 3회	4~6세 1회
MMR (홍역, 유행성이하선염, 풍진)	12~15개월 1회	4~6세 1회
수두	12~15개월 1회	

제6장 급·만성 감염병

01

정답 ①

만성 감염병

결핵, 한센병, 성병(매독, 임질, 클라미디아, 트리코모나스 질염, 연성하감 등), 에이즈, 간염 등

02

정답 ④

만성 감염병

증세, 경과가 완만한 질병으로, 병균이 감염된 후 잠복기가 길고 증상이 천천히 나타나 환자의 조기발견, 치료, 집단 건강검진이 중요하며 발생률이 낮고 유병률이 높다.

- 급성 감염병: 감염, 발병, 경과가 급격한 질병으로 발생률이 높고 유병률이 낮다.

03

정답 ①

만성 감염병

- 발생률이 낮고 유병률이 높다.
- 증세, 경과가 완만한 질병으로, 병균이 감염된 후 잠복기가 길고 증상이 천천히 나타나 환자의 조기발견, 치료, 집단 건강검진이 중요
- 성병, 나병, 결핵, B형간염 등

04

정답 ④

발생률과 유병률이 같은 경우
질병의 이환기간이 짧을 때

- 급성감염병: 감염, 발병, 경과가 급격한 질병으로 발생률이 높고 유병률이 낮다.
- 만성감염병: 증세, 경과가 완만한 질병으로, 병균이 감염된 후 잠복기가 길고 증상이 천천히 나타나 환자의 조기발견, 치료, 집단 건강검진이 중요하며 발생률이 낮고 유병률이 높다.

05

정답 ③

감염병의 예방

- 소화기계 감염병의 예방대책: 철저한 환경위생
- 호흡기계 감염병의 예방대책: 예방접종

06

정답 ②

호흡기계 감염병

디프테리아, 백일해, 홍역, 유행성 이하선염, 풍진, 인플루엔자, 수두, 성홍열, b형헤모피루스인플루엔자 등

- 소화기계 감염병의 예방대책: 철저한 환경위생
- 호흡기계 감염병의 예방대책: 예방접종

07

정답 ①

수인성 감염병

- 폭발적으로 환자 수가 급증하며(2~3일 내로), 치명률 및 발병률이 낮다
- 2차 감염환자가 적고, 유행지역과 음료수 사용지역이 일치한다.
- 계절과 무관하게 발생하고, 가족 집적성은 낮다.

08

정답 ①

소화기계 감염병

장티푸스, 파라티푸스, 콜레라, 세균성 이질, 아메바성 이질, 폴리오, 비브리오패혈증 등

09

정답 ④

장티푸스(제2급 감염병)

- 대표적 수인성 감염병
- 주로 환자나 보균자의 대소변에 오염된 물이나 음식물을 통하거나 곤충매개로 전파
- 병원체: Salmonella Typhi
- 병원소: 사람(환자, 보균자)
- 잠복기 1주~3주 전후
- 감염부위: 신장, 담낭, 장의 림프조직 등
- 증상: 발열, 기침, 두통, 식욕감퇴, 간과 비장의 비대, 서맥 등

10

정답 ③

파라티푸스 (제2급 감염병)

- 전파양식, 임상적, 병리학적으로 장티푸스와 비슷
- 치명률: 장티푸스 → 파라티푸스(매우 낮음)
- 병원체: Salmonella Paratyphi A, B, C
  병원소: 사람(환자, 보균자)
- 증상: 발열, 설사, 두통 등 장티푸스와 유사한 증상

11

정답 ③

호흡기계 감염병

디프테리아, 천연두, 홍역, 풍진, 유행성이하선염, 성홍열, 백일해 등

12

정답 ④

비말감염

- 공기를 매개로 하는 감염병으로 호흡기계 감염병
- 결핵, 폐렴, 백일해, 디프테리아, 홍역, 풍진 등

13
정답 ③
유행성이하선염 (볼거리)
- 공기, 비말전파, 타액 배출되어 비후나 후두부 침입하여 감염
- 제2급 감염병
- 병원체: Mumps Virus / 병원소: 사람(환자, 보균자)
- 턱밑샘에 침입하여 미열, 오한, 두통, 종창 등이 지속되다가 턱밑샘이나 난소, 고환, 젖샘 등에 발병, 생식선 감염 주의
- 예방법: 예방접종, 환자와의 격리

14
정답 ④
가을철 3대 풍토병
유행성출혈열, 렙토스피라증, 쯔쯔가무시병

15
정답 ③
풍진(제2급 감염병)
- 비말이나 타액의 배출로 후두부에 침입하여 감염
- 임산부가 풍진에 감염될 경우 태아에게 감염 가능성 높다.
- 병원체: Rubella Virus
  병원소: 사람(환자, 보균자)
- 잠복기: 2~3주
- 증상: 귀의 뒤, 목의 뒤, 후두부의 임파절이 붓고 발진이 생기며, 미열, 두통, 권태 등
- 심장 기형, 뇌성 마비, 청력 장애, 백내장, 녹내장, 뇌수막염 등
- 예방: MMR 접종, 환자와의 격리

16
정답 ④
수막구균성수막염 병원체
Neisseria meningitides

17
정답 ③
유행성출혈열(제3급 감염병), 신증후군출혈열
- 원인균: Hantaan Virus / 병원소: 들쥐
- 매개 곤충: 들쥐의 배설물, 들쥐에 기생하는 좀진드기
- 주로 늦가을이나 늦봄에 발생
- 3대 가을철 풍토병: 유행성출혈열, 렙토스피라증, 쯔쯔가무시병
- 바이러스에 감염된 들쥐의 배설물이나 들쥐에 기생하는 좀진드기에 의하여 전파되며 사람간의 전파는 없다.
- 예방법: 예방접종, 풀밭에 노출되지 않기, 들쥐 및 진드기와의 접촉 피하기

18
정답 ②
절지동물에 의한 감염병
말라리아, 일본뇌염, 발진티푸스, 발진열, 페스트, 쯔쯔가무시증, 록키산홍반열 등

19
정답 ④
절지동물 매개 감염병
페스트, 발진티푸스, 일본뇌염, 말라리라, 유행성출혈열, 쯔쯔가무시증, 발진열, 사상충증
- 렙토스피라증: 동물 매개 감염병

20

정답 ④

공수병(광견병)

- 제3급 감염병
- 병원체: 공수병 바이러스(Rabies Virus)에 감염된 동물에 물렸을 때 감염
- 잠복기: 2~6주, 근육이 마비되거나 혼수증세로 발병하면 거의 수일 이내에 사망
- 예방법: 개에 대한 예방접종, 동물 수입 시 철저한 검역

21

정답 ②

결핵균 병원체

Mycobacterium tuberculosis

22

정답 ④

Tuberculin test (=mantoux test, PPD test)

결핵 감염 유무 판단 사용하는 검사방법

감염병	진단법
한센병	Lepromin test
디프테리아	Shick test
성홍열	Dick test
결핵	Mantoux test PPD (Tuberculin Skin Test)
장티푸스	Widal test

23

정답 ②

폐결핵 검진순서

- 성인: X−선 간접촬영 → X−선 직접촬영 → 객담검사
- 어린이: Tuberculin(PPD) test → X−선 직접촬영 → 객담검사

24

정답 ②

폐결핵 검진

- 어린이: TB 검사 → X선 직접촬영 → 배양(객담)검사
- 성인: X선 간접 촬영 → X선 직접 촬영 → 배양(객담)검사

25

정답 ④

나병(한센병) 병원체

Mycobacterium leprae

26

정답 ①

성병

접촉자 색출 중요

27

정답 ①

임질

가장 흔한 질병으로 성병 중 가장 감염률이 높다.

28

정답 ③

간염

	원인	예방법
A형간염 (제2급 감염병)	• 바이러스에 감염된 환자와의 접촉에 의한 감염 • 분변을 통해 배출된 병균에 오염된 물이나 음식 등의 섭취로 경구 감염 • 간 세포의 변성으로 황달 발생 • 만성으로 진행되지 않는다.	개인위생, 예방 접종
B형간염 (제3급 감염병)	• 모체로부터 수직감염, 수혈, 혈액투석, 성적인 접촉, 오염된 주사기 공동 사용, 피어싱, 문신 등 바이러스에 감염된 혈액이나 체액에 의해 감염	예방 접종
C형간염 (제3급 감염병)	• B형간염과 마찬가지로 바이러스에 감염된 혈액이나 체액에 의해 감염(수혈이 주요 원인) • 한 번 감염되면 대부분 만성으로 진행 • 합병증으로 간경변증을 유발, 간부전으로 진행하여 간암 발생으로 사망까지 이를 수 있음	백신, 면역글로불린이 없으므로 감염되지 않도록 주의

29

정답 ④

간염의 예방법

- A형간염: 개인위생, 예방 접종
- B형간염: 예방 접종
- C형간염: 백신, 면역글로불린이 없으므로 감염되지 않도록 주의

30

정답 ③

디프테리아 (제1급 감염병)

- 환자나 보균자의 콧물, 기침, 인후 분비물 또는 피부 상처를 통하여 직접 또는 비말 전파
- 병원체: Corynebacterium Diphtheriae
- 병원소: 사람(환자, 보균자)
- 예방접종: 생후 2개월부터 2개월 간격으로 3회 실시, 추가접종은 18개월에 실시
- 검사법: Schick test

31

정답 ①

성홍열 검사법

Dick test

32

정답 ④

감염병	진단법
한센병	Lepromin test
디프테리아	Shick test
성홍열	Dick test
결핵	Mantoux test PPD (Tuberculin Skin Test)
장티푸스	Widal test

제7장 위생해충

01

정답 ②

모기	말라리아, 뎅기열, 황열, 일본뇌염, 사상충증 등
파리	장티푸스, 파라티푸스, 콜레라, 이질, 결핵 등
바퀴	장티푸스, 살모넬라, 콜레라, 세균성이질, 디프테리아, 결핵 등
쥐	아메바성 이질, 선모충증, 서교열, 살모넬라, 발진열, 쯔쯔가무시병,
	신증후군출혈열 등
벼룩	페스트, 발진열 등
진드기	쯔쯔가무시병, 유행성 출혈열, 재귀열, 록키산홍반열
이	발진티푸스, 재귀열, 참호열
빈대	매개하는 질병 없음

02

정답 ④

질병 매개 작용 – 모기

- 작은 빨간집 모기: 일본뇌염 매개
- 중국 얼굴 날개 모기: 말라리아 매개
- 토고숲 모기: 말레이사상충 매개
- 열대숲 모기: 황열, 뎅기열 매개
- 줄숲모기: 뎅기열 매개

03

정답 ④

말라리아 매개체: 중국얼굴날개모기

04

정답 ③

모기	말라리아, 뎅기열, 황열, 일본뇌염, 사상충증 등
파리	장티푸스, 파라티푸스, 콜레라, 이질, 결핵 등
바퀴	장티푸스, 살모넬라, 콜레라, 세균성이질, 디프테리아, 결핵 등
쥐	아메바성 이질, 선모충증, 서교열, 살모넬라, 발진열, 쯔쯔가무시병,
	신증후군출혈열 등
벼룩	페스트, 발진열 등
진드기	쯔쯔가무시병, 유행성 출혈열, 재귀열, 록키산홍반열
이	발진티푸스, 재귀열, 참호열
빈대	매개하는 질병 없음

05

정답 ②

완전변태

알 → 유충 → 번데기 → 성충: 모기, 파리, 벼룩 등

- 불완전변태(알 → 유충 → 성충): 바퀴, 빈대, 이, 진드기 등

06

정답 ③

바퀴

질병 매개 작용	소화기계: 장티푸스, 콜레라, 세균성이질, 살모넬라, 소아마비, 식중독균(살모넬라, 포도상구균) 등
	호흡기계: 결핵, 디프테리아 등
	기생충질환: 회충, 요충, 편충, 구충, 아메바성 이질
생활사	알 → 유충 → 성충
	전 세계적으로 분포하며 여러 마리가 군집 생활하는 군거성, 야행성, 질주성, 잡식성 등의 특징
	바퀴의 배설물이나 체표, 다리의 극모 등으로 병원체 전파
구제방법	위생관리, 환경위생 개선, 청결 등으로 발생원 제거
	살충제 사용 – 훈증법: DDT, DDVP, Pyrethrine 등 – 독먹이(붕산단자, Dipterex)를 놓아 먹게 하는 방법

07
정답 ④

빈대

질병을 매개하지 않는다.

08
정답 ④

이를 매개로 하는 감염병

발진티푸스, 참호열, 재귀열 등

매개체	감염병
파리	콜레라, 세균성 이질, 장티푸스, 파라티푸스, 폴리오 등
모기	말라리아, 일본뇌염, 황열, 뎅기열, 사상충증 등
이	발진티푸스, 참호열, 재귀열 등
벼룩	발진열, 페스트 등
진드기	쯔쯔가무시병(털진드기), 록키산홍반열, Q열(참진드기)

09
정답 ①

09번 해설 참고

10
정답 ④

위생해충 관리방법

- 구충, 구서는 발생 초기에 광범위하게 동시 실시
- 구제 대상 동물의 발생원이나 서식처 제거
- 물리적으로 끈끈이, 각종 트랩이나 유문들을 사용
- 화학적으로 살충제를 사용
- 생물학적으로 천적을 이용하거나 불임웅충 방사법을 사용

제8장 기생충

01
정답 ④

소장	무구조충(민촌충), 유구조충(갈고리촌충), 광절열두조충(간촌충), 회충
공장	십이지장충(구충), 요코가와흡충
맹장	편충, 요충
폐	폐디스토마(폐흡충)
담관	간디스토마(간흡충)
임파선	말레이사상충
위장벽	아니사키스충

02
정답 ②

요충

- 항문주위 심한 가려움(소양증) 증상으로 맹장 등에 기생하여 항문 밖으로 나와서 산란
- 감별법은 스카치테이프법을 사용하여 진단

03
정답 ①

채소 매개 기생충

회충, 요충, 십이지장충, 편충, 분선충, 동양모양선충 등

04
정답 ④

어패류 매개 기생충

간흡충, 폐흡충, 요코가와흡충, 광절열두조충, 아니사키스충

05
정답 ④

육류 매개 기생충
유구조충, 무구조충, 선모충

06
정답 ④

기생충의 진단

분변	회충, 구충, 간흡충, 유구조충
소변	일본주혈흡충, 질트리코모나사
혈액	사상충
객담	폐흡충, 회충, 십이지장충, 분선충
스카치테이프법	요충

07
정답 ③

기생충의 분류

	윤충류		원충류
선충류	회충, 요충, 편충, 구충, 동양모양선충, 말레이사상충, 분선충, 선모충, 아니사키스 등	근족충류	이질아메바(병원성), 대장아메바(비병원성)
흡충류	간흡충, 폐흡충, 주혈흡충, 요꼬가와흡충, 간질 등	포자충류	말라리아, 톡소플라스마
조충류	유구조충, 무구조충, 광절열두조충, 만손열두조충 등	편모충류	질트리코모나스, 람블편모충

08
정답 ④

회충의 예방법
위생적인 식생활, 손 청결, 집단구충, 변소 개량과 분변의 완전처리, 청정채소 및 채소 세정, 일광사멸 등

09
정답 ①

요충
- 항문주위 심한 가려움(소양증) 증상으로 맹장 등에 기생하여 항문 밖으로 나와서 산란
- 감별법은 스카치테이프법을 사용하여 진단하며 집단감염이 잘 된다.

10
정답 ④

요충 감염증상
항문 주위 소양증, 습진, 염증, 백대하증, 음경발기, 정액루, 집중력 저하 등

11
정답 ④

아니사키스
해산어류를 생식할 때 해산어류와 해산포유류를 중간숙주로 감염

12
정답 ④

간흡충
민물고기의 생식을 원인으로 전파되어 간에 기생하여 발생하는 질병으로 우리나라에서 가장 높은 감염률을 보인다(2013년 제8차 기생충 감염실태조사).

13
정답 ③
간흡충(간디스토마)
- 특징: 우리나라 5대강(낙동강, 금강, 영산강, 한강, 섬진강) 유역에 분포하며 민물고기 생식과 관련이 있고, 사람, 개, 고양이 등이 종말 숙주로 작용
- 병원소: 감염된 사람, 개, 고양이, 돼지 등
- 인체 기생장소: 담관
- 전파경로: 충란이 분변과 함께 배출 → 왜우렁이(제1중간숙주) → 유모유충 → 포자낭유충 → 레디유충 → 유미유충 → 담수어(피라미, 붕어, 잉어 등, 제2중간숙주) → 피낭유충 → 경구감염(사람, 종말숙주) → 성충(담관)
- 감염증상: 복부 불편감, 소화불량, 빈혈, 복통, 발열, 설사, 황달, 말기에는 간경변으로 사망
- 예방법: 민물고기 생식금지, 왜우렁이(제1중간숙주) 박멸, 조리기구 위생관리, 인분관리 등

14
정답 ④
간흡충(간디스토마)
제1중간숙주 - 왜우렁이 / 제2중간숙주 - 담수어(피라미, 붕어, 잉어 등)
- 유구조충 - 돼지 / 무구조충 - 소
- 말레이사상충 - 모기
- 폐흡충 - 다슬기, 게 또는 가재

15
정답 ②
간흡충, 폐흡충, 요코가와흡충, 광절열두조충
제1중간숙주와 제2중간숙주가 존재

16
정답 ④
간흡충과 폐흡충
- 폐흡충 감염 시 호흡기 이상 증상
- 간흡충 감염 시 소화기 이상 증상

17
정답 ②
폐흡충(폐디스토마)
- 특징: 우리나라 산간지역에 주로 분포하였으나 지금은 전국적으로 발생, 가재의 생식과 관련이 있고, 사람, 개, 고양이 등이 종말숙주로 작용, 외국에서는 일본, 중국, 필리핀, 대만 등에서 산발적으로 발생
- 병원소: 사람과 동물
- 인체 기생장소: 폐
- 전파경로: 충란이 객담이나 분변과 함께 배출 → 유모유충 → 다슬기(제1중간숙주) → 포자낭유충 → 레디유충 → 유미유충 → 민물 게, 가재(제2중간숙주) → 피낭유충 → 경구감염(사람, 종말숙주) → 성충(폐)
- 감염증상: 기침과 객혈 등의 호흡기 이상이 나타나며 엑스레이 검사상 폐결핵과 비슷하게 나타난다. 폐디스토마의 기생 부위에 따라 복부 폐디스토마, 뇌부 폐디스토마, 폐부 폐디스토마 등이 나타난다.
- 예방법: 중간숙주 게나 가재 생식금지, 객담과 분뇨의 위생적 처리, 물 끓여먹기, 유행지역에서 생수 마시지 않기 등

18

정답 ③

폐흡충

다슬기(제1중간숙주), 민물게와 가재(제2중간숙주)

19

정답 ②

요코가와흡충

다슬기(제1중간숙주), 담수어(제2중간숙주)

20

정답 ②

유구조충 (갈고리촌충)

- 특징: 전세계적으로 분포하며 돼지고기 생식과 관련이 있다.
- 기생장소: 소장
- 전파경로: 충란이 분변과 함께 배출 → 돼지(중간숙주) → 육구유충 → 유구낭충(근육) → 사람(종말숙주) 경구감염 → 성충(소장)
- 감염증상: 설사, 복통, 구역질, 구토 등 소화기계 증상
- 예방법: 돼지고기 생식금지(충분히 익혀 먹을 것), 돼지의 사료에 분변 섞이지 않도록 주의, 환자는 신속히 구충시킬 것

21

정답 ③

유구조충

소장에 기생하며 돼지고기를 생식하였을 때 돼지를 중간숙주로 하여 감염

22

정답 ①

무구조충

소고기를 생식하였을 때 소를 중간숙주로 하여 감염된다.

23

정답 ②

무구조충(민촌충)

- 특징: 전세계적으로 분포하며 쇠고기 생식과 관련이 있고, 유구조충보다 감염률이 높다.
- 기생 장소: 소장
- 전파경로: 충란이 분변과 함께 배출 → 소(중간숙주) → 육구유충 → 무구낭충(근육이나 조직) → 사람(종말숙주) 경구감염 → 성충(소장)
- 감염증상: 복통, 소화불량, 오심, 구토 등 소화기계 증상
- 예방법: 쇠고기 생식 금지(충분한 익혀 먹을 것), 소의 사료에 분뇨에 의한 오염 방지

24

정답 ③

무구조충

소를 중간숙주

- 나머지는 제1중간숙주, 제2중간숙주로 중간숙주가 두 개

25
정답 ④

광절열두조충(긴촌충)

- 특징: 미국, 유럽, 일본 등에 분포하며 우리나라 북한의 동해안에 분포하는 길이 3~10 m, 체절 3천~4천 개, 2개의 흡구가 존재하는 기생충
- 기생장소: 소장 상부
- 전파경로: 충란 분변과 함께 배출 → 물벼룩(제1중간숙주) → 송어, 연어(제2중간숙주) → 사람(종말숙주) 경구감염 → 성충(소장 상부)
- 감염증상: 복통, 설사, 체중 감소 등 소화기 장애 및 빈혈, 영양결핍 등
- 예방법: 송어, 연어 등 민물고기 생식금지, 완전 가열 조리

환경관리

part

03

제9장	환경보건
제10장	환경오염
제11장	식품위생
제12장	보건영양

제9장 환경보건

01
정답 ③

기후의 3요소

기온, 기습, 기류

02
정답 ④

대륙성 기후

기온이 빨리 상승하고 빨리 하강하여 기온의 연교차와 일교차가 해양에 비하여 매우 크다.

03
정답 ④

고온순화

사람이 40℃ 이상의 고온 환경에 노출되었을 때 땀의 분비 속도는 느리고 피부 및 직장의 온도, 심장 박동 수는 증가 → 이러한 상태에서 계속 활동 → 내성과 작업 능력이 한계에 이르나 지속적으로 노출되면 피부 및 직장의 온도, 심장 박동 수는 다시 정상으로 돌아오고 땀의 분비 속도만 증가하는 적응현상

- 순화되지 않은 사람은 땀 분비량이 시간당 700 cc를 넘지 않으나 지속적으로 고온에 노출되었을 때는 시간당 최대 2 L까지 땀 분비량이 증가되기도 한다.
- 순화가 되면 알도스테론 호르몬의 분비 증가에 의하여 땀 속의 염분 농도가 감소하게 되어 같은 양의 땀을 흘리더라도 고온에 순화된 사람은 염분 손실이 적게 된다.

04
정답 ②

4대 온열 요소

기온, 기습, 기류, 복사열

05
정답 ④

실외 기온

지표면에서부터 1.5 m 정도의 높이에 있는 대기의 온도

06
정답 ④

인체 체열의 생산

골격근 → 간장 → 심장 → 호흡

07
정답 ④

실내 적정온도

- 침실의 적정온도는 15±1℃
- 거실의 적정온도는 18±2℃
- 병실의 적정온도는 21±2℃

08
정답 ②

상대습도

현재 포함한 수증기량과 공기가 최대로 포함할 수 있는 수증기량(포화수증기량)의 비를 %로 나타낸 것

- 상대습도(%) = (절대습도/포화습도)×100
  = 7 / 20 × 100 = 35

09
정답 ④

실내 습도

쾌적한 실내 습도는 40~70% 범위

- 실내 습도가 너무 습하면 피부질환에 걸리기 쉽다.
- 실내 습도가 너무 건조하면 호흡기질환에 걸리기 쉽다.

10
정답 ③

카타온도계

실내 공기의 기류와 공기의 냉각력 측정, 온도계 범위 95~100°F

11
정답 ③

복사열 측정

흑구온도계

12
정답 ②

기온, 기습, 기류로 알 수 있는 온열지수

쾌감대, 감각온도, 카타냉각력

13
정답 ④

쾌감대

온도 18±2℃ / 습도 40~70%

14
정답 ②

쾌감대

17~18℃의 온도 / 60~65%의 습도 / 0.5 m/sec 이하의 불감기류

15
정답 ④

불쾌지수(DI; Discomfort Index)

= (건구온도+습구온도)℃ × 0.72 + 40.6

= (건구온도+습구온도)°F × 0.4 + 15

16
정답 ④

불쾌감과 불쾌지수

DI=68	전원 쾌적
DI≥70	약 10% 사람이 불쾌감을 느끼는 상태
DI≥75	약 50% 사람이 불쾌감을 느끼는 상태
DI≥80	거의 100%의 사람이 불쾌감을 느끼는 상태
DI≥85	참을 수 없는 상태

17
정답 ④

불쾌지수

- 불쾌지수(DI)

= (건구온도℃+습구온도℃)×0.72+40.6

- 불쾌지수(DI)

= (건구온도°F+습구온도°F)×0.4+15

(건구온도℃+습구온도℃)의 값이 60으로 60×0.72+40.6 = 83.8로 거의 모든 사람이 불쾌한 상태

18

정답 ④

쾌적온도(최적온도, 지적온도)

- 주관적 쾌적온도: 감각적으로 인체에서 느끼는 가장 쾌적함을 느낄 수 있는 온도
- 생산적 쾌적온도: 생산능률을 가장 최대로 올릴 수 있는 온도
- 생리적 쾌적온도: 최소의 에너지를 이용하여 최소한 생명을 유지하면서 최대의 활동능력을 발휘할 수 있는 온도

19

정답 ②

공기의 성분

질소(78%) 〉 산소(21%) 〉 그 외에 아르곤, 이산화탄소, 네온 등 기타 1%

20

정답 ③

잠함병

고기압 상태에서 작업 후 급속히 감압되면서 체내에 녹아 있던 질소가스가 혈중으로 배출되어 기포를 형성하여 발생되는 질병

21

정답 ①

산소 농도

대기 중의 산소는 약 21%를 차지

- 10% 이하일 때 호흡곤란
- 7% 이하일 때 질식사 가능성

22

정답 ③

실내 공기오염의 지표

이산화탄소

23

정답 ②

군집독

장시간 밀폐된 공간에 다수인이 밀집해 있는 경우 실내 공기의 조성 변화로 불쾌감, 두통, 메스꺼움, 구토, 현기증 등을 일으키고 예방법은 환기시키는 방법

24

정답 ②

군집독

23번 해설 참조

25

정답 ④

일산화탄소

무색, 무취, 무미, 맹독성 가스로 불완전 연소 시 발생

26

정답 ②

일산화탄소(CO) 중독 후유증

중추신경장애, 운동장애, 언어장애, 시야협착, 시력 저하 등

27
정답 ①
일산화탄소
산소에 비해 헤모글로빈과의 결합력이 200~300배
(약 250배) 강하다.

28
정답 ①
혈중 Hb-CO 농도

0~10%	증상 없음
10~20%	경한 두통, 피부혈관 확장, 전두부 긴박감
20~30%	현기증, 약간의 호흡곤란
30~40%	심한 두통, 구역, 구토, 시력저하
40~50%	근력감퇴, 허탈, 호흡 및 맥박증진
50~60%	가사, 호흡 및 맥박증진, 혼수, 경련
60~70%	혼수, 경련, 심장박동 및 호흡의 미약
70~80%	맥박이 약하고 호흡이 느리며, 호흡정지 및 사망
80% 이상	즉사

29
정답 ④
새집증후군 원인
벽지, 페인트, 바닥재, 새가구 등에서 나오는 포름알
데히드, 자일렌, 톨루엔, 아세트알데히드, 클로로포
름 등의 발암물질로 포름알데히드가 가장 영향력이
크다.

30
정답 ③
물의 자정작용의 분류
• 화학적 정화: 자외선 살균, 산화, 환원, 흡착, 응
집 등
• 생물학적 정화: 미생물에 의한 유기물 분해
• 물리적 정화: 확산, 침전, 희석

31
정답 ③
수돗물의 수질검사항목
• 일일검사(6개 항목): pH, 색도, 탁도, 잔류염소,
맛, 냄새
• 주간검사(6개 항목): 일반세균, 대장균군, 암모니
아성 질소, 질산성 질소, 과망간산칼륨 소비량,
증발잔유물
• 월간검사(55개 항목): 먹는 물 수질기준 55개
항목
• 수도전의 월간검사(3개 항목): 일반세균, 대장균
군, 잔류염소

32
정답 ③
지표수
공기의 성분이 용해되어 있어서 용존 산소가 많다.

33
정답 ④
지표수
상수도의 원수로 가장 많이 사용

34
정답 ①
상수도 시설
수원 → 취수 → 도수 → 정수 → 송수 → 배수 → 급수
시설

35

정답 ④

도수

수원지에서 취수한 물을 정수장으로 보내는 시설

- 상수도 시설: 수원 → 취수 → 도수 → 정수 → 송수 → 배수 → 급수시설

36

정답 ②

상수처리단계

스크린 → 침사 → 폭기 → 응집 → 침전 → 여과 → 소독

37

정답 ④

폭기

- 산소와 CO_2, H_3S, CH_4, NH_4 등과 교환하여 가스류를 제거
- pH를 높이며 냄새와 맛을 제거
- 물의 온도를 냉각
- 철과 망간 등 제거

38

정답 ③

폭기

물 속 공기를 분무하는 과정으로 물 속 산소 증가로 물 속에서 나오기 어려운 유해한 물질을 제거할 수 있다. 냄새와 맛을 제거하기 위하여 활성탄을 이용한다.

39

정답 ④

침전

- 보통침전: 완속 침전법, 유속을 천천히 하거나 정지시켜 부유물을 침전시키는 것으로 많은 시간 소요, 수중 미생물의 응집현상 이용한 방법
- 약품침전: 응집제 주입하여 침전시키는 방법으로 소요 시간이 짧아 대도시에서 주로 사용하는 방법

40

정답 ②

Mills-Reinke 현상

물을 여과 급수함으로 수인성 질병이 감소되는 현상

41

정답 ③

여과

유동성 있는 물속의 부유물질, 무생물 등의 혼합물을 모래나 자갈 등의 층을 통과시켜 제거, 감소시키는 방법

- 완속사 여과법: 영국식 여과법으로 매우 낮은 탁도를 가진 물에 적용, 여과속도 느리다.
- 급속사 여과법: 미국식 여과법으로 정수장에서 가장 많이 사용하는 방법, 탁도나 색도가 높은 수원에서 주로 적용하며 여과속도를 완속여과보다 40배 정도 빠르게 한다. 빠른 속도로 여과되기 때문에 약품 침전법을 사용한다.

42

정답 ②

완속사 여과법

영국식 여과법으로 매우 낮은 탁도를 가진 물에 적용, 여과속도 느리다(3~5 m/day). 예비처리로 보통 침전법을 사용하고 세균제거율이 98~99%로 매우 높으며 경상비는 적게 들고 건설비는 많이 든다.

43

정답 ②

염소 소독(가장 많이 사용되는 소독법)

- 음용수 소독제: 염소제인 액화염소, 표백분, 이산화염소 등을 살균소독제로 사용
- 장점: 우수 잔류효과, 강한 소독력, 경제적
- 단점: 트리할로메탄이라는 독성 발암물질 형성, 바이러스 미사멸 등

44

정답 ①

염소 소독 (가장 많이 사용되는 소독법)

- 음용수 소독제: 염소제인 액화염소, 표백분, 이산화염소 등을 살균소독제로 사용
- 장점: 우수 잔류효과, 강한 소독력, 경제적
- 단점: 트리할로메탄이라는 독성 발암물질 형성, 바이러스 미사멸 등

45

정답 ③

트리할로메탄(Trihalomethan; THM)

염소 소독 시 사용되는 발암물질

46

정답 ②

상수도 염소 소독 시 잔류염소량

0.1 ppm 이상(수도꼭지 기준)

47

정답 ④

염소 소독 시 살균력 강한 순서

$HOCl$ 〉 OCl^- 〉 클로라민

48

정답 ③

염소 소독 시 살균력에 영향을 주는 요소

잔류염소농도와 접촉시간, 온도는 높아야 하고, pH는 낮아야 살균력이 높다.

49

정답 ①

염소 소독 시 살균력에 영향을 주는 요소

염소농도와 접촉시간, 온도는 높아야 하고, pH는 낮아야 살균력이 높다.

50

정답 ④

오존(O_3) 소독

- 강력한 살균력, 고도 기술 필요, 비용 증대
- 오존은 무색의 독특한 냄새를 갖는 기체로 살균 후 수중에 남지 않아 냄새가 없는 살균제, 잔류성이 없어 2차 오염 위험을 지닌다.

51

정답 ④

먹는 물의 수질기준

- 미생물에 관한 기준
- 건강상 유해영향 무기물질에 관한 기준
- 건강상 유해영향 유기물질에 관한 기준
- 소독제 및 소독부산물질에 관한 기준
- 심미적 영향물질에 관한 기준
- 방사능에 관한 기준(염지하수의 경우에만)

52

정답 ②

미생물에 관한 기준

- 일반세균은 1 mL 중 100 CFU (Colony Forming Unit)를 넘지 아니할 것
- 총 대장균군은 100 mL에서 검출되지 아니할 것

53

정답 ④

총대장균군

100 mL에서 검출되지 아니할 것

54

정답 ①

총대장균군(MPN)

음용수의 수질 기준에서 총대장균군은 100 mL에서 검출되지 아니할 것, 즉 MPN은 0

55

정답 ③

미생물

일반세균은 1 mL 중 100 CFU를 넘지 아니할 것

56

정답 ④

불소

충치 예방을 위한 항목

57

정답 ③

건강상 유해 무기물질

납, 불소, 비소, 셀레늄, 수은, 시안, 크롬, 암모니아성 질소, 질산성 질소, 카드뮴, 보론, 브롬산염, 스트론튬

58

정답 ③

동

1 mg/L를 넘지 아니할 것

59

정답 ④

크실렌

0.5 mg/L를 넘지 아니할 것

- 톨루엔은 0.7 mg/L를 넘지 아니할 것(유기물질)
- 카바릴은 0.07 mg/L를 넘지 아니할 것(유기물질)
- 비소는 0.01 mg/L를 넘지 아니할 것(무기물질)
- 질산성질소는 10 mg/L를 넘지 아니할 것(무기물질)

60
정답 ②

파라티온 0.06 mg/L
건강상 유해영향 유기물질에 해당

61
정답 ③

음용수의 수질기준에서 소독제의 잔류염소

4.0 mg/L를 넘지 아니할 것

62
정답 ②

과망간산칼륨 소비량

10 mg/L를 넘지 아니할 것

63
정답 ①

탁도

1 NTU (Nephelometric Turbidity Unit)를 넘지 아니
할 것

64
정답 ①

합류식 하수처리

빗물과 하수를 함께 운반하는 것
- 장점: 건설비가 적게 들고 수리 및 점검, 청소가 용이, 빗물에 의해 하수관이 자연적으로 청소
- 단점: 우기 시 범람의 우려가 있고, 범람 시에는 비위생적, 건기 시 물이 부패되어 악취가 발생
- 분류식 하수처리: 빗물과 하수를 별도로 운반하는 것으로 건설비가 많이 들고 수리 및 점검, 검사가 어렵다. 범람의 우려가 적다.

65
정답 ②

하수처리 2대 방법

활성오니법, 살수여상법

66
정답 ③

하수 처리 단계

예비처리 → 본처리 → 오니처리

67
정답 ②

호기성 처리방법

활성오니법, 살수여상법, 산화지법, 회전원판법 등

68
정답 ①

혐기성 처리방법

메탄발효법(혐기성 소화법), 부패조, 임호프탱크

69
정답 ④

활성오니법

침전지를 걸러 나온 하수에 활성 오니를 첨가하여 공기를 공급한 후 발생하는 호기성 미생물의 활동으로 유기물을 산화시키는 방법
- 생물학적 처리법 중 가장 발달한 방법으로 기계 조작이 어려워 숙련된 기술 필요
- 처리 면적이 작아도 가능

70
정답 ③
슬러지 팽화현상(Sludge bulking)
활성오니 처리 시 오니가 비정상적으로 팽화하여 침
강석 및 응집성을 상실하여 최종침전지에서 활성오
니의 침전분리가 곤란해지는 현상
- 팽화 조건으로 pH, DO, N.P가 낮아야 하고 사
  상충균은 많아야 한다.

71
정답 ④
살수여상법
침전 유출수를 고정된 여재 표면에 형성된 미생물
막과 접촉시켜 부유물질이 흡착되어 제거되고 용존
성 유기물은 미생물에 의해 분해, 제거되는 방법
- 여재 표면: 호기성, 내부: 혐기성
- 냄새 발생, 온도에 민감, 파리 번식 등의 유지관
  리 어렵고, 높은 수압 유지 및 넓은 면적 필요

72
정답 ①
생물학적 처리방법(본처리)
- 호기성 처리: 활성오니법, 살수여상법, 산화지법,
  회전원판법
- 혐기성 처리: 부패조, 임호프탱크, 메탄발효법
→ 침전법: 물리적 처리방법(예비처리)에 해당

73
정답 ④
혐기성 처리법
폐수 등에 함유된 유기물들을 혐기성 균에 의해 분
해하는 방법
- 부패조: 탱크 안에 부사를 형성하여 공기를 차단
  시켜 무산소 환경을 조성하여 혐기성 균의 분해
  작용을 촉진시켜 처리하는 방법, 침전과 동시에
  소화가 진행되며 소규모 하수처리에 사용되고 냄
  새 많이 발생
- 임호프탱크: 부패조의 결점 보완으로 개량하여
  침전실과 오니 소화실로 나누어 처리(2중 탱크)

74
정답 ②
오니처리 (슬러지처리)
하수처리 마지막 과정으로 소각, 퇴비화, 육상투기,
해양투기, 사상건조법, 소화법(가장 발전된 오니처리
방법, 건조 후 비료화) 등이 이용

75
정답 ④
부패조법
하수의 혐기성 처리방법에 해당

76
정답 ②
위생 매립의 매립 경사
$30°$

77

정답 ②

소각

고온의 소각로에서 태우는 방법

- 미생물 완전 멸균 가능하여 가장 위생적, 도시 중심부 설치 가능
- 소각로 건설 및 유지 부담, 대기오염 물질 배출, 화재 위험 등의 문제

78

정답 ④

다이옥신

비닐 또는 프라스틱 제품의 소각장에서 잘 발생

79

정답 ②

의료폐기물 처리 방법

소각법

80

정답 ③

폐기물의 퇴비화

유기성 쓰레기를 미생물에 의해 분해시키는 방법

- 유기 물질이 호기성 세균에 의해 발효되며, 발효 과정에서 발열로 인해 세균과 기생충을 사멸시킬 수 있다.
- 퇴비화의 조건으로 C/N: 30 내외, 온도는 65~75℃, 수분은 50~70%, pH는 6~8, 산소를 공급하여 호기성 균을 이용

81

정답 ④

아메바성 이질

환자의 분변에 오염된 음식물, 식수, 파리 등에 의해 전파되므로 분뇨를 위생적으로 처리하여 예방해야 한다.

82

정답 ④

선모충

돼지고기 생식 때 주로 감염되며 분변과는 관련이 없다.

83

정답 ①

분뇨 정화조 구조

부패조 → 예비여과조 → 산화조 → 소독조

84

정답 ③

습식산화법

고온, 고압 상태에서 충분한 산소를 공급하여 소각 하는 방법

- 기생충과 미생물의 완전 사멸되어 위생적인 처리 방법
- 건설비용이 경제적이지 않고 고도의 기술 방법이 필요

85

정답 ①

공중목욕장에서 총대장균군

100 mL에서 검출되지 않아야 한다. 즉, MPN은 0

86

정답 ①

주택의 자연환기에서 창문 크기

바닥 면적의 1/5~1/7이어야 환기가 잘 된다.

87

정답 ④

개각과 입사각

- 개각: 실내의 한 점 A와, 창틀의 위쪽 B를 연결하는 AB선과 창 밖에 있는 차광물의 상단 D와 연결하는 AD선이 이루는 각도. 개각은 4~5도 이상이 좋고 개각이 클수록 밝다.
- 입사각: 실내의 한 점 A에서 창의 윗면 B를 맺은 AB와 A를 통과하는 수평선 AC와의 각도. 입사각은 28도 이상이 좋고, 입사각이 클수록 밝다.

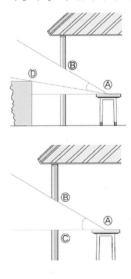

88

정답 ④

실내 조도기준 범위

- 50~100: 조리실
- 60~150: 화장실
- 150~300: 강당, 식당
- 300~600: 교실, 실험실, 사무실
- 600~1,500: 도서실, 정밀작업실

89

정답 ③

여름 냉방 시 실내온도와 실외온도차

5~7℃가 적당하며 10℃ 이상 차이가 날 때 냉각병으로 몸에 해로울 수 있다.

90

정답 ③

의복의 목적

체온조절(가장 중요), 해충이나 복사열 등 유해물질로부터 신체 보호, 사회생활, 신체의 청결, 장식(미화) 또는 표식 등

91

정답 ④

함기성

함기성이 클수록 열전도성은 작아지고 보온력은 커진다.

92

정답 ③

의복의 방한력의 단위

CLO

93

정답 ①

소독력

멸균 〉 살균 〉 소독 〉 방부

94

정답 ③

습열 멸균법

저온살균법, 고온단시간살균법, 자비멸균법, 고압증기멸균법, 유통증기멸균법, 초고온순간멸균법 등

• 자외선멸균법: 무가열 멸균법에 해당

95

정답 ④

우유의 저온 살균법

63~65℃, 30분간 살균

96

정답 ②

저온살균법

보통 63~65℃로 30분간, 혹은 75℃ 이상에서 15분간 가열하며 고온에서는 변화를 일으키거나 분해되는 물질(비타민, 단백질 등)을 함유하는 액체의 살균 또는 살모넬라균, 결핵균 등의 살균을 위해 사용하는 방법

97

정답 ④

고압증기멸균법

아포형성균의 멸균에 가장 이상적인 방법

• 모든 균과 미생물의 사멸이 가능한 고온, 고압의 멸균방법

• 초자기구, 의류, 수술용 기구 등의 멸균에 사용

• 121℃ / 2기압(15파운드) / 15~20분의 조건에서 멸균

98

정답 ②

초고온순간멸균법

우유의 멸균 방법으로 135℃에서 2초간 가열하는 방법

• 장점: 영양물질의 파괴를 최소화하며 멸균처리 기간의 단축

99

정답 ④

이상적인 소독약 조건

• 석탄산 계수가 높아야 좋다.

• 독성이 없어야 한다.

• 냄새가 독하지 않아야 한다.

• 안정성이 높아야 한다.

• 용해성, 침투성이 높아야 한다.

• 표백성, 부식성이 없어야 한다.

• 경제적, 사용법 용이해야 한다.

• 사용 후 수세가 가능해야 한다.

100
정답 ②

석탄산 계수

소독약의 살균력 측정, 비교하기 위해 석탄산 계수를 사용하며 석탄산 계수가 높아야 살균력이 높다.

101
정답 ③

이상적인 소독

70~75% 알코올(메탄올 75%, 에탄올 70%)

102
정답 ④

3% 과산화수소

구내염, 인두염, 입안 세척, 상처 소독 등에 사용되는 소독약

소독약의 종류 및 특성

소독약	수용액 농도	특성
알코올	메틸알코올: 75%	피부 및 기구 소독
	에틸알코올: 70%	상처, 눈, 비강, 구강, 음부 등의 점막에는 사용하지 않는다.
과산화수소	3~3.5%	구내염, 인두염, 상처 소독과 구강세척제로 사용
		자극성이 적고 밝은 곳에 두면 쉽게 분해되어 갈색병에 보관
크레졸	3%	손, 식기, 배설물, 객담 등 소독
		세균의 소독력이 크고 유기물이 있어도 소독력이 약화되지 않는다. 냄새가 강하다.
석탄산	3~5%	병원의 오염의류, 용기, 실험대, 배설물 등의 소독방역용으로 사용
		장점: 살균력이 안정되고 유기물에도 소독력이 약화되지 않는다.
		단점: 냄새와 독성이 강하고, 금속부식성이 있으며, 피부점막에 자극성과 마비성이 있다. 온도가 낮아지면 효과가 떨어진다.

포르말린	35% formaldehyde 수용액	방부제, 선박 등 소독 발암 물질이어서 잘 사용하지 않지만 세균단백질을 응고시키는 강한 살균력이 있다.
승홍	0.10%	금속부식성이 강하다.
역성비누	0.01~0.1%	손, 수저, 식기, 도마, 행주, 식품 소독
		무색, 무미, 무해하여 식품소독에 사용되고 자극성과 독성이 없으며 살균력과 침투력이 강하다. 경제적이다.
약용비누		손, 피부, 두피 소독
		비누에 각종 살균제를 첨가한 것으로 비누의 세척효과와 살균작용을 동시에 할 수 있다. 독성이 약하고 피부를 상하지 않게 하며, 저농도로 항균력이 강하고 소독 효과가 좋다.
머큐로크롬	2%	피부 점막 및 상처 소독
		살균력은 약하지만 지속성이 있고 자극성이 없다.
생석회	분말(생석회에 물을 가하면 발열되어 소독작용을 일으킴)	분변, 하수, 오수, 토사물, 오물, 변소 소독
표백분	유효염소 30% 이상	목욕탕, 수영장 등 소독

103
정답 ④

0.01~0.1% 역성용액

손 소독 시 가장 많이 사용되는 무독, 무해, 무자극성 소독약

104
정답 ②

생석회

변소 소독, 하수 소독 등에 적당

105

정답 ③

소독제의 종류

- 가수분해: 강산, 강알칼리, 열탕수
- 산화작용: 염소, 과산화수소, 과망간산칼륨, 오존
- 탈수작용: 알코올, 포르말린, 식염, 설탕
- 균체의 단백 응고작용: 크레졸, 승홍, 알코올, 산, 알칼리, 포르말린, 석탄산
- 균체의 효소 불활성화작용: 알코올, 석탄산, 중금속염, 역성비누
- 균체 내 염의 형성: 승홍, 질산은, 중금속염
- 균체막의 삼투압 변화: 석탄산, 중금속염, 염화물

106

정답 ④

소독제의 종류

105번 해설 참고

107

정답 ④

소독제의 종류

105번 해설 참고

제10장 환경오염

01

정답 ②

람사협약

1971년 이란의 람사르에서 열린 국제습지조약으로 국제적으로 중요한 습지 보호를 위해 각국에서 협력하여 맺은 조약

02

정답 ③

세계 최초의 인간환경회의 개최

스웨덴 스톡홀름

03

정답 ④

비엔나협약

1985년 오존층 파괴로부터 인류를 보호하기 위해 형성된 국제협약

04

정답 ①

몬트리올 의정서

오존층 보호에 대한 관련 의정서로 1987년 채택되어 1989년 발효

05
정답 ③
바젤협약

1989년, 유해폐기물의 국가 간 이동 및 처분 규제에 관한 협약

06
정답 ③
교토의정서

1997년 일본에서 개최, 온실가스 감축 목표에 관한 의정서

07
정답 ④
6대 온실가스

이산화탄소(CO_2), 메탄(CH_4), 아산화질소(N_2O), 불화탄소(PFC), 수소화불화탄소(HFC), 불화유황(SF_6)

08
정답 ④
일산화탄소(CO)

화석연료와 자동차 배기가스가 주된 발생원으로 불완전 연소에 의해 발생하는 무색, 무미, 무취의 가스

- 일산화탄소의 작용으로 $Hb+O_2$ 결합 방해, 저산소증 초래
- 중독 시 일산화탄소와 헤모글로빈의 해리 촉진을 위해 고압산소요법을 사용

09
정답 ②
1차 오염물질

발생원으로부터 직접 대기 중에 배출되는 물질로 CO, 황산화물(SOx), 질소산화물(NOx), HC, H_2S, HF 등이 있다.

10
정답 ①
링겔만 차트

굴뚝에서 나오는 배출가스의 매연을 측정

- 검은 정도를 비교하여 0~5도까지 6종으로 분류하며 백상지의 흑선 부분이 1도 증가 때마다 20%씩 증가한다.

11
정답 ④
링겔만 차트

링겔만 차트에서 0도는 백색을, 5도는 흑색을 나타낸다.

12
정답 ①
2차 오염물질

1차 오염 물질이 대기 중에서 오염물질 간의 상호작용이나 자외선이나 가시광선의 영향을 받아 물리, 화학적으로 반응하여 새롭게 생성한 물질

- 2차 오염물질: PAN, O_3, SO_3, NOCl, H_2O_2, PBN 등

13

정답 ④

광화학 반응으로 생긴 물질

PAN, O_3, SO_2, NOCl, H_2O_2, PBN 등

14

정답 ①

오존의 환경기준

1시간 평균 0.1 ppm 이하 / 8시간 평균 0.06 ppm 이하

15

정답 ③

오존 경보발령

1시간 평균 농도가 0.12 ppm 이상은 주의보, 0.3 ppm 이상 경보, 0.5 ppm 이상이면 중대 경보를 각각 내린다.

16

정답 ③

오존(O_3)

강한 태양광선으로 인해 자동차나 공장의 배기가스 등에 포함된 질소산화물, 탄화수소류 등이 광화학 반응을 일으켜 발생

- 바람이 없는 상태의 햇빛이 강한 여름 날씨에 주로 발생

17

정답 ③

우리나라 대기환경기준(환경정책기본법 시행령)

항목	기준	측정방법
아황산가스 (SO_2)	연간 평균치 0.02 ppm 이하	자외선 형광법 (Pulse U.V. Fluorescence Method)
	24시간 평균치 0.05 ppm 이하	
	1시간 평균치 0.15 ppm 이하	
일산화탄소 (CO)	8시간 평균치 9 ppm 이하	비분산적외선 분석법 (Non Dispersive Infrared Method)
	1시간 평균치 25 ppm 이하	
이산화질소 (NO_2)	연간 평균치 0.03 ppm 이하	화학 발광법 (Chemiluminescence Method)
	24시간 평균치 0.06 ppm 이하	
	1시간 평균치 0.10 ppm 이하	
미세먼지 (PM-10)	연간 평균치 50 $\mu g/m^3$ 이하	베타선 흡수법 (βRay Absorption Method)
	24시간 평균치 100 $\mu g/m^3$ 이하	
미세먼지 (PM-2.5)	연간 평균치 25 $\mu g/m^3$ 이하	중량농도법 또는 이에 준하는 자동 측정법
	24시간 평균치 50 $\mu g/m^3$ 이하	
오존 (O_3)	8시간 평균치 0.06 ppm 이하	자외선 광도법 (U.V Photometric Method)
	1시간 평균치 0.1 ppm 이하	
납 (Pb)	연간 평균치 0.5 $\mu g/m^3$ 이하	원자흡광 광도법 (Atomic Absorption pectrophotometry)
벤젠	연간 평균치 5 $\mu g/m^3$ 이하	가스크로마토그래피 (Gas Chromatography)

18

정답 ④

대기오염 지표

아황산가스(SO_2)

19

정답 ①

열섬현상

가을, 겨울에 주로 발생, 고기압 상태, 밤에 발생

20

정답 ②

열섬 현상

도시의 아스팔트, 콘크리트 등의 포장도로로 인한 복사열의 증가, 자동차나 건물의 냉난방시설로 인한 열 생산, 불규칙한 지면의 공장과 대형건물 등으로 자연적인 공기의 흐름이 차단되어 도심의 기온상승, 비와 안개가 발생하는 현상

- 열섬 현상에 따른 대기오염: 도시주위로 찬바람이 지표로 흐르고 따뜻한 공기는 상승하여 대기오염물질과 만나 먼지지붕을 형성, 태양열에 의한 지표 가열을 방해하여 공기 수직이동이 감소되어 오염심화 현상

21

정답 ②

기온역전

정상적인 대기의 경우 대류권에서 고도가 100 m 상승할 때마다 약 1℃ 하강하는데, 고도가 상승함에 따라 기온도 상승하여 공기의 층이 반대로 되어 대기는 고도로 안정화되고 공기의 수직 확산이 일어나지 않아 대기오염이 증가하게 되는데, 이를 기온역전이라고 한다.

22

정답 ④

온실효과

대기 중의 탄산가스는 지표로부터 적외선을 흡수하여 열의 방출을 차단하고, 흡수한 열을 다시 시장에 복사하여 지구 기온을 상승시키는 현상

- 온실효과 유발물질: CO_2, CFC, CH_4, N_2O 등으로 기여도가 가장 높은 것은 CO_2

23

정답 ③

열대야 현상

한여름 밤의 최저기온이 25℃ 이상인 현상, 더위를 나타내는 지표

24

정답 ③

엘리뇨

남아메리카 페루 및 에콰도르 서부 열대 해상에서 불규칙적으로 보통 2~6년에 한 번씩 이상 난수가 침입하여 수온이 평년보다 높아지는 해류의 이변현상. 스페인어로 '아기예수' 또는 '작은 사내아이'라는 뜻

- 원인: 적도부근 무역풍의 약화
- 결과: 해수면 온도 평년보다 상승, 대기 대순환에 영향을 주어 세계 각 지역의 이상 기후 발현

25

정답 ③

라니냐

- 기상이변으로 동태평양의 난수층 두께가 얇아져 수온 및 해수면의 하강현상으로 동남아시아에 장마, 중남미에 가뭄 등 발생
- 해수면의 온도가 평년보다 0.5℃ 이상 낮게 6개월 이상 지속
- 스페인어로 소녀를 뜻한다.

26

정답 ②

오존층

성층권에서 많은 양의 오존이 있는 높이 25~30 km 사이에 해당하는 부분

- 자외선을 차단
- 대류권에서의 오존은 지구온난화를 촉진시키는 역할

27

정답 ④

오존층 파괴

- 오존층: 태양에서 방출되는 자외선을 차단하여 대류권으로 들어오지 못하게 하여 사람과 식물을 보호하는 작용을 하며 성층권(12~50 km) 내에 존재
- 오존층 파괴 요인: 염화불화탄소(CFC, 프레온가스)
  - 에어컨, 냉장고, 스프레이, 분사제로 사용되는 기체
  - 성층권에서 자외선에 의해 분해되어 염소원자를 방출하며 오존의 산소원자와 결합함으로 오존층을 파괴

28

정답 ③

오존층 파괴로 인한 영향

자외선 노출로 면역기능의 약화, 피부노화, 피부암 발생, 백내장 증가, 기후 온난화 영향, 해양 플랑크톤의 체질 변화로 해양계의 먹이사슬 파괴, 농작물이나 각종 생태계 파괴 등

29

정답 ③

염화불화탄소(프레온가스)

- 에어컨, 냉장고, 스프레이, 분사제로 사용되는 기체, 플라스틱 발포제, 소화기, 전자제품의 용매제 등
- 성층권에서 자외선에 의해 분해되어 염소원자를 방출하며 오존의 산소원자와 결합함으로 오존층을 파괴

30

정답 ③

아황산가스(SO_2)

대기오염 지표물질, 산성비의 주요원인으로 황산화물의 대부분이 아황산가스임

31

정답 ④

산성비의 원인 물질

주로 자동차에서 배출되는 질소산화물과 발전소, 공장, 가정에서 사용되는 석유, 석탄 등의 연료가 연소되면서 나오는 황산화물이 있다. 이들이 대기 중에 축적되어 수증기와 만나 황산이나 질산으로 바뀌게 되고, 이들이 우수에 용해되는데 이러한 물질들은 강산성이므로 비의 pH를 낮추게 되어 산성비가 된다.

32

정답 ③

산성비

pH가 5.6 이하인 비

- 일반적으로 빗물은 pH 5.6~6.5 정도의 약산성이지만 대기오염이 심한 지역에서는 pH가 5.6 이하의 강한 산성의 산성비가 내린다.

33

정답 ④

런던형 스모그 사건

아황산가스 주원인으로 석탄연료사용, 매연 및 안개에 의한 환원형 스모그, 호흡기질환 환자 발생

34

정답 ③

	LA 형 스모그	London 형 스모그
발생 원인	고농도 산화물에 의한 산화형 스모그, 자동차 배기가스	아황산가스 주원인으로 석탄가스 사용, 매연 및 안개에 의한 환원형 스모그
인체 영향	눈과 목의 자극	가래, 기침, 호흡기 질환
발생 시간	낮	이른 아침
발생 온도	24~32℃	-1~4℃
발생 습도	70% 이하	85% 이상
풍속	5 m 이하	무풍
역전 종류	침강성 역전	복사성(방사성) 역전
발생 월	8월, 9월	12월, 1월
주요 성분	O_3, CO, NO_2, 유기물	SO_x, CO, 입자성 물질

35

정답 ①

런던 스모그 사건

12월, 1월 발생

- 로스앤젤레스 스모그 사건: 8월, 9월 발생

36

정답 ③

뮤즈계속 사건과 도노라 사건의 공통된 특징

무풍, 기온역전의 기상 상태, 계곡이나 분지의 골짜기에서 발생한 것

37

정답 ④

수질오염지표

DO, BOD, COD, pH, SS (부유물질), 대장균 수, 질소화합물, 지표생물 등

38

정답 ②

용존산소량(DO)

수중에 용해되어 있는 산소의 양으로 높을수록 수질 양호

39

정답 ④

용존산소량이 높은 경우

- 기압이 높을수록
- 유속이 높을수록
- 유량이 많을수록
- 온도가 낮을수록
- 염분이 낮을수록
- 겨울 〉여름
- 주간 〉야간

40

정답 ③

생물학적 산소요구량(BOD)

수질오염 지표(하수, 공공수역)

- 수중의 유기물질이 호기성 세균에 의해 산화 분해될 때 소비되는 산소의 양으로 생물화학적 산소요구량이 높을수록 수질의 오염도가 높다.
- 생물학적 산소요구량이 높다는 것은 수중에 분해 가능한 유기물질이 많다는 것을 의미하며, 용존산소량의 소비량의 증가로 혐기성 분해가 일어나기 쉬워 수중생물을 죽음에 이르게 한다.

41

정답 ②

BOD 측정

20℃, 5일간 배양 후 측정

42

정답 ④

화학적 산소요구량(COD)

- 폐수, 해수오염 지표
- 수중에 함유된 유기 물질을 산화제를 이용하여 화학적으로 산화 시 소비되는 산화제의 양을 산소의 양으로 환산한 수치

43

정답 ④

화학적 산소요구량

수치가 높을수록 물의 오염도는 높아진다.

44

정답 ③

BOD 〈 COD

폐수에 생물학적으로 분해가 어려운 물질을 함유하였거나 미생물에 독성을 끼치는 물질을 함유한 경우

- BOD 〉COD: BOD 측정 중에 질산화가 발생하였거나 COD 측정 중에 방해물질이 폐수에 함유되었을 경우

45

정답 ③

유기물의 하천 방출

BOD (생화학적 산소요구량)은 높아지고 DO (용존산소량)은 낮아진다.

46

정답 ④

MPN

100 mL 중의 대장균 수를 의미하는 것

- 수중에 MPN 값이 높으면 병원성 세균 존재 가능성이 있음을 알 수 있다.

47

정답 ②

MPN

100 mL 중의 대장균 수를 의미하는 것

- MPN이 20이라는 것은 100 mL 중의 대장균 수가 20이라는 의미

48

정답 ②

대장균지수(Coli index)

대장균군을 검출한 최소 검수량의 역수를 의미

- 예: 10 mL에서 처음 대장균을 검출하였다면 대장균 지수는 1/10 이므로 0.1

49

정답 ④

환경정책 기준법에 따른 생활환경기준

등급	상태	기준							대장균군 (군수/100mL)	
		수소이온농도 (pH)	생물화학적산소요구량 (BOD) (mg/L)	화학적산소요구량 (COD) (mg/L)	총유기탄소량 (TOC) (mg/L)	부유물질량 (mg/L)	용존산소량 (mg/L)	총 인 (T-P) (mg/L)	총대장균군	분원성대장균군
매우좋음	Ia	6.5~8.5	1 이하	2 이하	2 이하	25 이하	7.5 이상	0.02 이하	50 이하	10 이하
좋음	Ib	6.5~8.5	2 이하	4 이하	3 이하	25 이하	5 이상	0.04 이하	500 이하	100 이하
약간좋음	II	6.5~8.5	3 이하	5 이하	4 이하	25 이하	5 이상	0.1 이하	1,000 이하	200 이하
보통	III	6.5~8.5	5 이하	7 이하	5 이하	25 이하	5 이상	0.2 이하	5,000 이하	1,000 이하
약간나쁨	IV	6~8.5	8 이하	9 이하	6 이하	100 이하	2 이상	0.3 이하	–	–
나쁨	V	6~8.5	10 이하	11 이하	8 이하	쓰레기 등이 떠 있지 아니할 것	2 이상	0.5 이하	–	–
매우나쁨	VI	–	10 초과	11 초과	8 초과	–	2 미만	0.5 초과	–	–

50

정답 ②

환경정책 기준법에 따른 생활환경기준

하천의 수질기준이 Ia (매우 좋음)일 때 용존산소가 풍부한 청정상태로 간단한 정수처리 후 생활용수로 사용할 수 있다. COD 2 이하이다.

51

정답 ②

부영양화 유발 물질

- N(질산염), P(인산염), C(탄산염), Fe, K, Mn, Ca 등
- 농장지 비료, 사람의 분뇨, 축산 분뇨, 공장 폐수, 합성세제 등

52

정답 ④

부영양화

조류의 번식에 양분이 될 물질들이 강, 바다, 호수, 저수지에 축적되어 조류가 급속히 증식하는 현상

- 식물성 플랑크톤이 과다하게 증식되어 물의 표면을 덮어 햇빛을 차단하면 용존산소가 부족하게 되고 결국 오염된다.
- 맑은 물의 색이 적색 또는 녹색의 물로 변함

53

정답 ③

부영양화

식물성 플랑크톤이 과다하게 증식되어 물의 표면을 덮어 햇빛을 차단하면 용존산소량(DO)이 부족하게 되고 결국 오염되며 화학적 산소요구량(COD)은 증가하게 된다.

54

정답 ③

적조현상, 부영양화 방지 대책

황산동, 활성탄, 황토, 염소 등 살포

55

정답 ③

적조현상

플랑크톤의 이상적인 대량 증식으로 단시간에 조류의 급격한 성장으로 조류의 색깔에 따라 물의 색이 적색으로 보이는 바닷물의 부영양화 현상

- 원인: 영양 염류 증가, 수온 상승, 정체성 해류, 미량의 금속성분 존재 등
- 어패류의 질식사, 수산업의 큰 피해

제11장 식품위생

01
정답 ④

식품위생의 정의 (WHO)

식품위생이란 식품의 재배, 생산, 제조로부터 최종적으로 사람에 섭취되기까지의 모든 단계에 걸친 식품의 안전성, 건전성 및 완전무결성을 확보하기 위한 모든 필요한 수단을 말한다.

02
정답 ②

식품위생의 대상(우리나라 식품위생법)

식품위생이란 식품, 첨가물, 기구 또는 용기, 포장을 대상으로 하는 음식에 관한 위생

03
정답 ①

일일섭취허용량(ADI, Acceptable daily intake)

평생 매일 섭취하여도 아무런 독성증상을 유발하지 않을 것으로 예상되는 일일 섭취허용량

04
정답 ③

식품안전관리인증기준

Hazard Analysis and Critical Control Point: HACCP

- 식품의 원재료 생산, 제조, 가공, 보존, 유통단계를 거쳐 최종 소비자가 섭취하기 전까지의 모든 과정을 관리하여 각 단계에서 생물학적, 화학적, 물리적 위해요소를 규명하고 해당 식품이 오염되는 것을 방지하기 위한 예방차원의 계획적 위생관리 시스템
- 식품의 안전성, 건전성, 품질의 확보를 위한 예방차원의 개념
- 전 세계적으로 가장 이상적인 식품안전관리체계로 인정
- 우리나라 1995년 12월, HACCP 제도 도입

05
정답 ④

HACCP의 7원칙

위해요소 분석, 중점관리사항 결정, 한계기준 설정, 감시체계 확립, 개선방법 설정, 검증 절차 및 방법 설정, 기록보존 및 관리

06
정답 ④

식품안전관리인증기준(HACCP)

식품의 원재료 생산, 제조, 가공, 보존, 유통단계를 거쳐 최종 소비자가 섭취하기 전까지의 모든 과정을 관리하여 각 단계에서 생물학적, 화학적, 물리적 위해요소를 규명하고 해당 식품이 오염되는 것을 방지하기 위한 예방차원의 계획적 위생관리 시스템

- 식품공정상에서의 위해요소를 완전히 없애고자 하는 개념은 아니다.

07

정답 ①

부패

미생물의 작용으로 단백질이 분해되어 암모니아, 아미노산, 아민 등의 유해물질을 생성하고 악취를 발생시키는 현상

- 발효: 미생물의 작용을 받아 탄수화물이 분해되어 유기산이나 알코올 등을 생성하는 현상
- 변패: 미생물의 작용으로 지방이나 탄수화물이 산화에 의해 분해되거나 변질되어 비정상적인 맛과 냄새가 나는 현상
- 산패: 유지 중 불포화지방산이 산화 분해되어 비정상적인 맛과 냄새가 나는 현상

08

정답 ②

발효

미생물의 작용을 받아 탄수화물이 분해되어 유기산이나 알코올 등을 생성하는 현상

09

정답 ④

변패

미생물의 번식작용으로 지방 및 당질이 분해되는 현상

10

정답 ③

산패

유지 중 불포화지방산이 산화 분해되어 비정상적인 맛과 냄새가 나는 현상

11

정답 ②

식중독

격리치료와 예방접종이 불필요

12

정답 ④

세균성 식중독

- 잠복기와 식중독의 경과가 짧다.
- 면역형성이 안 되며, 2차 감염이 없다.
- 소화기계 감염병과 비교해 발병력이 낮다.
- 독력이 약하여 다량의 균이나 독소량이 많을 때 발생
- 주로 오염식품 섭취로 감염

13

정답 ②

세균성 식중독

감염형 식중독	원인이 되는 세균이 식품에 오염되어 증식된 것으로 다수의 세균을 경구적으로 섭취하여 발병하는 것
	장염 비브리오 식중독, 살모넬라 식중독, 노로바이러스 식중독, 병원성 대장균 식중독, 그 밖의 아리조나(Salmonella Arizona), 여시니아균(Yersinia Enterocolitica), 캄필로박터(Campylobacter Jejuni)에 의한 식중독
독소형 식중독	세균이 음식물 중에 증식하여 생산한 장독소나 신경독소가 원인이 되어 발병하는 것
	포도상구균 식중독, 보툴리누스균 식중독, 웰치균 식중독, 세레우스 식중독 등
기타 식중독	장구균, 리스테리아균, 프로테우스균 식중독 등

14

정답 ②

세균성 식중독

13번 해설 참고

15
정답 ④

2차 감염

수인성 감염병은 2차 감염이 되지만 세균성 식중독은 2차 감염이 없다.

16
정답 ④

비브리오패혈증

- 원인균: 비브리오 불니피쿠스균(Vibrio Vulnificus)
- 잠복기: 20~48시간
- 오염된 어패류(조개 또는 생선)를 섭취하거나 상처 난 피부에 오염된 바닷물이 접촉할 경우 감염

17
정답 ④

장염 비브리오 식중독

- 원인균: 장염 비브리오균(Vibrio Parahemolyticus)
- 잠복기: 8~20시간
- 원인식품: 어패류
- 증상: 복통, 설사, 구토 등의 급성 위장염

18
정답 ①

살모넬라 식중독

- 원인균: 장염균 및 돼지콜레라균
- 잠복기: 12~48시간
- 원인 식품: 어패류, 유제품, 어류 등
- 증상: 급속한 발열(38~40℃), 두통, 복통, 설사, 구토 등
- 예방법: 60℃ 온도로 20분 가열

19
정답 ④

노로 바이러스 식중독

- 감염원: 오염된 과일이나 채소, 굴, 조개류 등을 통해 감염
- 겨울철 급성 위장염을 유발(영하 20℃ 이하에도 장시간 생존 가능)
- 잠복기: 24~48시간 후
- 증상: 구토, 설사, 복통, 위와 장염의 염증 유발
- 60℃, 30분 가열해도 멸균되지 않고 감염자의 입을 통해 전염

20
정답 ④

대장균

식품에서 발견된 미생물은 병원성 미생물의 오염 가능성이 있다.

21

정답 ②

병원성 대장균(E. coli O-157, EHEC)

- O 항원 중 157번째 발견된 것
- 식중독의 강력한 원인 독소물질 Verotoxin 생산
- 감염력과 치명률이 높아 조기발견을 위한 체계 중요

22

정답 ④

병원성 대장균 식중독

- 원인균: Escherichia Coli
- 잠복기: 10~30시간
- 증상: 장염, 전염성 설사
- 병원성 대장균(O-157): Verotoxin의 강력한 독소 생산, 감염력과 치명률이 높아 조기발견을 위한 체계 중요 → 덜 익힌 쇠고기 섭취나 가공되지 않은 우유 음용 시 발생

23

정답 ③

독소 분비 식중독

포도상구균 식중독, 보툴리누스균 식중독 웰치균 식중독, 세레우스 식중독

24

정답 ③

포도상구균 식중독

- 원인균: 황색포도상구균(Staphylococcus Aureus)
- 포도상구균이 생성하는 장독소 Enterotoxin에 의해 식중독 발생
- 잠복기: 평균 3시간(세균성 식중독 중에 잠복기 가장 짧다.)
- 증상: 구역질, 구토, 복통, 설사 등 급성위장염 증상
- 감염경로: 유제품, 도시락. 김밥 등이 원인 식품이 되어 감염

25

정답 ③

포도상구균 식중독

24번 해설 참고

26

정답 ②

포도상구균 식중독

- 포도상구균이 생성하는 장독소 Enterotoxin에 의해 식중독 발생
- Enterotoxin은 120℃에서 20분 가열하여도 완전 파괴되지 않고, 220~250℃에서 30분 이상 가열하여야 파괴된다.

27
정답 ④

Staphylococcus Aureus
포도상구균 식중독을 유발하는 Staphylococcus Aureus (황색 포도상구균)은 사람의 화농소에서 잘 번식

28
정답 ④

포도상구균 식중독
잠복기가 3시간으로 세균성 식중독 중 가장 짧고 Enterotoxin을 산생하는 균주에 의해 발생하는 독소형 식중독
- 열에 대한 독소의 저항성이 강하여 100℃에서 30분간 가열하여도 독소는 파괴되지 않는다.
- 보통 급성 위장염 증상을 보인다.

29
정답 ③

보툴리누스균 식중독
- 원인균: Clostridium Botulinum (원인균이 신경독소 Neurotoxin 분비하여 식중독 발생)
- 잠복기: 12~36시간
- 치명률 가장 높음
- 원인: 통조림, 소시지 등과 야채, 과일, 어류, 유제품 등이 혐기성 상태에 놓일 경우
- 증상: 호흡곤란, 동공산대, 복시 등

30
정답 ②

보툴리누스균 식중독
- 원인균: Clostridium Botulinum (원인균이 신경독소 Neurotoxin 분비하여 식중독 발생)
- 잠복기: 12~36시간
- 치명률 가장 높음
- 원인: 통조림, 소시지 등과 야채, 과일, 어류, 유제품 등이 혐기성 상태에 놓일 경우
- 증상: 호흡곤란, 동공산대, 복시 등

31
정답 ③

보툴리누스균 식중독
30번 해설 참고

32
정답 ①

보툴리누스균 식중독 증상
신경마비 증상, 연하곤란, 호흡곤란, 동공산대, 복시 등
- 발열은 없다.

33
정답 ④

유해금속에 의한 식중독
비소, 납, 수은, 구리, 카드뮴, 안티몬, 바륨, 아연 등

34

정답 ②

보존료(방부제)

미생물의 증식으로 발생할 수 있는 식품의 부패나 변질을 방지하기 위하여 사용되는 물질

35

정답 ④

식품첨가물

식품을 제조·가공 또는 보존함에 있어 식품에 첨가·혼합·침윤, 기타의 방법으로 사용되는 물질

- 호료, 방부제, 감미료, 산화 방지제, 화학 조미료, 착색료, 발색제, 표백제, 팽창제, 살균제, 산미료, 소포제, 유화제, 강화제, 이형제, 착향료 등

36

정답 ④

허용 살균제

표백분, 차아염소산나트륨, 과산화수소, 이염화이소시아눌산나트륨

37

정답 ③

허용 발색제

질산나트륨, 아질산나트륨, 질산칼륨, 황산제1철, 황산제2철 등

38

정답 ②

Dulcin

설탕의 250배의 단맛을 가지나 혈액독

- 중추신경장애, 신장, 간장장애 등을 유발하는 인체 유해감미료로 사용 금지

39

정답 ④

Rhodamin B

주로 어묵이나 과자 등에 사용된 핑크빛 타르색소로 화학성 식중독을 일으키는 유해착색제

40

정답 ④

안티몬

피부 접촉 시 가려움증·수포·홍반 등을 동반한 접촉성 피부염을 유발할 수 있고, 흡입 또는 섭취하게 되면 두통·구토·호흡기계 염증 등을 유발하는 발암 의심 중금속

41

정답 ③

보존료

소르빈산, 안식향산, 안식향산나트륨, 프로피온산나트륨, 프로피온산칼슘, 디하이드로초산, 파라옥시안식향산 등

- 사카린 나트륨은 허용 감미료에 속한다.

42
정답 ③

복어 식중독

- 원인독소: Tetrodotoxin
- 복어의 위장, 간장, 난소, 고환 등에 주로 독성분 함유
- 섭취 30분 후 중독증상 발생, 3~6시간 증상 발현
- 중독증상: 청색증 현상, 지각이상, 운동장애, 언어장애, 신경중추, 호흡중추 마비를 일으키고 호흡곤란이나 심한 경우 사망에 이른다.

43
정답 ①

복어의 독성함유 순서

알 〉 난소 〉 고환 〉 간장 〉 내장 〉 표피

44
정답 ④

복어 식중독 증상

지각이상, 운동장애, 언어장애, 신경중추, 호흡중추 마비를 일으키고 호흡곤란이나 심한 경우 사망에 이른다.

45
정답 ③

베네루핀(venerupin)

조개류 식중독의 원인독소

- 바지락, 굴, 모시조개 등에서 발견
- 중독증상: 입술, 혀부터 차차 전신 마비 증상이 일어나고 전신권태, 두통, 구토, 토혈 등

46
정답 ①

Saxitoxin

대합조개, 홍합(섭조개)에서 분비되는 독소로 마비성 패독을 유발

47
정답 ④

Tetramine

소라나 고동에 함유된 독소로 동물성 식중독에서 조개류에 해당하는 독소물질

48
정답 ④

독버섯 구분

외관상 색이 아름답고 선명하나 물에 넣고 버섯을 끓일 때 은수저를 검게 변화시키는 것으로 조리과정에서 구분한다.

49
정답 ①

청매의 독소성분

Amygdalin

50
정답 ②

곰팡이 식중독

- 원인독소: Ergotoxin (맥각독), Citrinine (쌀독), Aflatoxin 등
- 곰팡이의 대사산물로 사람에게 장애 유발

51

정답 ④

Aflatoxin

주로 Aspergillus 속 곰팡이가 생성하는 2차 대사산물

- 곡류, 두류, 옥수수, 땅콩 등의 농산물에 이 곰팡이가 자라서 생성하는 곰팡이 독으로 간암 유발

52

정답 ③

식품 보관방법

물리적 보존법	가열법, 냉장 및 냉동법, 건조 및 탈수법, 자외선 및 방사선 이용법, 통조림법 및 밀봉법, 움 저장법 등
화학적 보존법	방부제 첨가법, 염장법, 당장법, 산절임법, 산화방지제 첨가법 등
물리, 화학적 보존법	훈연법, 가스저장법 등

53

정답 ④

물리적 보존법

가열법, 냉장 및 냉동법, 건조 및 탈수법, 자외선 및 방사선 이용법, 통조림법 및 밀봉법, 움 저장법 등

- 방부제 첨가법은 화학적 보존법에 속한다.

54

정답 ③

식품의 건조 및 탈수법

음식물을 적당히 건조하여 미생물의 번식을 억제하는 방법

- 수분 15%일 때가 미생물의 증식 억제 및 가치 손상을 최소화하는 적당한 건조 단계

55

정답 ③

움 저장법

온도는 10℃ / 습도는 85% / 땅속 1~2 m 저장하는 방법

56

정답 ①

화학적 보존법

방부제 첨가법, 염장법, 당장법, 산절임법, 산화방지제 첨가법 등

57

정답 ④

당장법

50% 이상의 설탕으로 저장하여 삼투압 작용에 의해 미생물 발육을 억제하는 방법

제12장 보건영양

01
정답 ③

조절소
신체의 기능을 조절하는 영양소
- 비타민, 무기질 및 단백질

02
정답 ④

영양소의 역할
- 열량소: 생명유지 및 활동에 필요한 에너지 생산 및 공급
- 조절소: 신체의 생리 기능 조절(에너지 생산과정에 참여)
- 구성소: 신체 조직을 구성

03
정답 ④

영양소
- 3대 영양소: 탄수화물, 지방, 단백질
- 5대 영양소: 탄수화물, 지방, 단백질, 비타민, 무기질
- 6대 영양소: 탄수화물, 지방, 단백질, 비타민, 무기질, 물

04
정답 ①

영양소
- 3대 영양소: 탄수화물, 지방, 단백질
- 5대 영양소: 탄수화물, 지방, 단백질, 비타민, 무기질
- 6대 영양소: 탄수화물, 지방, 단백질, 비타민, 무기질, 물

05
정답 ④

구성소
필요한 물질 재합성하고 신체 조직을 구성하는 물질을 공급하는 영양소
- 물(60%) 〉 단백질(20%) 〉 지방(15%) 〉 무기질(4%) 〉 탄수화물(1%)

06
정답 ②

구성소
필요한 물질 재합성하고 신체 조직을 구성하는 물질을 공급하는 영양소
- 물(60%) 〉 단백질(20%) 〉 지방(15%) 〉 무기질(4%) 〉 탄수화물(1%)

07
정답 ①

체내 열량 공급
탄수화물(4 kcal/g), 지방(9 kcal/g), 단백질(4 kcal/g)

08

정답 ③

단백질 부족

- Kwashiokor (콰시오코르): 빈혈, 발육부진, 저항력 감소 등
- Marasmus (마라스무스): 신체 소모 증상

09

정답 ③

단백질 부족

빈혈, 발육저하, 부종, 저항력 감소(면역결핍), 지능발달 장애 등

- 콰시오커(Kwashiokor): 저개발국가, 특히 아프리카에서 흔히 발견되는 단백질 결핍증으로 빈혈, 발육부진, 피부와 모발의 색소 변화, 부종, 저항력감소 등을 유발
- 마라스무스(Marasmus): 열량과 단백질이 모두 결핍되어 생기는 신체 소모 증상

10

정답 ③

단백질

- 아미노산의 결합, C·H·N으로 구성, 세포 구성하는 주성분
- 1 g당 4 kcal의 열량 발생
- 역할: 호르몬과 효소 구성, 신체조직 성장 및 유지, 체내 산과 알칼리 균형 조절, 혈액응고 조절, 항생제 역할 등
- 단백질 함유: 육류, 콩류, 생선, 우유, 달걀 등
- 단백질 부족: 빈혈, 발육저하, 부종, 저항력 감소 등

- 콰시오코르(Kwashiokor): 빈혈, 발육부진, 저항력 감소 등
- 마라스무스(Marasmus): 신체소모 증상

11

정답 ④

탄수화물

C·H·O로 구성된 화합물(당류, 당질)

- 1 g당 4 kcal의 열량 발생
- 역할: 대사활동, 중추신경계의 연료, 단백질 절약 등
- 탄수화물 함유: 곡류, 두류, 감자류, 사과, 바나나 등

12

정답 ③

탄수화물

- 과다 → 비만
- 부족 → 영양장애, 탈수, 피로, 허약 등

13

정답 ③

무기질

- C·H·O·N을 제외한 나머지 원소, 미네랄, 신체의 조절소와 구성소로 작용
- 무기질 종류: 나트륨, 칼륨, 염소, 칼슘, 마그네슘, 인, 요오드, 철분 등
- 역할: 체내 산−알칼리 평형 유지, 삼투압 유지, 소화 작용, 혈액응고 작용, 산소 운반, 에너지 대사, 신체의 혈액, 뼈, 모발, 손톱, 치아 등의 체조직 형성, 체내 수분함량 조절 등
- 체내에서 합성되지 못하여 식품을 통해 섭취해야 하며 무기질 결핍 시 질병 발생

14

정답 ③

무기질

탄소, 수소, 산소, 질소를 제외한 나머지 원소, 미네랄

- 역할: 체내 산−알칼리 평형 유지, 신체의 혈액, 뼈, 모발, 손톱, 치아 등 신체구조 형성, 체내 수분 공급 및 함량 조절, 혈액 응고, 근 수축, 심장 박동 조절 등

15

정답 ②

식염(NaCl)

소금, 삼투압 조절, 신경 자극 및 전도 등 조절소로서의 기능

- 부족 시 열중증이 발생

16

정답 ①

인(P)

생명체에 필수적인 원소로 뼈와 치아에 주로 존재

- 음식으로 섭취하고 소변으로 배출

17

정답 ③

무기질 결핍 시 발생하는 질병

- 나트륨: 열중증, 저혈압, 설사
- 칼륨: 근육약화(골격, 심근, 내장근 등)
- 염소; 성장속도 지연
- 칼슘: 구루병, 골연화증, 성장지연, 임산부의 치아 약화
- 마그네슘: 신경질환
- 인: 골연화증, 골절
- 요오드: 크레틴증
- 철분: 빈혈, 두통

18

정답 ④

무기질 결핍 시 발생하는 질병

17번 해설 참고

19
정답 ①

비타민 결핍 시 발생하는 질병

비타민 A	야맹증, 각막건조증
비타민 B₁	각기병, 신경염
비타민 B₂	구순염, 설염
비타민 B₆	피부염
비타민 B₁₂	악성빈혈
비타민 C	괴혈병, 피부병
비타민 D	곱추병, 구루병
비타민 E	불임증, 빈혈
비타민 K	혈액응고장애
니아신	펠라그라 발생으로 설사, 치매, 피부염 증상

20
정답 ①

비타민 결핍 시 발생하는 질병

19번 해설 참고

21
정답 ④

비타민 결핍 시 발생하는 질병

19번 해설 참고

22
정답 ③

코발트(Co)

비타민 B₁₂의 구성성분으로 빈혈, 신경정신 질환, 방사선 치료 등에 사용하는 사람을 비롯한 여러 동물들에게 필수적인 무기물 영양소

23
정답 ③

비타민 결핍 시 발생하는 질병

19번 해설 참고

24
정답 ④

비타민 결핍 시 발생하는 질병

19번 해설 참고

25
정답 ④

비타민 결핍 시 발생하는 질병

19번 해설 참고

26
정답 ②

지용성 비타민

A, D, E, F, K: 열에 강하여 조리 중에 덜 손실되고 장 속에서 지방과 함께 흡수, 유기용매에 녹는다.

- 수용성 비타민: B₁, B₂, B₆, B₁₂, C: 물에 녹아서 불필요한 양은 소변으로 배출

27
정답 ③

비타민 결핍 시 발생하는 질병

19번 해설 참고

28

정답 ③

니아신 결핍증

니아신 결핍 시 펠라그라 발생으로 설사, 치매, 피부염 등의 증상 나타남

29

정답 ④

기초대사량

생명유지에 필요한 최소 에너지 대사량

- 성인 기초대사량: 1,200~1,800 kcal

30

정답 ④

기초대사량(BMR, Basal Metabolic Rate)

생명유지에 필요한 최소 에너지 대사량

- 겨울 > 여름 : 겨울에는 체온 유지를 위해 에너지를 많이 사용하기 때문에 기초대사량이 약 10% 정도 증가하게 된다.

31

정답 ④

기초대사량

식후 12~18시간이 경과한 절대 안정의 상태에서 20℃의 온도를 유지하여 30분 동안 방출하는 열량을 측정

32

정답 ③

특이동적 작용(SDA, Specific dynamic action)

SDA, 식사 섭취 후 대사 항진 시 소비되는 에너지로 일 에너지는 사용되지 않고 열 에너지로 상실된다.

33

정답 ③

특이동적 작용(SDA, Specific dynamic action)

- 식사 섭취 후 대사 항진 시 소비되는 에너지로 일 에너지는 사용되지 않고 열 에너지로 상실
- SDA는 먹는 음식의 양과 종류에 따라 다양한데, 단백질의 SDA는 약 30%, 지방질은 약 4~6%, 탄수화물은 4~5%이고 혼합식의 SDA는 약 10% 정도

34

정답 ③

특이동적 작용(SDA, Specific dynamic action)

33번 해설 참고

35

정답 ④

Broca 지수(브로카 지수)

표준 체중 대비 비만도 지수

36

정답 ②

체질량 지수(BMI)

= 체중(kg) ÷ [신장(m) × 신장(m)]

- 18.5 미만: 저체중 / 18.5~24.9: 정상체중 / 25~30: 과체중 / 30 이상: 비만 / 40 이상: 고도비만
- 우리나라 학생 건강체력평가에서 주로 측정, 비만 판정 기준

37

정답 ②

BMI (Body Mass Index; 체질량 지수)

= 체중(kg) ÷ [신장(m) × 신장(m)]

- 18.5 미만: 저체중 / 18.5~24.9: 정상체중 / 25~30: 과체중 / 30 이상: 비만 / 40 이상: 고도비만
- 세계적으로 통용되는 비만 판정 기준 방법이나 성장 중인 어린이와 노인에게는 해당하지 않는다.

38

정답 ②

BMI (Body Mass Index; 체질량 지수)

- 체중(kg) ÷ [신장(m) × 신장(m)]
- 18.5 미만: 저체중 / 18.5~24.9: 정상체중 / 25~30: 과체중 / 30 이상: 비만 / 40 이상: 고도비만
- 세계적으로 통용되는 비만 판정 기준 방법이나 성장 중인 어린이와 노인에게는 해당하지 않는다.

39

정답 ③

Kaup 지수(카우프 지수)

- Kaup 지수
- ⓐ 체중(kg) ÷ [신장(m) × 신장(m)] × 104
- ⓑ 15 미만: 저체중 / 15~19: 정상체중 / 20 이상: 비만
- 영유아(5세 미만의 어린이 중 특히 2세 미만) 비만 판정에 많이 사용되는 지수

40

정답 ①

Rohrer 지수(로렐 지수)

- 체중(kg) ÷ [신장(cm)]^3 × 107
- 110 미만: 저체중 / 160 이상: 비만
- 학령기 이후의 어린이 비만 판정에 많이 사용되는 지수

41

정답 ②

Kaup 지수(카우프 지수)

- 체중(kg) ÷ [신장(m) × 신장(m)] × 104
- 15 미만: 저체중 / 15~19: 정상체중 / 20 이상: 비만
- 영유아(5세 미만의 어린이 중 특히 2세 미만) 비만 판정에 많이 사용되는 지수

공중보건학 정답 및 해설

보건관리

part

04

제13장	보건행정
제14장	의료보장
제15장	보건통계

제13장 보건행정

01
정답 ②

보건행정과 일반행정의 차이

보건행정은 기술(과학)행정

02
정답 ④

보건행정 특성

공공성과 사회성, 봉사성, 교육성 및 조장성, 과학성과 기술성

03
정답 ④

보건행정의 범위

세계보건기구(WHO)	미국공중보건협회	Emerson
① 보건관련 기록보존 ② 보건교육 ③ 환경위생 ④ 전염병 관리 ⑤ 모자보건 ⑥ 의료 ⑦ 보건간호	① 보건자료 기록과 분석 ② 보건교육과 홍보 ③ 감독과 통제 ④ 환경보건서비스 ⑤ 개인 보건서비스 실시 ⑥ 보건시설의 운영 ⑦ 사업과 자원 간의 조정	① 보건통계 ② 보건교육 ③ 환경위생 ④ 전염병관리 ⑤ 모자보건 ⑥ 만성병 관리 ⑦ 보건검사실 운영

04
정답 ④

보건행정의 범위

03번 해설 참고

05
정답 ①

보건의료체계 구성요인(WHO 국가보건의료체계 5요인, 1984년)

1. 보건의료자원의 개발

   보건의료자원: 보건의료체계가 그 기능을 수행하기 위해서 필요한 생산요소를 의미
2. 자원의 조직적 배치: 국가보건의료당국, 비정부기관, 건강보험프로그램, 민간부분 등
3. 보건의료서비스의 전달: 1차예방(건강증진, 예방), 2차예방(치료), 3차예방(재활)
4. 재정적 지원: 공공재원, 민간기업, 외국원조, 조직화된 민간기업, 지역사회에 의한 지원, 개인지출, 기타 기부금이나 복권판매 수익금 등
5. 정책 및 관리(보건행정): 의사결정, 기획 및 실행, 감시, 평가, 정부지원, 지도력, 법규

06
정답 ④

보건의료자원

- 보건의료인력: 의사, 간호사, 약사, 의료기사, 행정요원 등
- 보건의료시설: 병의원, 보건소, 보건지소, 약국, 조산원 등
- 보건의료장비 및 물자
- 보건의료기술 및 의료지식

07

정답 ①

Roemer(뢰머, 1991년)의 Matrix형 보건의료체계

경제적 요소(경제개발 수준)와 정치적 요소 기준(시장에 대한 개입 정도)에 따라 4가지로 분류

- 자유기업형
- 복지지향형
- 보편 또는 포괄형
- 사회주의형

08

정답 ③

Roemer(뢰머, 1976년)의 보건의료체계

- 자유기업형
- 복지국가형
- 저개발국형
- 개발도상국형
- 사회주의국형

09

정답 ③

Myers의 적정 보건의료서비스의 요소

- 접근의 용이성(Accessibility)
- 질적 적정성(Quality)
- 의료서비스의 계속성(Continuity)
- 보건의료의 효율성(Efficiency)

10

정답 ④

보건복지부 직제: 4실 6국

- 4실: 보건의료정책실, 사회복지정책실, 기획조정실, 인구정책실
- 6국: 건강보험정책국, 건강정책국, 보건산업정책국, 장애인정책국, 연금정책국, 사회보장위원회사무국

11

정답 ③

보건소 업무

- 국민건강 증진, 보건교육, 구강보건 및 영양관리사업
- 감염병의 예방, 관리 및 진료
- 모자보건 및 가족계획사업
- 노인보건사업
- 공중위생 및 식품위생
- 의료인 및 의료기관에 대한 지도 등에 관한 사항
- 의료기사, 의무기록사 및 안경사에 대한 지도 등에 관한 사항
- 응급의료에 관한 사항
- [농어촌 등 보건의료를 위한 특별조치법]에 의한 공중보건의사, 보건진료원 및 보건진료소에 대한 지도 등에 관한 사항
- 약사에 관한 사항과 마약, 향정신성의약품의 관리에 관한 사항
- 정신보건에 관한 사항
- 가정, 사회복지시설 등을 방문하여 행하는 보건의료사업
- 지역주민에 대한 치료, 건강진단 및 만성 퇴행성 질환 등의 질병관리에 관한 사항

- 보건에 관한 실험 또는 검사에 관한 사항
- 장애인의 재활사업 기타 보건복지부령이 정하는 사회복지사업
- 기타 지역 주민의 보건의료의 향상, 증진 및 이를 위한 연구 등에 관한 사항

12
정답 ④
보건소장
- 의사의 면허를 가진 자 중에 시장·군수·구청장이 임명
- 의사의 면허를 가진 자로서 충원하기 곤란한 경우에는 보건의무직 공무원을 보건소장으로 임명할 수 있다.

13
정답 ③
보건소
1962년에 현재 형태의 보건소가 처음 설치 및 운영

14
정답 ①
WHO 본부 위치
스위스 제네바

15
정답 ②
WHO의 6개 지역 사무소
- 미주 지역 사무소: 미국 워싱턴 본부
- 아프리카 지역 사무소: 콩고 브라자빌 본부
- 유럽 지역 사무소: 덴마크 코펜하겐 본부
- 서태평양 지역 사무소: 필리핀 마닐라 본부(한국 1949년 65번째로 WHO 가입)
- 동지중해 지역 사무소: 이집트 알렉산드리아 본부
- 동남아시아 지역 사무소: 인도 뉴델리 본부(북한 가입)

16
정답 ③
WHO의 6개 지역 사무소
15번 해설 참고

17
정답 ②
WHO 주요 보건사업
결핵·말라리아사업, 모자보건사업, 영양개선사업, 환경위생사업, 보건교육사업, 성병, AIDS사업 등

제14장 의료보장

01
정답 ②

Bismark

최초의 사회보장제도 창시자: 독일의 비스마르크,
1883년

02
정답 ②

'사회보장' 용어 처음 사용

미국 루즈벨트 대통령 뉴딜정책의 일환으로 처음 사
용(1935년)

03
정답 ①

최초의 사회보장법 제정

미국(1935년)

04
정답 ④

의료보험법 제정

1963년

05
정답 ④

기초노령연금제도, 장기요양보험제도 실시

2008년

06
정답 ②

사회보장

07
정답 ④

06번 해설 참고

08
정답 ②

5대 사회보험

산업재해보상보험(1964) → 건강보험(1977) → 국민연
금보험(1988) → 고용보험(1995) → 노인장기요양보험
(2008)

09
정답 ②

국민연금(1988년)

- 소득보장, 소득비례
- 노령, 유족(사망), 장애보험
- 18세 이상 60세 미만 대상

10
정답 ④

노인장기요양보험(2008년)

- 노인 요양에 관한 보험
- 65세 이상 또는 노인성질환자 대상

11
정답 ④

사회보험과 사보험의 비교

구분	사회보험	사보험
보험가입	강제가입	임의가입
가입목적	최저생계 또는 의료보장	개인 필요성에 따른 보장
적용대상	질병, 산재, 실업, 노령 등	질병, 화재, 생명, 자동차 등
독점 및 경쟁	정부 또는 공공기관의 독점	자유경쟁
보험료	소득수준에 따른 능력비례부담	약정된 수준에 따른 선택부담
급여수준	균등급여	차등급여
보험대상	집단보험	개별보험

12
정답 ②

공공부조

국가 및 지방자치단체의 책임 하에 생활 유지 능력이 없거나 생활이 어려운 국민의 최저생활을 보장하고 자립을 지원하는 제도를 의미(사회보장법 제3조)

- 일종의 구빈제도, 자력으로 생계유지가 어려운 사람들을 자산조사를 통해 수혜자를 결정하여 자력으로 생활할 수 있을 때까지 국가에서 지원
- 국민기초생활보장: 생계급여, 의료급여, 장제급여, 교육급여, 자활급여, 주거급여, 해산급여
- 조세에 의존

13
정답 ③

공공부조

12번 해설 참고

14
정답 ③

사회복지서비스

보건의료서비스(무료보건서비스, 공공보건서비스 등)와 사회복지서비스(아동, 노인, 장애인, 한부모 가족, 부녀복지 등)로 구성

15
정답 ④

국민보건서비스형(NHS)

정부가 일반조세로 재원을 마련하여 모든 국민에게 무상으로 의료를 제공하는 것(조세방식 또는 베버리지 방식)

- 영국, 스웨덴, 이탈리아, 캐나다 등에서 시행
- 국내 거주 모든 사람에게 포괄적인 보건의료서비스를 무료로 제공
- 의료의 질 저하 가능, 정부의 의료비 과다 지출 문제 가능

16

정답 ④

사회보험형(NHI)

의료비에 대하여 국민의 자기 책임의식을 강조하고 정부의존을 최소화하여 보험자가 보험료의 재원을 마련하여 의료를 보장하는 것(사회보험 방식 또는 비스마르크 방식)

- 한국, 독일, 일본, 프랑스, 대만, 네덜란드 등에서 시행
- 대상자 모두가 강제로 가입하며 의료공급자, 보험자, 피보험자가 존재
- 양질의 의료 제공 가능, 의료비 증가에 대한 억제 기능의 취약성으로 보험재정 불안정 가능성

17

정답 ①

16번 해설 참고

18

정답 ①

행위별수가제(FFS)

의사가 진료할 때 의료비가 치료의 종류 및 기술의 난이도와 서비스의 양에 따라 결정되는 방식으로 시장기능에 의해 수가 결정

- 우리나라 건강보험 행위별수가제 실시

장점	단점
·의사의 재량권 확대, 자율성의 보장 ·서비스 양과 질 극대화 ·가장 합리적이고 현실적 ·과학기술의 발달유도	·수가에 대한 공급자와 보험자 간의 마찰 ·과잉진료에 대한 의료비 상승 가능 ·행정적으로 복잡 ·예방보다는 치료에 치중 ·상급병원 후송 기피 ·기술지상주의 가능성

19

정답 ④

포괄수가제(DRG)

환자가 병의원에 입원하여 퇴원할 때까지 진료의 종류나 횟수와 상관없이 미리 정해진 진료비를 부담하는 방식으로 환자 종류당 총괄보수단가 설정하여 보상

- 대표적으로 유럽국가들에서 포괄수가제 실시. 미국의 Medicare 병원 진료비 적용하는 DRG (진단명 기준 환자군)-PPS 대표적 방식
- 우리나라에서 7개의 질환(백내장, 편도, 맹장, 탈장, 치질, 제왕절개분만, 자궁수술)에 대해 병원, 의원, 종합병원, 상급종합병원에서 실시(2012년 7월부터)

장점	단점
·경제적 진료 ·행정업무 간편 ·진료의 표준화 ·부분적으로 적용 가능 ·의료기관 생산성 증대	·의료서비스 질 저하 초래 ·서비스의 규격화 ·과소진료 가능 ·의료행위에 대한 자율성의 감소 ·합병증 발생에 관한 적용곤란

20

정답 ③

포괄수가제

19번 해설 참고

21

정답 ④

포괄수가제(DRG)

19번 해설 참고

22
정답 ④

총괄계약제

진료측(의사단체)과 보험자측 간에 진료보수 총액을 사전에 체결하여, 진료측은 총액의 범위 내에서 진료를 진행하고, 보험자측은 의료기관에 일괄적으로 지급하고 보건의료서비스를 이용하는 방식

장점	단점
• 과잉진료에 대한 조절 가능 • 총진료비의 억제 가능	• 새로운 기술 도입의 어려움 • 진료비계약에 대한 협상문제로 의료제공 혼란 초래 가능

23
정답 ①

봉급제(성과급제)

환자 수나 제공하는 서비스의 양 상관없이 일정한 기간에 따라 보상하는 방식

- 국민보건서비스 제도를 실행하고 있는 국가나 사회주의 국가에서 주로 시행

장점	단점
• 의사 수입의 안정성 보장 • 치료 및 진료에 집중 • 행정처리 용이 • 과잉진료나 진료비용 산정에 대한 불신 없음	• 관료화 우려 • 진료 형식화 • 과소 서비스 • 동기부여가 적음 • 질 저하에 따른 과소진료 초래 가능성

24
정답 ③

인두제

의사 1인당 등록된 환자 수 또는 실제 이용자 수를 기준으로 진료비가 지불되는 방식

장점	단점
• 등록된 환자에게 사용되는 진료 비용이 적을수록 의사의 수입 증가(진료의 지속성의 증대로 비용이 상대적으로 저렴) • 예방활동, 질병의 조기발견에 집중 • 행정적 업무절차 간편 • 의료남용을 줄일 수 있음	• 환자의 선택권 제한 • 최소한의 서비스 양 • 고위험, 고비용환자 기피 가능 • 과소치료 가능 • 환자후송 및 의뢰의 증가 가능

25
정답 ①

우리나라의 의료보장

건강보험, 의료급여, 산업재해보상보험

26
정답 ②

국민건강보험 의료보험 3요소

보험자(국민건강보험관리공단), 피보험자(국민), 요양취급기관(병원)

- 피보험자는 본인 일부 부담금과 비급여 비용만 부담하고, 나머지 진료비는 요양취급기관(의료공급자)가 보험자에게 청구하는 방식

27
정답 ④

국민건강보험 의료보험 3요소

26번 해설 참고

28

정답 ③

국민건강보험 의료보험 3요소

26번 해설 참고

29

정답 ②

법정급여(강제성)

- 현물급여: 요양급여, 건강진단
- 현금급여: 요양비, 장애인 보장구 급여비, 본인부담환급금, 본인부담보상금

30

정답 ②

법정급여(강제성)

29번 해설 참고

31

정답 ④

본인일부부담

- 의료기관 이용 시 발생하는 진료비의 일부를 이용자가 부담
- 과잉진료 및 과잉수진의 부작용 문제 보완
- 본인부담금: 비급여 진료비(건강보험이 급여대상으로 하지 않는 서비스에 대한 비용)+법정 본인부담금
- 외래진료는 요양기관 종별에 따라 본인부담률에 차등을 두고 있으며, 입원 시에는 요양기관 종별에 상관없이 요양급여비용 총액의 20%를 본인부담으로 한다.

32

정답 ③

진료비 청구와 심사

보험가입자 → (본인부담금+비급여진료비) → 요양취급기관 → (진료비 청구) → 건강보험심사평가원 → (진료비 평가, 공단에 통보) → 국민건강보험공단 → (진료비 지급) → 요양취급기관

33

정답 ②

의료급여 제도의 특성

공적부조 제도로 국민기초생활보장 수급권자와 일정 수준 이하의 저소득층 및 특수계층을 대상으로 국가 재정에 의해 의료혜택을 주는 제도

- 본인의 신청에 의하여 수혜가 결정되며, 의료급여의 수혜자가 저소득층이나 빈곤층으로 한정
- 급여는 자산조사를 통한 필요도를 조사한 후에 주어지며, 수혜자의 재산 상태와 필요도에 따라 급여수준에 차등
- 공공부조는 전적으로 국가의 일반재정으로 조달, 일부를 지방자치단체가 부담할 수 있음

34

정답 ③

의료급여 제도의 주요 관리운영 주체

중앙정부, 시·도 및 시·군·구 자치단체, 건강보험공단, 건강보험심사평가원

35

정답 ④

산업재해보상보험

우리나라 산업재해보상보험은 의료보장, 소득보장 동시 기능

36

정답 ②

산재보험

사업주가 보험료 전액 납부

37

정답 ④

장기요양급여의 종류

재가급여, 시설급여, 특별현금급여

- 치료비는 지원하지 않는다.

38

정답 ②

노인장기요양보험의 수급대상자

65세 이상의 노인 또는 65세 미만 자로서 뇌혈관성 질환, 치매 등 노인성 질병을 가진 자 중에 6개월 이상 혼자서 일상생활을 수행하기 어렵다고 인정되는 자, 65세 미만의 노인성 질병이 없는 일반 장애인은 제외

제15장 보건통계

01

정답 ④

보건통계학의 역할

- 국가와 지역사회의 보건수준(상태)를 평가할 수 있다.
- 지역사회주민의 질병양상을 파악할 수 있다.
- 보건사업의 필요성을 결정하며 보건사업계획의 기초가 된다.
- 보건사업의 우선순위를 결정하고 방향을 제시하며 사업기획, 조정, 진행, 결과 등의 발전에 이용된다.
- 보건사업의 행정활동의 지침이 될 수 있다.
- 보건사업의 평가에 결정 자료가 된다.
- 보건에 관한 법률에 관하여 개정이나 제정을 촉구할 수 있다.

02

정답 ③

모집단

통계적인 관찰의 조사 대상이 되는 집단 전체

03

정답 ③

산술평균

측정값을 모두 합한 후 측정수로 나눈 값으로 일반적으로 평균이라 할 때 산술평균을 의미

- 기하평균: 측정값의 곱의 n제곱근을 의미
- 조화평균: 각 변량들의 역수들을 산술평균한 것의 역수를 의미

04

정답 ②

대표값(집중화 경향, Central tendency)

변수의 분포가 일정 속성에 집중되는 정도를 의미, 관찰된 자료가 어느 위치에 집중되어 있는가를 나타내는 척도

- 평균값(mean): 일정한 변수의 분포가 지니는 모든 범주 값들의 합산을 전체 사례수로 나눈 수치
  - 산술평균: 측정값을 모두 합한 후 측정수로 나눈 값으로 일반적으로 평균이라 할 때 산술평균을 의미
  - 기하평균: 측정값의 곱의 n제곱근을 의미
  - 조화평균: 각 변량들의 역수들을 산술평균한 것의 역수를 의미
- 중앙값(median): 모든 범주들을 작은 값부터 큰 값의 순서로 서열화시켰을 때 정확히 가운데 위치하는 범주의 값
- 최빈값(mode): 빈도 분포에서 가장 많은 빈도수를 차지하는 범주의 값

05

정답 ①

분산

일정한 분포에 있어서 각 범주들이 평균값을 중심으로 흩어진 정도를 의미

- 편차의 제곱의 평균값

06

정답 ②

산포도

특정 집중화 경향치를 중심으로 변수의 분포가 흩어져 있는 정도를 의미

- 편차, 분산, 표준편차, 평균편차, 사분위편차, 변이계수 등

07

정답 ③

표준편차

분산에 제곱근을 구한 것(의미적으로 분산과 동일)

- 산포도 측정 시 가장 많이 사용

08

정답 ④

변이계수

표준편차를 산술평균으로 나눈 값

- 측정치의 크기 차이가 많이 날 때 사용되며, 상대적 산포도이다.

09

정답 ②

척도

사물의 속성을 구체화하기 위한 측정의 단위

- 명목척도, 순서척도, 간격척도, 비척도

10

정답 ④

척도

명목척도 (명명척도)	사물을 구분하기 위하여 임의적으로 숫자를 부여한 척도로 가장 낮은 수준의 척도이다. 예) 성별의 1, 2 표시, 운동선수의 등번호 등
순서척도 (서열척도)	사물의 상대적인 서열을 표시하기 위해 쓰이는 척도로 부여된 숫자 간에 순위나 대소를 결정하기 위해 사용된다. 예) 지원자들에 대한 면접관의 선호 순위를 정하시오(1위– 2위– 3위–). 상품에 대한 좋아하는 것부터 차례로 1위부터 5위까지 정하시오.
간격척도 (등간척도)	사물의 속성에 대한 순위를 부여하되 동일한 측정단위 간격마다 동일한 차이를 부여하는 척도이다. 예) 온도, 학업성취점수, 물가지수 등 당신이 작업을 수행하는 쾌적함을 느끼는 온도에 해당하는 것은? (5~10℃, 10~15℃, 15~20℃, 20~25℃, 25~30℃)
비척도 (비율척도)	서열성, 등간성을 지니는 동시에 절대영점을 가지는 척도로 모든 수학적 계산이 가능한 가장 상위의 척도이다. 예) 무게, 길이, 신장, 체중, 성과점수 등

11

정답 ②

척도

10번 해설 참고

12

정답 ①

척도

10번 해설 참고

13

정답 ①

정규분포

- 통계분석 시 가장 많이 쓰이는 기본적인 분포로 매우 중요한 역할을 한다.
- 정규분포의 모양은 평균을 중심으로 좌우 대칭이며, 마치 종(bell)을 엎어놓은 것 같은 모양의 분포로 Gaus(가우스) 분포라고도 한다.
- 평균값, 중앙값, 최빈값이 정확히 일치하는 연속형 분포이다. 즉, 평균을 중심으로 표준 편차의 범위 안에 양쪽 옆으로 전체 데이터에 대한 정보가 50%씩 속해 있는 좌우 대칭이다.
- 분포의 평균과 표준편차가 어떠한 값을 갖더라도 정규곡선과 x축 사이의 전체면적은 1이다.
- 평균을 중심으로 양쪽으로 1시그마 안에는 전체 데이터의 정보 중 약 68.3%가 속해 있고, 2시그마 안에는 약 95.4%, 3시그마 안에는 99.7%가 속해 있다.

14

정답 ③

정규분포 표본의 크기와 신뢰도

표본의 크기가 클수록 신뢰도는 높아지고 신뢰구간의 폭은 좁아진다.

15

정답 ①

전수조사

조사대상으로 하는 모집단의 모든 개개의 단위를 조사하는 방법

- 인구 및 주택조사 센서스, 사업체 총조사, 농업 총조사 등
- 다른 표본조사나 어떤 정책결정의 중요한 기초자료로 활용
- 많은 비용과 시간, 인력 필요

16

정답 ②

표본조사

전체 모집단 중 일부의 부분집단을 과학적인 추출방법에 따라 추출하여 그 추출된 일부분을 대상으로 조사하여 얻어진 정보를 토대로 전체 모집단에 대한 특성을 추정하는 것

- 표본조사 장점(전수조사와 비교)
  - 경제성: 비용과 노력이 적게 든다.
  - 신속, 정확성: 전수조사에 비해 신속, 자료의 규모가 작아 비표본오차를 줄일 수 있어서 정확
  - 심도 있는 조사 가능성: 비용과 시간적 제약으로 전수조사에서 불가능한 심도 있는 조사 가능
  - 혈액검사, 제품의 파괴검사 등 전수조사가 불가능한 경우에 유용

17

정답 ②

확률표본추출

단순무작위표본추출, 계통적표본추출, 층화표본추출, 집락표본추출

18

정답 ④

단순무작위표본추출

각 표본추출단위가 추출될 확률이 사전에 알려져 있고, "0"이 아니도록 동일하게 표본을 추출하는 방법

- 난수표(0~99) 주로 이용
- 추출될 확률이 모두 동일하고 주기성이 없다.

19

정답 ③

계통적표본추출

표본추출 단위들 간에 순서가 있는 경우 표본추출간격으로 표본을 추출하는 방법

- 첫번째 표본은 단순무작위표본추출로 뽑은 후 정해 놓은 표본추출 순서로 표본을 뽑는다.

20

정답 ④

병상이용율(병상가동률)

= (1일 평균 재원환자 수/병상 수)×100

- 병원이용률 = (조정환자 수/연 가동병상 수)×100
- 병상회전율 = (평균 퇴원환자 수/평균 가동병상 수)×1,000
- 병상점유율 = (1일 평균 병상점유 수/인구)×1,000
- 입원율 = (대상인구 중 연간 입원환자 수/대상인구)×1,000
- 일일평균 외래환자 수 = (기간 중 외래환자 수/기간 중 외래경영일수)
- 병상 회전간격 = (연 가동병상수 − 퇴원환자 총 재원일수) / 퇴원실 인원 수
- 평균재원일수 = 기간 중 재원일수 / 기간 중 퇴원환자 수

21

정답 ②

병상회전율

= (평균 퇴원환자 수/평균 가동병상 수)×1,000

22

정답 ④

일반출산률

$$= \frac{1년간 \ 총 \ 출생아 \ 수}{당해연도 \ 가임연령 \ 여자인구} \times 1,000$$

- 출산력 수준을 평가하는 가장 좋은 지표

23

정답 ③

연앙인구

출생률과 사망률을 산출할 때 보통 그 해의 중간인 7월 1일을 기준으로 하는데 이를 연앙인구라고 한다.

24

정답 ①

조출생률(보통출생률, 일반출생률)

가족계획사업 효과 판정으로 가장 좋은 지표

25

정답 ③

가임연령 나이

15~49세

26

정답 ③

총재생산율

한 여성이 평생 동안 여아를 총 몇 명 출산하는가를 나타냄(어머니의 사망률 고려하지 않음)

$$= \frac{합계출산율}{총출생수} \times 여아출생 \ 수$$

27

정답 ④

순재생산율

일생 동안 출산한 여아의 수 가운데 출산가능 연령에 도달한 생존여자의 수만을 나타낸 것

- 가임기간 동안 일생에 여아를 몇 명 출산하였는가를 나타냄(어머니의 사망률 고려)

28

정답 ④

순재생산율

일생 동안 출산한 여아의 수 가운데 출산가능 연령에 도달한 생존여자의 수만을 나타낸 것

- 가임기간 동안 일생에 여아를 몇 명 출산하였는가를 나타냄(어머니의 사망률 고려)
- 순재생산율 1.0: 인구 증감이 없이 1세대와 2세대 간의 여자수가 같다.
- 순재생산율 1.0 이상: 다음세대 인구의 증가
- 순재생산율 1.0 이하: 다음세대 인구의 감소

29

정답 ①

조사망률(보통사망률)

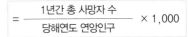

30

정답 ④

주산기사망률

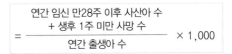

31

정답 ④

신생아후기사망률

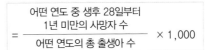

32

정답 ③

영아사망률

$$= \frac{\text{연간 영아(생후 1년 미만) 사망자 수}}{\text{연간 출생아수}} \times 1,000$$

- 한 국가나 지역사회의 보건(건강)수준을 나타내는 가장 대표적인 지표

33

정답 ③

α–Index

= 어떤 연도의 영아 사망자 수
어떤 연도의 신생아 사망자 수

- α–Index 값이 1.0이면 영아사망이 전부 신생아사망이라는 것, 이는 예방 가능한 신생아 후기 사망이 없으므로 모자보건의 수준이 높음을 의미
- α–Index 값이 1.0에 가까울수록 선진국형이며 보건수준이 높다.

34

정답 ③

α–Index

33번 해설 참고

35

정답 ③

모성사망률

$$= \frac{연간\ 모성\ 사망자\ 수}{연간\ 가임기여성\ 수} \times 100,000$$

- 모성사망비

$$= \frac{연간\ 임신,\ 분만,\ 산욕기\ 모성\ 사망자\ 수}{연간\ 가임기여성\ 수} \times 100,000$$

36

정답 ④

비례사망지수

사망통계에 해당

37

정답 ④

비례사망지수

$$= \frac{어떤\ 연도의\ 50세\ 이상\ 사망자\ 수}{어떤\ 연도의\ 사망자\ 수} \times 100$$

- 총 사망자수에 대한 50세 이상의 사망자 수를 백분율로 표시한 지수를 의미하는 것
- PMI가 크다는 것은 50세 이상의 사망자수가 많아 장수인구가 많고 건강수준이 높음을 의미
- PMI가 낮다는 것은 평균수명이 그 원인으로 낮은 연령층의 사망에 관심을 가져야 함을 의미

38

정답 ②

비례사망지수(PMI)

$$= \frac{어떤\ 연도의\ 50세\ 이상\ 사망자\ 수}{어떤\ 연도의\ 사망자\ 수} \times 100$$

- 총 사망자 수에 대한 50세 이상의 사망자 수를 백분율로 표시한 지수를 의미하는 것
- PMI가 크다는 것은 50세 이상의 사망자 수가 많아 장수인구가 많고 건강수준이 높음을 의미
- PMI가 낮다는 것은 평균수명이 그 원인으로 낮은 연령층의 사망에 관심을 가져야 함을 의미

39

정답 ③

WHO 3대 보건(건강)지표

- 평균수명: 0세의 평균여명
- 조사망률(보통사망률)
- 비례사망지수(PMI)

40

정답 ④

국가 및 지역 간 3대 보건(건강)지표

- 평균수명
- 영아사망률
- 비례사망지수

41

정답 ①

평균수명

어떤 연령의 사람이, 평균 몇 년 살 수 있는가 하는 기대값으로 0세의 평균여명을 평균수명이라 한다.

42

정답 ④

감염병의 발생률과 유병률

- 감염병 유행기간이 짧으면 발생률과 유병률은 거의 같다.
- 급성 감염병: 발생률은 높고, 유병률은 낮다.
- 만성 감염병: 발생률은 낮고, 유병률은 높다.

43

정답 ③

발병률

$$= \frac{\text{연간 발병자 수}}{\text{위험에 노출된 인구수}} \times 1,000$$

- 위험에 노출된 인구는 전체학생 900명 중에서 예방접종 학생 300명과 이전 발병학생 50명을 제외한 550명이고, 발병자수는 15명이므로 발병률은 (15/550)×1,000이다.

44

정답 ③

2차 발병률

$$= \frac{\begin{array}{c}\text{최초 환자와 접촉하여}\\\text{발병된 2차 발병자}\end{array}}{\begin{array}{c}\text{최초 환자와 접촉자}\\\text{(1차발병자와 면역자 제외)}\end{array}} \times 100$$

45

정답 ③

2차 발병률

$$= \frac{\begin{array}{c}\text{최초 환자와 접촉하여}\\\text{발병된 2차 발병자}\end{array}}{\begin{array}{c}\text{최초 환자와 접촉자}\\\text{(1차발병자와 면역자 제외)}\end{array}} \times 100$$

- 발병환자를 가진 가구의 감수성 있는 가구원 중에 이 병원체의 최장 잠복기 내에 발병하는 환자의 비율
- 감염성 질환에서 병원체의 감염력 및 전염력의 간접 측정에 유용하게 사용되어 전염병 관리 수단의 효과를 평가하는데 효과적인 지표로 알려진다.

46

정답 ④

유병률

어느 시점에서 일정한 집단 안에 질병에 걸려 있는 환자 수가 몇 명인가 나타낸다.

47

정답 ③

유병률

$$= \frac{\text{어떤 시점의 환자 수}}{\text{어떤 시점의 인구 수}} \times 1,000$$

- 어떤 시점에서 조사 당시 질병이 있는 모든 사람을 의미
- 이환 시기가 짧으면 유병률이 낮고, 이환 시기가 길면 유병률이 높다(유병률=발생률×이환 기간).

48

정답 ②

치명률

$$= \frac{\text{연간 모성 사망자 수}}{\text{연간 가임기여성 수}} \times 1,000$$

- 어떤 질병에 이환된 사람 중에 사망한 사람을 의미(질병의 위험도 및 전염 정도)
- 치명률이 높다는 것은 그 질병에 대한 면역력과 그 인구집단의 건강도가 낮고, 병원체의 독성과 감염량이 높다는 것을 의미

49

정답 ③

이환률

$$= \frac{\text{그 기간의 환자 수}}{\text{어떤 기간의 중앙인구(연앙인구)}} \times 1,000$$

공중보건학 정답 및 해설

영역별 보건

part

05

제16장	학교보건
제17장	보건교육
제18장	산업보건
제19, 20장	인구보건, 모자보건
제21, 22장	노인보건과 정신보건, 성인보건

제16장 학교보건

01

정답 ②

학교보건의 목적

학교의 보건관리와 환경위생보호구역에 필요한 사항을 규정하여 학생과 교직원의 건강을 보호·증진함을 목적으로 한다. 〈학교보건법 제1조〉

02

정답 ①

학교보건교육

학교는 한 곳에 대상자들이 모두 모여 있어 집단교육의 실시가 용이하다.

03

정답 ②

학교보건교육의 중요성

- 학교는 한 곳에 대상자들이 모두 모여 있어 교육기회 활용에 좋다.
- 학생 시기에 모든 생활습관이 형성되는 시기로 감수성이 예민하고 변화가 용이하여 습득한 건강지식과 태도는 일생 동안 영향을 미쳐 습관화와 생활화가 쉽다.
- 학생인구는 총 인구의 25% 정도로 대상 인구 규모가 커서 학생을 통해 파급되는 효과가 크다.
- 학교는 지역사회의 중심 역할을 수행한다.
- 학교의 학생들을 대상으로 하는 보건교육은 그들의 학부모까지 교육 파급효과 기대할 수 있다.

04

정답 ③

학교보건교육

학생인구는 총 인구의 25% 정도로 대상 인구 규모가 크고 지역사회 중심체로서의 역할을 하여 학생을 통해 파급되는 효과가 크다.

05

정답 ③

학교보건사업

학교보건에서 환경위생관리사업이 가장 우선시된다.

06

정답 ④

보건교사의 직무

가. 학교보건계획의 수립

나. 학교 환경위생의 유지·관리 및 개선에 관한 사항

다. 학생과 교직원에 대한 건강진단의 준비와 실시에 관한 협조

라. 각종 질병의 예방처치 및 보건지도

마. 학생과 교직원의 건강관찰과 학교의사의 건강상담, 건강평가 등의 실시에 관한 협조

바. 신체가 허약한 학생에 대한 보건지도

사. 보건지도를 위한 학생가정 방문

아. 교사의 보건교육 협조와 필요시의 보건교육

자. 보건실의 시설·설비 및 약품 등의 관리

차. 보건교육자료의 수집·관리

카. 학생건강기록부의 관리

타. 다음의 의료행위(간호사 면허를 가진 사람만 해당한다)

  1) 외상 등 흔히 볼 수 있는 환자의 치료

2) 응급을 요하는 자에 대한 응급처치

3) 부상과 질병의 악화를 방지하기 위한 처치

4) 건강진단결과 발견된 질병자의 요양지도 및 관리

5) 1)부터 4)까지의 의료행위에 따르는 의약품 투여파. 그 밖에 학교의 보건관리

07

정답 ③

절대보호구역

학교출입문(학교설립예정지의 경우에는 설립될 학교의 출입문 설치 예정 위치를 말한다)으로부터 직선거리로 50미터까지인 지역

- 상대보호구역: 학교경계선 또는 학교설립예정지경계선으로부터 직선거리로 200미터까지인 지역 중 절대보호구역을 제외한 지역

08

정답 ①

절대보호구역

07번 해설 참고

09

정답 ④

상대보호구역

학교경계선 또는 학교설립예정지경계선으로부터 직선거리로 200미터까지인 지역 중 절대보호구역을 제외한 지역

- 절대보호구역: 학교출입문(학교설립예정지의 경우에는 설립될 학교의 출입문 설치 예정 위치를 말한다)으로부터 직선거리로 50미터까지인 지역

10

정답 ③

학교장

건강검사의 결과나 의사의 진단 결과 감염병에 감염되었거나 감염된 것으로 의심되거나 감염될 우려가 있는 학생 및 교직원에 대하여 대통령령으로 정하는 바에 따라 등교를 중지시킬 수 있다.

11

정답 ③

예방접종 완료 여부의 검사

- 초등학교와 중학교의 장은 학생이 새로 입학한 날부터 90일 이내에 시장·군수 또는 구청장에게 예방접종증명서를 발급받아 예방접종을 모두 받았는지를 검사한 후 이를 교육정보시스템에 기록하여야 한다.

- 초등학교와 중학교의 장은 검사결과 예방접종을 모두 받지 못한 입학생에게는 필요한 예방접종을 받도록 지도하여야 하며, 필요하면 관할 보건소장에게 예방접종 지원 등의 협조를 요청할 수 있다.

12

정답 ③

학교장의 의무

학교 내에서 발생하는 모든 보건문제에 대한 책임은 학교장에게 있다.

1. 학교의 환경위생 및 식품위생의 유지, 관리
2. 학교환경위생 보호구역의 관리
3. 건강검사의 실시
4. 학생건강증진계획의 수립, 시행
5. 건강검사기록
6. 감염병에 감염되었거나 감염된 것으로 의심되거나 감염될 우려가 있는 학생 및 교직원에 대해 등교 중지시킬 수 있다.
7. 학생 및 교직원의 보건관리
8. 보건교육
9. 예방접종 완료 여부 검사
10. 질병의 치료 및 예방조치
11. 학생 안전관리
12. 질병 예방과 휴교조치

13

정답 ①

교육감

학교의 보건·위생 및 학습 환경을 보호하기 위하여 교육감은 대통령령으로 정하는 바에 따라 학교환경위생 보호구역을 설정·고시하여야 한다.

14

정답 ②

교육감

학생의 신체 및 정신 건강증진을 위한 학생건강증진계획을 수립·시행하여야 한다.

15

정답 ④

보호구역의 관리

- 보호구역은 보호구역이 설정된 해당 학교의 장이 관리(다만, 학교설립예정지의 경우에는 학교가 개교하기 전까지는 보호구역을 설정한 자가 관리)
- 학교 간에 보호구역이 서로 중복되는 경우에는 다음 각 호에 해당하는 학교의 장이 그 중복된 구역을 관리
  - 상·하급 학교 간에 보호구역이 서로 중복될 경우에는 하급학교. 다만, 하급학교가 유치원인 경우에는 그 상급학교
  - 같은 급의 학교 간에 보호구역이 서로 중복될 경우에는 학생 수가 많은 학교
- 학교 간에 절대보호구역과 상대보호구역이 서로 중복될 경우에는 절대보호구역이 설정된 학교의 장이 이를 관리

16

정답 ③

환기·채광·조명·온습도의 조절 기준과 환기 설비의 구조 및 설치기준

환기	가. 환기의 조절기준 환기용 창 등을 수시로 개방하거나 기계식 환기설비를 수시로 가동하여 1인당 환기량이 시간당 21.6세제곱미터 이상이 되도록 할 것
	나. 환기설비의 구조 및 설치기준(환기설비의 구조 및 설치기준을 두는 경우에 한한다) 1) 환기설비는 교사 안에서의 공기의 질의 유지기준을 충족할 수 있도록 충분한 외부공기를 유입하고 내부공기를 배출할 수 있는 용량으로 설치할 것 2) 교사의 환기설비에 대한 용량의 기준은 환기의 조절기준에 적합한 용량으로 할 것 3) 교사 안으로 들어오는 공기의 분포를 균등하게 하여 실내공기의 순환이 골고루 이루어지도록 할 것 4) 중앙관리방식의 환기설비를 계획할 경우 환기덕트는 공기를 오염시키지 아니하는 재료로 만들 것
채광 (자연조명)	가. 직사광선을 포함하지 아니하는 천공광에 의한 옥외 수평조도와 실내조도와의 비가 평균 5퍼센트 이상으로 하되, 최소 2퍼센트 미만이 되지 아니하도록 할 것
	나. 최대조도와 최소조도의 비율이 10대 1을 넘지 아니하도록 할 것
	다. 교실 바깥의 반사물로부터 눈부심이 발생되지 아니하도록 할 것
조도 (인공조명)	가. 교실의 조명도는 책상면을 기준으로 300럭스 이상이 되도록 할 것
	나. 최대조도와 최소조도의 비율이 3대 1을 넘지 아니하도록 할 것
	다. 인공조명에 의한 눈부심이 발생되지 아니하도록 할 것
실내온도 및 습도	가. 실내온도는 섭씨 18℃ 이상 28℃ 이하로 하되, 난방온도는 섭씨 18℃ 이상 20℃ 이하, 냉방온도는 섭씨 26℃ 이상 28℃ 이하로 할 것
	나. 비교습도는 30% 이상 80% 이하로 할 것

17

정답 ①

학교보건의 환경기준

■ 학교보건법 시행규칙 [별표 4의2] 〈개정 2019. 10. 24.〉

공기 질 등의 유지·관리기준(제3조제1항제3호의2 관련)

1. 유지기준

오염물질 항목	기준(이하)	적용 시설	비고
가. 미세먼지	35 ㎍/㎥	교사 및 급식시설	직경 2.5 ㎛ 이하 먼지
	75 ㎍/㎥	교사 및 급식시설	직경 10 ㎛ 이하 먼지
	150 ㎍/㎥	체육관 및 강당	직경 10 ㎛ 이하 먼지
나. 이산화탄소	1,000 ppm	교사 및 급식시설	해당 교사 및 급식시설이 기계 환기장치를 이용하여 주된 환기를 하는 경우 1,500 ppm 이하
다. 폼알데하이드	80 ㎍/㎥	교사, 기숙사(건축 후 3년이 지나지 않은 기숙사로 한정한다) 및 급식시설	건축에는 증축 및 개축 포함
라. 총부유세균	800 CFU/㎥	교사 및 급식시설	
마. 낙하세균	10 CFU/실	보건실 및 급식시설	
바. 일산화탄소	10 ppm	개별 난방 교실 및 도로변 교실	난방 교실은 직접 연소 방식의 난방 교실로 한정
사. 이산화질소	0.05 ppm	개별 난방 교실 및 도로변 교실	난방 교실은 직접 연소 방식의 난방 교실로 한정
아. 라돈	148 Bq/㎥	기숙사(건축 후 3년이 지나지 않은 기숙사로 한정한다), 1층 및 지하의 교사	건축에는 증축 및 개축 포함
자. 총휘발성유기화합물	400 ㎍/㎥	건축한 때부터 3년이 경과되지 아니한 학교	건축에는 증축 및 개축 포함
차. 석면	0.01개/cc	「석면안전관리법」 제22조제1항 후단에 따른 석면건축물에 해당하는 학교	
카. 오존	0.06 ppm	교무실 및 행정실	적용 시설 내에 오존을 발생시키는 사무기기(복사기 등)가 있는 경우로 한정
타. 진드기	100마리/㎡	보건실	

18

정답 ④

이산화탄소 허용수치

17번 해설 참고

19

정답 ③

오존의 허용농도

17번 해설 참고

20

정답 ③

담임교사

초등학교에서 담임교사가 보건교육의 가장 중요한 역할을 한다.

21

정답 ④

학교보건인력

학교의사(한의사와 치과의사 포함), 학교약사, 보건교사

22

정답 ①

학교보건법 시행령 개정

– 36학급 이상→보건교사 2명(2021.12.09.)
– 학생의 건강관리를 강화하기 위하여 일정 규모 이상의 고등학교 이하 학교에는 2명 이상의 보건교사를 배치

제17장 보건교육

01

정답 ②

보건교육의 정의

R. Grout 교수: 보건교육은 건강에 관한 지식을 교육이라는 수단을 통해 개인, 집단 또는 지역사회 주민의 바람직한 행동으로 바꾸어 놓는 것이다.

02

정답 ③

보건교육

공중보건이란 건강에 관한 지식을 교육이라는 수단을 통해 개인, 집단 또는 지역사회 주민의 행동을 바람직한 방향으로 바꾸어 놓는 것이다. (R. Grout)

03

정답 ②

보건교육의 특징

보건교육이라 함은 개인 또는 집단으로 하여금 건강에 유익한 행위를 자발적으로 수행하도록 하는 교육을 말한다. (국민건강증신법)

04

정답 ①

보건교육 학습요구 유형(Bradshaw)

• 규범적 요구: 보건의료전문가에 의해 필요하다고 인정된 요구이며 전문가의 전문성이나 지식, 경험 등에 의해 영향을 받는다.

- 내면적 요구: 학습자의 바라는 대로 정의된다. 교육하기 전의 상태로 학습자가 교육의 필요성이나 의문들을 품고 있는 상태이다.
- 외향적 요구: 학습자가 바라는 대로 교육에 대한 직접적인 요청이나 나름의 보건행위 등을 통하여 말이나 행동으로 나타낸 상태이다.
- 상대적 요구: 다른 집단에 대한 차이의 특성을 검토하고 그 차이에 대하여 비롯된 요구 상태이다.

05
정답 ②

보건교육의 내용
- 금연·절주 등 건강생활의 실천에 관한 사항
- 만성퇴행성질환 등 질병의 예방에 관한 사항
- 영양 및 식생활에 관한 사항
- 구강건강에 관한 사항
- 공중위생에 관한 사항
- 건강증진을 위한 체육활동에 관한 사항
- 기타 건강증진사업에 관한 사항

06
정답 ④

보건교육 평가도구

보건교육 시행 후 바른 평가를 위하여 필요한 평가도구로 타당도, 신뢰도, 객관도, 실용도 등이 있다.

07
정답 ②

보건교육의 실행방법
- 개별접촉교육: 가정방문, 전화 또는 우편면담 등의 대상자의 개인적 특성을 고려한 맞춤형 보건

교육으로 교육의 효과적 측면에서 가장 좋은 방법으로 공개적인 교육이 어려운 건강문제 적용에 바람직하며 노인 또는 저소득층 대상에 적합한 교육방법
- 집단접촉교육: 비슷한 문제를 갖고 있는 집단의 교육법으로 가장 흔히 이용되며 비교적 적은 비용으로 다수의 행동변화 유도 가능한 교육방법
- 대중접촉교육: 감염병 유행이나 새로운 질병발생 등의 가장 많은 다수에게 긴급히 알려야 하는 건강문제에 대한 방법으로 대중매체(TV, 라디오, 영화, 신문기사, 전단, 인쇄물, 포스터 등), 캠페인 등이 주로 이용되는 교육방법

08
정답 ③

집단접촉교육

비슷한 문제를 갖고 있는 집단의 교육법으로 가장 흔히 이용되며 비교적 적은 비용으로 다수의 행동변화 유도 가능한 교육방법
- 건강상담은 개별접촉교육에 해당

09
정답 ②

대중접촉교육

감염병 유행이나 새로운 질병발생 등의 가장 많은 다수에게 긴급히 알려야 하는 건강문제에 대한 방법
- 대중매체(TV, 라디오, 영화, 신문기사, 전단, 인쇄물, 포스터 등), 캠페인 등이 주로 이용되는 교육방법

10

정답 ④

Edgar Dale의 경험의 원추

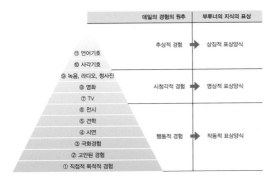

11

정답 ①

Edgar Dale의 경험의 원추

10번 해설 참고

12

정답 ④

심포지엄

3~5명의 전문가 동일한 주제에 대하여 10~15분 발표하고 발표내용을 중심으로 사회자가 청중을 공개토론에 참여시키는 교육방법

- 사회자는 관련 분야의 전문가이어야 하며 청중 역시 주제에 관하여 전문지식을 가진 전문가들로 구성된다.
- 심포지엄은 전문성과 관계가 깊다.

13

정답 ③

심포지엄

12번 해설 참고

14

정답 ③

패널토의(배심토의)

특정 주제에 대하여 청중 앞에서 각기 상반되는 의견을 가진 4~7명의 소수의 전문가인 대표자들이 사회자의 진행에 따라 그룹 토의하는 방법

- 전문가들의 발표 후에 청중의 질의·응답을 통해 전체 토의가 진행

15

정답 ②

분단토의(버즈세션)

전체를 여러 개의 분단으로 나누어 토의한 후 다시 전체회의에서 종합하는 방법

- 와글와글 학습법이라고도 한다.
- 참석인원이 많아도 진행이 가능하며 교육대상자에게 각각 참여 기회가 주어진다.
- 사회성과 반성적 사고능력이 길러진다.

16

정답 ③

포럼

사회자의 진행 하에 2명 이상의 전문가와 여러 구성원이 제시된 과제에 대하여 공개적으로 토의하는 방법

- 세미나, 심포지엄, 패널토의와 비슷

17

정답 ④

브레인스토밍

일정한 주제나 특별한 문제 해결을 위해 여러 사람이 모여 자유 발언을 통하여 갑자기 떠오르는 생각을 정리하여 논리화하는 방법

- 아이디어를 내어 어떠한 계획을 세우거나 창조적인 아이디어가 필요할 때 사용되는 방법
- 팝콘회의라고도 한다.

18

정답 ②

시범

보건교육에 가장 많이 사용되는 방법으로 이론적인 설명만으로 교육이 부족한 경우 교육자가 학습시키고자 하는 실제 장면을 만들어 지도하는 교육방법

- 현실적으로 교육내용을 실천 가능하게 하는 효과적인 방법

19

정답 ②

시범

보건교육에 가장 많이 사용되는 방법으로 이론적인 설명만으로 교육이 부족한 경우 교육자가 학습시키고자 하는 실제 장면을 만들어 지도하는 교육방법

- 현실적으로 교육내용을 실천 가능하게 하는 효과적인 방법

20

정답 ④

역할극

학습자가 어떤 상황에 처한 사람들의 입장이나 환경을 극화한 것

- 연기를 통해 실제 그 상황에 놓인 사람들의 입장을 이해하고 상황분석을 통해 해결방법을 모색하는 학습 방법

제18장 산업보건

01
정답 ④

B. Ramazzini

직업병 연구를 통하여 질병과 직업과의 관계를 밝히고 저서『근로자의 질병』을 남겼다. 노동자의 건강의 지키기 위한 법의 제정을 요구하기도 했다.

02
정답 ③

에너지 대사율(RMR: Relative Metabolic Rate)

= 작업시 소비칼로리 − 안정시 소비칼로리

- 기초대사량(BMR)
  = 작업대사량
- 기초대사량(BMR)
- 작업하는 동안 필요로 하는 칼로리
- 여성 근로자의 작업 근로 강도는 RMR 2.0 이하로 제한
- 근로 강도 구분
  - RMR 0~1: 경노동
  - RMR 1~2: 중등노동
  - RMR 2~4: 강노동
  - RMR 4~7: 중노동
  - RMR 7~ : 격노동

03
정답 ②

02번 해설 참고

04
정답 ①

근로시간(근로기준법)

- 1일의 근로시간은 휴게시간을 제외하고 8시간을 초과할 수 없다.
- 1주간의 근로시간은 휴게시간을 제외하고 40시간을 초과할 수 없다.

05
정답 ④

근로자 영양관리

- 소음작업: 비타민 B1
- 고온작업: 식염, 비타민 A, 비타민 B_1, 비타민 C
- 저온작업: 지방질, 비타민 A, 비타민 B_1, 비타민 C, 비타민 D
- 강노동작업: 칼슘 강화식품, 비타민 류

06
정답 ①

근로자 영양관리

05번 해설 참고

07
정답 ④

근로자 영양관리

05번 해설 참고

08
정답 ④

작업환경관리 기본원리(4대 원칙)

대치, 격리, 환기, 교육

09

정답 ③

TLVs (Threshold limit value)

- 미국의 ACGIH에 의해 선정되는 기준
- 유해물질 함유 공기 중에서 작업자가 연일 노출되어도 건강 장해를 일으키지 않는 물질의 농도

10

정답 ④

시간가중평균농도(TLVs-TWA)

정상근무(1일 8시간, 1주일 40시간) 할 경우에 근로자에게 노출되어도 아무런 해를 주지 않는 평균 농도

- 1일 8시간 작업을 기준으로 하여 유해요인의 측정농도에 발생시간을 곱하여 8시간으로 나눈 농도
- TWA 농도 = (C1T1+C2T2+...+C8T8)/8

11

정답 ④

단시간노출허용농도(TLVs-STEL)

근로자가 1회에 15분간 유해인자에 노출되어도 증상이 나타나지 않는 허용농도

- 이 농도 이하에서는 1회 노출간격이 1시간 이상인 경우 1일 작업시간 동안 4회까지 노출이 허용될 수 있는 농도를 의미
- 유해성이 큰 물질(만성중독이나 고농도에서 급성 중독을 초래하는 유해물질)에 적용하는 기준

12

정답 ①

최고허용한계농도(TLVs-C)

천장치, 최고노출기준치로 단 한 순간이라도 초과되지 않아야 하는 농도

13

정답 ③

잠함병

- 감압병, 잠수부병, 질소 색전증
- 고압 환경에서 작업 후 정상 기압으로 돌아오면서 혈관, 조직 내에 있던 질소가 급감압으로 기체로 유리되어(기포화되어) 가스 색전 형성
- 예방: 단계적 감압, 산소 공급

14

정답 ④

잠함병 증상

피부소양감과 관절통, 뇌내 혈액순환 장애와 호흡기계 장애, 척추장애에 의한 신경마비, 내이와 미로의 장애 등

15

정답 ②

감압병

잠함병, 질소색전증, 잠수부병

- 고압 환경에서 작업 후 정상 기압으로 돌아오면서 혈관, 조직 내에 있던 질소가 급감압으로 기체로 유리되어 기포화되어 가스 색전 형성
- 감압병 유발 작업: 잠수작업, 터널공사 작업, 광부, 해녀 등
- 예방: 단계적 감압, 산소 공급

16

정답 ②

감압병

15번 해설 참고

17

정답 ④

이상저기압

- 지상으로부터 고도에 따른 대기압의 저하, 고산지대 작업 또는 고지대 농업, 등산, 비행 등 발생
- 고산병, 항공병
- 저산소증, 이명, 두통, 난청, 호흡촉진, 수면장애, 홍분 등

18

정답 ①

열경련증

체내의 수분과 염분 손실로 일어나는 열중증 장애

- 증상: 사지 경련, 근육 강직, 현기증, 이명 등

19

정답 ①

열사병

- 원인: 고온 환경에서의 심한 육체노동으로 인해 체온조절의 부조화로 뇌의 온도 상승에 의한 체온조절중추 기능 장애
- 증상: 구토, 동공반응 손실, 체온 이상상승, 현기증, 두통, 이명 등
- 치료: 두부 냉각, 생리식염 정맥주사 등

20

정답 ②

열쇠약

고열작업으로 만성적 체열 소모와 비타민 B_1의 결핍

- 증상: 빈혈, 전신권태, 식욕부진 등을 발생
- 대책: 비타민 류($B_1 \cdot B_2 \cdot C$)와 수분, 식염 등의 보급과 노동환경 개선이 필요

21

정답 ④

고온·저온환경으로 인한 질병

- 이상고온환경: 열사병(울열증, 일사병), 열경련, 열쇠약증, 열허탈증, 열실신증 등
- 이상저온환경: 동상, 동창, 참호족, 침수족 등

22

정답 ④

참호족

발을 오랜 시간에 걸쳐 습하고, 비위생적이며 저온 상태에 노출함으로써 일어나는 질병

23

정답 ③

- 동상 제1도: 홍반성
- 동상 제2도: 수포성
- 동상 제3도: 괴사성

24

정답 ④

C5-dip 현상

소음성 난청의 초기단계, 4,000 Hz에서 청력장애가 심하게 커진다.

25

정답 ④

가청주파수

사람이 들을 수 있는 소리의 범위

- 대략 20~20,000 Hz에 해당
- 20 Hz 이하의 소리: 초저주파 / 20,000 Hz 이상의 소리: 초음파

26

정답 ④

진동

보통 소음 작업장에서 진동에 노출되는 경우가 많고, 전신진동과 국소진동으로 구분

- 전신진동: 교통기관의 승무원, 분쇄기공, 기중기 운전공 등에서 발생
- 국소진동: 작업공구 사용에 발생된 진동(연마공, 착암기공 등) → 국소장애: Raynaud's Phenomenon (레이노 현상)

27

정답 ①

납중독 5대 증상

빈혈, 치은과 결합하여 검자색 발생, 소변에서 코프로폴피린 검출, 염기성 과립 적혈구 증가, 신근 마비

28

정답 ③

미나마타병

수은 중독으로 인해 발생하는 여러 신경학적 증상을 특징으로 하는 증후군

29

정답 ④

이타이이타이병

- 1950년대 일본에서 카드뮴 중독에 의해 집단 발병
- 카드뮴이 체내에 들어와 간, 신장으로 확산하여 골연화증을 일으키는 중독증

30

정답 ②

카드뮴 중독 3대 증상

폐기종, 신장 장애, 골격계 장애

31

정답 ②

중금속

- 호흡이나 음식물의 섭취로 호흡기나 소화기로 흡수되어 생체 내 물질과 결합하여 배출되지 않고 인체에 축적되는 질병
- 대표적 중금속: 납, 수은, 크롬, 카드뮴
  - 납중독: 빈혈, 미성숙 적혈구 증가, 소변 코프로폴피린 검출, 치은염
  - 수은중독: 미나마타병
  - 크롬중독: 비중격천공
  - 카드뮴중독: 이타이이타이병

32

정답 ③

망간중독

망간 광석 관련 작업장에서 발생하는 질병

- 지속적으로 흡입하면 언어장애, 정신착란, 불면증, 식욕감퇴, 경도의 신경장애를 나타나며 심하면 파킨슨 증후군을 유발

33

정답 ③

방사선에 의한 장애

조혈기능 장애로 인한 빈혈, 혈소판 감소, 악성 종양, 피부 장애, 생식기능 장애, 불임, 실명, 기형, 난청, 백내장, 수정체 혼탁 등

34

정답 ②

방사선의 감수성

조혈기관, 생식기관, 임파선 〉 피부, 눈동자, 위 〉 뼈, 연골, 실핏줄 〉 신경조직, 지방조직, 근육, 혈관 등

35

정답 ③

방사선의 민감도

조혈기관, 생식기관, 임파선 〉 피부, 눈동자, 위 〉 뼈, 연골, 실핏줄 〉 신경조직, 지방조직, 근육, 혈관 등

36

정답 ③

자외선의 작용

비타민 D 생성으로 구루병 예방, 살균작용, 적혈구 생성 촉진, 신진대사 촉진, 색소침착, 피부암, 백내장 유발 등

37

정답 ③

Dorno 선(건강선, 생명선)

2,800~3,200 A 파장 범위를 지니며 인체에 유익한 선

38

정답 ②

가시광선

파장 4,000~7,000 A에 해당

39

정답 ②

3대 직업병

규폐증, 납중독, 벤젠중독

40

정답 ②

규폐증

규산이 들어 있는 먼지의 흡입으로 오랫동안 폐에 규산이 쌓여 섬유증식을 일으키는 만성질환

41

정답 ①

규폐증의 발생 환경

도자기 공장, 주물 공장, 유리 공장, 토석 채취, 암석 가공장, 금속 작업장 등

42

정답 ②

석면

백석면, 청석면, 갈석면, 트레모라이트, 안토필라이트, 악티놀라이트, 안소필라이트의 6종류

- 1급 발암물질로 '죽음의 물질'로 알려져 있다.
- 유해성은 청석면 〉 갈석면 〉 백석면 순으로 유해

43

정답 ③

VDT 증후군(Visual display terminal syndrome)

VDT는 영상표시단말기로 대표적인 것인 컴퓨터이며 사무자동화로 인해 생기는 질환

- 증상: 안정피로(시력감퇴, 복시, 안통, 두통 등), 정신신경장애(불안, 초조, 두통, 피로감 등), 경견완증후군(뒷머리, 목, 어깨, 팔, 손가락 등의 장애, 허리 등의 통증 등), 소화불량, 피부장애, 혈압상승 등

44

정답 ④

유기용제 중독

알코올, 에스테르, 알데히드, 염화탄화수소계, 탄화수소계, 케톤, 에테르계 물질 등의 환경에 노출되었을 경우 발생하는 것

- 기본적으로 중추신경계 억제증상이 나타나며 만성적일 경우 소화기계 장애, 조혈기능장애, 간과 신장기능장애 등이 발생

45

정답 ④

건강관리 판단기준

- A: 정상자
- C1: 직업성 질병으로 진전될 우려가 있는 직업병 요관찰자
- C2: 일반 질병으로 진전될 우려 있는 일반질병 요관찰자
- D1: 직업성 질병의 소견을 보여 사후관리가 필요한 직업병 유소견자
- D2: 일반 질병의 소견을 보여 사후관리가 필요한 일반질병 유소견자
- R: 질병이 의심되는 근로자, 2차 건강진단 대상자

46

정답 ④

건강관리 판단기준

45번 해설 참고

47

정답 ①

산업재해보상 보험급여 종류

요양급여, 휴업급여, 장해급여, 간병급여, 유족급여,
상병보상연금, 장의비, 직업재활급여

48

정답 ②

Heinrich 법칙에서의 재해발생 비율

현성 재해 : 불현성 재해 : 잠재성 재해
= 1 : 29 : 300

49

정답 ③

Heinrich의 사고예방 기본윤리 5단계

- 1단계: 안전관리 조직
- 2단계: 사실의 발견
- 3단계: 평가분석
- 4단계: 시정방법의 선정
- 5단계: 시정방법의 적용

50

정답 ②

강도율

$$\text{재해에 의한 손상 정도} = \frac{\text{근로 손실일수}}{\text{연 근로시간 수}} \times 1{,}000$$

51

정답 ④

평균손실일수율(중독률)

$$\text{재해건수당 평균 작업 손실 정도} = \frac{\text{근로손실일수}}{\text{재해건수}} \times 1{,}000$$

52

정답 ①

도수율

위험에 노출된 시간당 재해가 얼마나 발생했는가를
확인하는 재해 발생 파악을 위한 표준적 지표

$$= \frac{\text{재해건수}}{\text{연 근로시간 수}} \times 1{,}000{,}000$$

$$= \frac{\text{재해건수}}{\text{연 근로일 수}} \times 1{,}000$$

53

정답 ④

강도율

재해에 의한 손상 정도

$$\text{재해에 의한 손상 정도} = \frac{\text{근로 손실일수}}{\text{연 근로시간 수}} \times 1{,}000$$

54

정답 ①

건수율

$$= \frac{재해건수}{평균\ 실근로자\ 수} \times 1,000$$

55

정답 ①

중독률

$$= \frac{근로\ 손실일수}{재해일수} \times 1,000$$

56

정답 ④

재해일수율

$$= \frac{연\ 재해일수}{연\ 근로시간\ 수} \times 100$$

제**19**장 **인구보건**

01

정답 ③

맬더스 인구이론

인구의 기하급수적 증가, 식량의 산술급수적 증가로 식량을 기준으로 인구과잉 문제를 지적 → 그 해결책으로 도덕적 억제(만혼), 순결을 통해 인구증가를 방지해야 한다고 제안

02

정답 ④

맬더스 인구이론

- 규제 원리: 인구는 생존자료(식량)에 의해서 제한
- 증식 원리: 생존자료(식량)가 증가하는 곳 → 인구 증가
- 파동 원리: 인구는 증식과 규제의 상호작용에 의하여 균형에서 불균형으로, 불균형에서 균형으로 부단한 파동을 주기적으로 반복한다.

03

정답 ②

맬더스 인구이론

02번 해설 참고

04

정답 ①

맬더스 인구이론

02번 해설 참고

05
정답 ①
신맬더스주의

맬더스주의에서 도덕적 억제(만혼)를 피임으로 대신하여 인구 증가를 방지하자는 신 맬더스주의 → 맬더스주의 중 인구 규제 방법만 달리한 것

- Fransis Place, J.S. Mill 주장
- 일반 사람에게 성욕의 억제는 한계가 있고, 만혼은 사회 범죄 및 사회악 발생시킨다는 점에서 만혼 반대

06
정답 ③
신맬더스주의

05번 해설 참고

07
정답 ④
인구 이론상의 개념(이론적 인구)

- 봉쇄인구(폐쇄인구): 인구이동이 전혀 일어나지 않는 인구로서 다만 자연증가요인인 출생과 사망에 의해서만 변동하는 인구
- 안정인구: 봉쇄인구에 있어서 남녀의 연령별 사망률과 출생률이 일정하다고 가정하면, 이러한 인구의 조출생률과 조사망률이 정해지므로 인구의 자연증가율이 일정하다. 봉쇄인구의 특수한 경우를 안정인구라고 한다.
- 준안정인구: 남녀의 연령별 출생률과 사망률이 일정한 봉쇄인구를 안정인구라고 하는데 연령별 출생인구만 일정한 경우를 준안정 인구라고 한다.
- 정지인구: 안정인구에 있어서 출생과 사망이 동일하며, 따라서 자연증가가 전혀 일어나지 않는다고 가정한 이념인구를 말한다.

08
정답 ②
인구 이론상의 개념

07번 해설 참고

09
정답 ①
인구 이론상의 개념(이론적 인구)

07번 해설 참고

10
정답 ④
Notestein과 Thompson의 인구 전환 이론 3단계 분류

분류	특징	국가
1단계	고잠재적 성장단계, 다산다사기, 높은 영아사망률	후진국
2단계	과도기적 성장단계, 다산소사기(높은 출생률, 낮은 사망률, 환경위생의 향상, 의학 발달, 경제발전, 생활수준 향상 등), 인구폭발	개도국
3단계	인구감소 시작단계, 소산소사기, 정지인구	선진국

11

정답 ④

C.P. Blacker(블래커)의 인구성장 5단계 분류

분류	특징	국가
1단계	고위정지기, 다산다사, 고출생률과 고사망률의 인구정지형	후진국(중부아프리카)
2단계	초기확장기, 다산감사, 저사망률과 고출생률의 인구증가형	경제개발초기 국가(북아프리카, 아시아)
3단계	후기확장기, 감산소사, 저사망률과 저출생률의 인구성장 둔화형	소가족 중심으로 전환되는 국가(중앙 아메리카, 한국, 남아프리카)
4단계	저위정지기, 사망률과 출생률이 최저, 인구성장 정지형	사회의 안정화 및 성숙화 단계의 국가(이탈리아, 구소련, 중동)
5단계	감퇴기, 사망률이 출생률보다 높은 인구 감소형	인구 감소형 국가(일본, 뉴질랜드, 북유럽, 북아메리카 등)

12

정답 ①

C.P. Blacker(블래커)의 인구성장 5단계 분류

11번 해설 참고

13

정답 ④

C.P. Blacker(블래커)의 인구성장 5단계 분류

11번 해설 참고

14

정답 ②

C.P. Blacker(블래커)의 인구성장 5단계 분류

11번 해설 참고

15

정답 ④

생명표의 구성요소
생존수, 사망수, 생존율, 사망률, 사력, 평균여명

16

정답 ③

생명표

현재의 사망 수준이 그대로 지속된다는 가정하에 어떤 출생 집단의 연령이 높아짐에 따라 연령별로 몇 세까지 살 수 있는지 정리한 표

- 이용범위: 보건의료 정책수립, 국가간 사회, 경제, 보건수준의 비교자료, 보험료율 및 퇴직보험금 비율산정, 인명피해관련 보상비 등의 기초자료로 광범위하게 이용
- 구성요소: 생존수, 사망수, 생존율, 사망률, 사력, 평균여명

17

정답 ④

세계 최초 국세조사 실시

1749년, 스웨덴

18

정답 ④

우리나라 국세조사

인구주택총조사(1990년부터~), 5년 주기로 11월 1일 시행

19

정답 ④

우리나라 국세조사

18번 해설 참고

20

정답 ③

인구동태

인구의 구성이 어떻게 변화하는지 일정기간을 두고 살펴보는 방법으로 출생률, 사망률, 결혼율, 이혼율, 전입, 전출 등이 있다.

21

정답 ④

인구정태

인구 관찰 시 일정 시점에서 인구의 구성 상태, 인구 크기, 분포 등을 살펴보는 방법

- 연령별, 성별, 직업별 인구주택총조사, 주민등록부, 호적부 등

22

정답 ②

인구정태조사와 인구동태조사

- 인구정태: 인구 관찰 시 일정 시점에서 인구의 구성 상태, 인구 크기, 분포 등을 살펴보는 방법으로 연령별, 성별, 직업별 인구주택총조사, 주민등록부, 호적부 등이 있다.
- 인구동태: 인구의 구성이 어떻게 변화하는지 일정기간을 두고 살펴보는 방법으로 출생률, 사망률, 결혼율, 이혼율, 전입, 전출 등이 있다.

23

정답 ③

인구증가

= 자연증가 + 사회증가

- 자연증가 = 출생건수 − 사망건수
- 사회증가 = 전입인구(유입인구) − 전출인구(유출인구)
- 인구증가율 $= \dfrac{\text{자연증가} + \text{사회증가}}{\text{연앙인구}} \times 1{,}000$
- 연간 인구증가율 $= \dfrac{\text{연말인구} - \text{연초인구}}{\text{연초인구}} \times 100$

24

정답 ④

인구증가

23번 해설 참고

25

정답 ③

인구증가율

23번 해설 참고

26

정답 ④

성비

여자 100명에 대한 남자의 수로 표시되며 남자성비라고 한다.

- 성비 = (남자 수 / 여자 수) × 100
- 1차 성비: 태아의 성비 / 2차 성비: 출생시 성비 / 3차 성비: 현재 인구의 성비

27

정답 ④

총부양비

$$= \frac{0{\sim}14\text{세 인구} + 65\text{세 이상 인구}}{15{\sim}64\text{세 인구}} \times 100$$

28

정답 ②

노령화지수

$$= \frac{65\text{세 이상 인구}}{0{\sim}14\text{세 인구}} \times 100$$

노년부양비

$$= \frac{65\text{세 이상 인구}}{0{\sim}14\text{세 인구}} \times 100$$

총부양비

$$= \frac{0{\sim}14\text{세 인구} + 65\text{세 이상 인구}}{15{\sim}64\text{세 인구}} \times 100$$

29

정답 ①

노년부양비

$$= \frac{65\text{세 이상 인구}}{15{\sim}64\text{세 인구}} \times 100$$

30

정답 ③

노령화지수

$$= \frac{65\text{세 이상 인구}}{0{\sim}14\text{세 인구}} \times 100$$

31

정답 ②

노령화지수

$$= \frac{65\text{세 이상 인구}}{0{\sim}14\text{세 인구}} \times 100$$

노년부양비

$$= \frac{65\text{세 이상 인구}}{15{\sim}64\text{세 인구}} \times 100$$

32

정답 ④

인구구조의 유형

- 피라미드형: 다산다사형, 인구 증가형, 후진국형 인구구조
- 종형: 소산소사형, 인구정지형, 노인비중 높아 노인문제 발생
- 항아리형: 출생률 〈 사망률, 인구감소형, 평균수명이 높은 선진국형 인구구조
- 별형: 도시형, 성형, 생산연령인구(15~49세) 유입이 많아 도시지역 인구구조
- 기타형: 농촌형, 호로형, 생산연령인구가 도시로 이동하는 농촌지역 인구구조

33

정답 ②

인구구조의 유형

32번 해설 참고

34

정답 ③

인구구조의 유형

32번 해설 참고

35

정답 ①

인구구조의 유형

32번 해설 참고

36

정답 ④

이상적인 피임법

- 효과가 정확해야 한다.
- 몸에 해롭지 않은 안정성이 있어야 한다.
- 임신을 원할 때 언제라도 가능해야 한다.
- 사용하기 편리하며 경제적이어야 한다.
- 성생활에 지장이 없어야 한다.

37

정답 ①

피임법

- 일시적 방법: 콘돔, 페미돔, 자궁 내 장치(IUD), 월경주기법, 경구용 피임, 질외사정, 발포성 정제 (정자 살충), 다이어프램(Diaphragm) 등
- 영구적 방법: 정관수술, 난관수술

제20장 모자보건

01

정답 ③

인공임신중절수술이 가능 시기

모자보건법에 따른 인공임신중절수술은 임신 24주 일 이내인 사람만 할 수 있다.

02

정답 ③

인공임신중절수술의 허용한계 「모자보건법」 제14조

- 의사는 다음 각 호의 어느 하나에 해당되는 경우 에만 본인과 배우자의 동의를 받아 인공임신중절 수술을 할 수 있다.
  - 본인이나 배우자가 대통령령으로 정하는 우생 학적 또는 유전학적 정신장애나 신체질환이 있 는 경우
  - 본인이나 배우자가 대통령령으로 정하는 전염 성 질환이 있는 경우
  - 강간 또는 준강간에 의하여 임신된 경우
  - 법률상 혼인할 수 없는 혈족 또는 인척 간에 임신된 경우
  - 임신의 지속이 보건의학적 이유로 모체의 건강 을 심각하게 해치고 있거나 해칠 우려가 있는 경우

03

정답 ④

모자보건사업

모성과 영유아에게 전문적인 보건의료서비스 및 그와 관련된 정보를 제공하고, 모성의 생식건강관리와 임신·출산·양육 지원을 통하여 이들이 신체적·정신적·사회적으로 건강을 유지하게 하는 사업

04

정답 ①

미숙아

임신 37주 미만의 출생아 또는 출생 시 체중이 2.5kg 미만인 영유아로서 보건소장 또는 의료기관의 장이 임신 37주 이상의 출생아 등과는 다른 특별한 의료적 관리와 보호가 필요하다고 인정하는 영유아

05

정답 ①

정기건강진단(모자보건법)

임산부	
임신 28주까지	4주마다 1회
임신 29주에서 36주까지	2주마다 1회
임신 37주 이후	1주마다 1회

06

정답 ③

산욕기

임신 및 분만에서 생긴 모체의 해부학적, 기능적 변화들이 회복되는 기간

- 분만 후 6~8주까지의 기간

07

정답 ②

모유수유의 장점

- 혈중 옥시토신의 분비로 자궁수축이 촉진되며 출산 후 회복이 빨라진다.
- 아이가 안정감을 느끼고 어머니와 연대감이 강해진다.
- 시간과 비용면에서 경제적이다.
- 호흡기 질환, 알레르기 질환, 위장관 질환, 요로감염 등이 잘 걸리지 않고 항체를 지니고 있어서 향후 6개월 이내의 질병에 면역력을 갖는다.
- 유방암의 발생빈도가 낮다.
- 배란을 억제하여 피임 효과가 있다.

08

정답 ④

모성사망

임산부의 임신, 분만, 산욕 과정에서 생긴 질병이나 합병증 때문에 발생하는 산모 사망

- 원인: 산과적 색전증, 임신중독증, 출혈 등
- 모성사망률 $= \dfrac{\text{연간 모성사망 수}}{\text{연간 가임기여성 수}} \times 100,000$

09

정답 ①

모자보건사업의 수행 경과를 평가할 수 있는 지표

영아사망률, 모성사망률, 주산기사망률

- 특히 WHO가 국가의 경제수준과 기초 보건수준을 파악하기 위해 기준으로 적용하는 모자보건지표는 영아사망률과 모성사망률이다.

10
정답 ③

- 모성사망비

$$= \frac{\text{임신, 분만, 산욕기 모성사망자 수}}{\text{연간 출생아 수}} \times 100,000$$

- 영아사망률

$$= \frac{\text{연간 영아사망자 수}}{\text{연간 출생아 수}} \times 1,000$$

- 신생아사망률

$$= \frac{\text{연간 신생아사망 수}}{\text{연간 출생아 수}} \times 1,000$$

11
정답 ②

조출생률

$$= \frac{\text{1년간 총 출생아 수}}{\text{당해연도 인구}} \times 1,000$$

- 가족계획의 성과지표로 사용

12
정답 ③

α-index

= (영아 사망 수/신생아 사망 수)×1,000

- 생후 1년 미만의 사망 수(영아사망수)를 생후 28일 미만의 사망 수(신생아사망수)로 나눈 값으로 1.0에 가까울수록 선진국에 가까워진다.

13
정답 ③

재생산율

- 합계재생산율: 한 여성이 평생 동안 평균 몇 명의 자녀를 출산하는가를 나타냄
- 재생산율: 한 여성이 평생 동안 평균 몇 명의 여자아이를 출산하는가를 나타냄
  - 총재생산율: 한 여성이 평생 동안 여아를 총 몇 명 출산하는가를 나타냄(어머니의 사망률 고려하지 않음)
  - 순재생산율: 일생 동안 출산한 여아의 수 가운데 출산가능 연령에 도달한 생존여자의 수 만을 나타낸 것으로 가임기간 동안 일생에 여아를 몇 명 출산하였는가를 나타냄(어머니의 사망률 고려)

14
정답 ②

합계출산율

한 여성이 일생 동안 자녀를 평균 몇 명 낳는가를 나타내는 지표

15
정답 ④

순재생산율

= 총재생산율 × 출생여아의 생존율

16

정답 ②

순재생산율

순재생산율이 1 이상일 때 인구증가 / 1 이하일 때 인구감소 / 1일 때 인구 변화없음을 나타내는 인구 증감 관련 지표

17

정답 ④

임신중독증 3대 증상

고혈압, 부종, 단백뇨

18

정답 ①

영유아 구분

- 초생아: 출생 후 1주일 이내의 영유아
- 신생아: 출생 후 28일 미만의 영유아
- 영아: 출생 후 1세 미만의 영유아
- 유아: 만1세 이상 출생 후 6세 미만의 어린이
- 영유아: 출생 후 6년 미만의 사람

19

정답 ③

정상기간 출생아

37주 이상에서 42주 미만 출생아

20

정답 ①

조산아 4대 관리

호흡관리, 체온관리, 영양관리, 감염방지

제21장 노인보건과 정신보건

01

정답 ③

노인보건 사업 대상

65세 이상

02

정답 ②

고령화 사회

65세 이상 인구가 총인구를 차지하는 비율이 7% 이상

- 고령 사회: 65세 이상 인구가 총인구를 차지하는 비율이 14% 이상
- 초고령 사회: 65세 이상 인구가 총인구를 차지하는 비율이 20% 이상

03

정답 ④

신체 노화현상

소화기능 저하(소화분비액 감소), 호흡기 기능 약화(폐활량 감소 및 호흡근력 저하), 성 호르몬의 감소, 혈관 탄력 저하, 혈압 이상, 피부 색소침착 등

04
정답 ④

정신보건 목적
- 정신장애의 예방 및 치료와 정신질환자의 조기발견 및 치료
- 건전한 정신기능의 유지와 증진
- 사회로의 안전한 복귀

05
정답 ③

지역정신보건사업의 원칙(G. Caplan)
- 지역주민에 대한 책임
- 환자의 가정과 가까운 곳에서 치료
- 포괄적인 서비스
- 여러 전문인력 간의 팀적 접근
- 진료의 지속성
- 지역주민 참여
- 정신보건사업의 평가와 연구
- 예방
- 정신보건자문
- 보건의료서비스와 사회복지서비스와의 연결

06
정답 ③

조현병(정신분열증)
- 우리나라 정신질환자 중 약 70% 이상으로 가장 많다.
- 청년기에 주로 발병하며 만성적으로 진행
- 양친 중 한쪽이 조현병이면 자녀의 약 10%에서 발병되고, 양친 모두 조현병이면 약 50%에서 발병

07
정답 ①

조현병(정신분열증)
06번 해설 참고

08
정답 ①

지적장애(정신지체, 정신박약)
지적장애는 18세 이전에 시작하는 발달 장애로 일상생활을 제대로 수행하기 어려운 지적, 인지적, 사회적 능력의 심각한 제한이 있으나 지적장애 자체가 질병은 아니다.

제22장 성인보건

01
정답 ③

성인병
주로 40대 이후 나타나는 만성 퇴행성 질환

02
정답 ①

만성질환의 특징
- 호전과 악화를 반복하며 관리는 되지만 완치는 되지 않는 영구적 성격을 갖는다.
- 불분명한 발생시점
- 직접적인 원인이 되는 요인이 존재하지 않고 여러 요인들이 복잡하게 얽힘
- 잠재기간이 길어 원인 요인 규명이 어렵고 장기간에 걸쳐 치료와 감시 필요
- 개인의 일상적인 건강행동 변화로 예방 가능하며 생활습관과 관련이 높다.
- 건강 취약계층에 많이 발생하고 일단 발생하면 오랜 기간 경과를 취한다.
- 집단발생형태가 아닌 개인적으로 발생한다.
- 장기요양 필요로 인한 사회적 부담이 커져 사회적 노동력 손실 원인이 되기도 하므로 국가적인 관리 필요성이 크다.

03
정답 ②

만성질환의 특징
02번 해설 참고

04
정답 ①

우리나라 만성질환 통계(2020)
- 우리나라 3대 사망원인: 암 〉 심장질환 〉 폐렴
- 우리나라 5대 사망원인: 암 〉 심장질환 〉 폐렴 〉 뇌혈관질환 〉 자살
- 우리나라 10대 사망원인: 암 〉 심장질환 〉 폐렴 〉 뇌혈관질환 〉 자살 〉 당뇨병 〉 알츠하이머병 〉 간질환 〉 고혈압성 질환 〉 패혈증

05
정답 ④

만성질환
질병의 종류에 상관없이 호전되지 않은 상태로 진행되고 유병률이 증가하며 기능장애를 동반하는 질병
- 암, 고혈압, 당뇨, 뇌졸중, 동맥경화증, 대사증후군 등

06
정답 ④

국가암 검진사업
위암, 대장, 자궁경부암, 간암, 유방암, 폐암

07

정답 ③

정상혈압

- 수축기 혈압 정상참고치 120 mmHg 미만
- 이완기 혈압 정상참고치 80 mmHg 미만

08

정답 ②

고혈압 원인

유전적 요인, 소금 과다 섭취, 비만, 과음, 과식, 비만, 스트레스 등

09

정답 ①

고혈압

수축기 혈압이 140 mmHg 이상이거나 이완기 혈압이 90 mmHg 이상인 경우로 정상 범위보다 지속적으로 높은 혈압의 만성 질환

- 고혈압의 분류
  ① 1차성(본태성) 고혈압: 전체 고혈압 환자의 약 95%로 원인을 정확히 알 수 없고 흡연, 음주, 가족력, 비만, 스트레스, 운동 부족 등이 고려
  ② 2차성(속발성) 고혈압: 신장이나 갑상선 질환, 부신 질환 등의 원인 질환이 밝혀져 있어 그로 인해 발생하는 경우

10

정답 ④

당뇨병의 3대 증상

다뇨, 다갈, 다식

11

정답 ④

당뇨병의 구분

- 제1형 당뇨병: 췌장의 인슐린 생산이 불가능하거나 소량으로 분비하여 발생하는 질병으로 인슐린 결핍 상태이며 소아당뇨라고도 한다. 전체 당뇨병의 5% 미만을 차지한다. 인슐린 투여, 인슐린 기능 결함
- 제2형 당뇨병: 인슐린의 분비량이 부족하여 발생하는 질병으로 환경적인 영향이 크며 유전적 경향이나 감염, 췌장 수술, 약제 등에 의해서도 유발 가능하다. 전체 당뇨병의 95% 이상을 차지한다. 인슐린 기능 장애

12

정답 ④

당뇨병의 구분

11번 해설 참고

13

정답 ②

당뇨병의 구분

11번 해설 참고

14

정답 ③

대사증후군

고혈압, 고혈당, 고지혈증, 비만 등의 여러 질환이 한 개인에게서 한꺼번에 나타나는 상태를 의미

- 대사증후군 진단 기준(아래의 기준 중 세 가지 이상에 해당될 때에 대사증후군으로 진단)
  - 복부비만: 남자의 경우 허리둘레가 102 cm 초과 / 여자의 경우 허리둘레가 88 cm 초과(한국인 및 동양인의 경우 대개 남자의 경우 허리둘레 90, 여자 85 이상)
  - 고중성지방 혈증: 중성지방이 150 mg/dL 이상
  - 고밀도지단백 콜레스테롤(HDL)이 낮을 경우: 남자의 경우 40 mg/dL 미만, 여자의 경우 50 mg/dL 미만
  - 공복혈당이 100 mg/dL 이상
  - 고혈압: 수축기 혈압이 130 mmHg 또는 이완기 혈압이 85 mmHg 이상인 경우

15

정답 ④

대사증후군

14번 해설 참고

16

정답 ④

만성질환의 예방

1차 예방	2차 예방	3차 예방
건강증진	조기 발견, 조기 진단, 집단검진	재활, 치료, 교육
발생률 감소	유병률 감소	사망률 감소

17

정답 ②

만성질환의 예방

16번 해설 참고

공중보건학 정답

실전
모의고사

1회   실전 모의고사

2회   실전 모의고사

3회   실전 모의고사

4회   실전 모의고사

5회   실전 모의고사

01

정답 ③

공중보건학의 목적

- 공중보건학은 조직된 지역사회의 공동노력을 통해 질병을 예방하고 수명을 연장시키며 신체적, 정신적 효율을 증진시키는 기술이며 과학(윈슬로, C. E. A. Winslow, 1920)
- 공중보건의 목적: 개인이 아닌 지역사회 인구집단을 대상으로 질병을 예방하고 생활환경을 위생적으로 하여 수명을 연장, 정신적·신체적 건강과 효율의 증진 등을 위함

02

정답 ③

Health Plan 2030 기본틀

- 비전: 모든 사람이 평생건강을 누리는 사회
- 온 국민(2020) → 모든 사람(2030)
- 목표: 건강수명연장, 건강형평성 제고

03

정답 ③

지역적 변수

- 범발성: 범세계적(AIDS, SARS, 신종플루, 인플루엔자, 충치 등)
- 유행성: 전국적(장티푸스, 콜레라 등)
- 지방성: 토착적(간디스토마, 페디스토마, 풍토병 등)
- 산발성: 사상충, 렙토스피라증

04

정답 ④

역학의 역할

- 질병 예방을 위하여 질병발생의 원인 규명(역학의 가장 중요한 역할)
- 질병의 측정과 유행발생의 감시 역할
- 질병의 기술적 역할
  - 자연사에 관한 기술
  - 건강수준과 질병양상에 대한 기술
  - 인구동태에 관한 기술
  - 보건지수 개발 및 계량치에 대한 정확도와 신뢰도의 검증
- 보건사업의 기획과 평가를 위한 자료 제공
- 임상연구 분야에 활용

05

정답 ③

발생률과 유병률의 관계

급성 감염병은 발생률이 높고, 유병률은 낮다.

- 만성 감염병: 발생률이 낮고, 유병률은 높다.
- 이환 기간이 짧은 질병: 발생률과 유병률이 거의 동일하다.

06

정답 ④

감염병의 예방

- 소화기계 감염병의 예방대책: 철저한 환경위생
- 호흡기계 감염병의 예방대책: 예방접종

07

정답 ②

스카치테이프법은 요충이다.

08

정답 ③

식품위생

; 식품의 재배, 생산, 제조로부터 최종적으로 사람에 섭취되기까지의 모든 단계에서 식품의 안전성, 건전성 및 완전무결성(완전성)을 확보하기 위한 모든 필요한 수단을 말한다.(세계보건기구 식품위생전문위원회)

09

정답 ②

영양소의 구성요소

물(60~70%) 〉 단백질(16%) 〉 지방(14%) 〉 무기질(5%) 〉 탄수화물(소량)

10

정답 ①

공중보건학의 역사

고대기 → 중세기 → 여명기(근세기) → 확립기(근대기) → 발전기(현대기)

중세기(500년~1500년)

- 암흑기, 감염병 만연기
- 콜레라, 나병, 홍역, 페스트, 결핵 등의 감염병 유행
- 페스트 발생지역에 최초 검역소 설치(검역제도 최초 시행, 검역법 제정)

11

정답 ①

Gulick의 7대 관리과정(POSDCoRB)

기획(Planning) → 조직화(Organization) → 인사(Staffing) → 지휘(Directing) → 조정(Coordinating) → 보고(Reporting) → 예산(Budgeting)

12

정답 ④

상대보호구역

; 학교경계선 또는 학교설립예정지경 계선으로부터 직선거리로 200미터까지인 지역 중 절대보호구역을 제외한 지역

- 절대보호구역: 학교출입문(학교설립예정지의 경우에는 설립될 학교의 출입문 설치 예정 위치를 말한다)으로부터 직선거리로 50미터까지인 지역

13

정답 ④

C5-dip 현상

소음성 난청의 초기단계 4,000 Hz에서 청력장애가 심하게 커진다.

14

정답 ①

Heinrich 법칙에서의 재해발생 비율

현성 재해 : 불현성 재해 : 잠재성 재해 = 1 : 29 : 300

15

정답 ③

신 맬더스주의

맬더스주의에서 도덕적 억제(만혼)를 피임으로 대신하여 인구 증가를 방지하자는 주의
- 맬더스주의 중 인구 규제 방법만 달리한 것

맬더스 인구이론

인구의 기하급수적 증가, 식량의 산술급수적 증가로 식량을 기준으로 인구과잉 문제를 지적 → 그 해결책으로 도덕적 억제(만혼), 순결을 통해 인구증가를 방지해야 한다고 제안

16

정답 ④

노인질환의 특징

동일한 질병일 때 성인병과 노인질환의 임상형태 및 병상의 차이가 있으며, 노인이 기능이 많이 떨어지므로 성인보다 유병률이나 이환기간이 길다.

17

정답 ②

모자보건법상 정의

영유아: 출생 후 6년 미만인 사람

18

정답 ④

기후의 3요소

기온, 기습, 기류

19

정답 ①

불쾌지수(DI)

불쾌지수: 날씨에 따라 사람이 느끼는 불쾌감의 정도를 수치로 나타낸 것으로 기온과 습도의 영향을 받은 것(실내에서만 적용)

20

정답 ①

표본조사 장점(전수조사와 비교)
- 경제성: 비용과 노력이 적게 든다.
- 신속, 정확성: 전수조사에 비해 신속하고 자료의 규모가 작아 비표본오차를 줄일 수 있어서 정확
- 심도 있는 조사 가능성: 비용과 시간적 제약으로 전수조사에서 불가능한 심도 있는 조사가 가능
- 혈액검사, 제품의 파괴검사 등 전수조사가 불가능한 경우에 유용

01

정답 ④

Anderson의 공중보건사업수행 3대 요소

- 보건행정: 보건서비스에 대한 봉사행정
- 보건교육: 조장행정(가장 효과적인 방법)
- 보건관계법규: 통제행정(후진국에서 효과적인 방법)

02

정답 ①

공중보건의 3대 원칙(세계보건기구)

참여 – 형평 – 협동

03

정답 ③

역학의 분류

1단계: 기술역학, 2단계: 분석역학, 3단계: 이론역학

04

정답 ③

단면조사연구

〈 장점 〉

- 비교적 단기간 내에 결과를 얻을 수 있다.
- 경제적이다.
- 연구 시행이 코호트 연구에 비해 쉽다.
- 질병의 유병률을 구할 수 있다.
- 가설검증에 도움이 된다.
- 동시에 여러 질병과 발생 요인과의 관련성을 조사할 수 있다.
- 상대위험도 추정이 가능하다.

〈 단점 〉

- 비교적 단기간 내에 결과를 얻을 수 있다.
- 경제적이다.
- 연구 시행이 코호트 연구에 비해 쉽다.
- 질병의 유병률을 구할 수 있다.
- 가설검증에 도움이 된다.
- 동시에 여러 질병과 발생 요인과의 관련성을 조사할 수 있다.
- 상대위험도 추정이 가능하다.

05

정답 ①

감염병 생성 과정 순서

병원체 → 병원소 → 병원소로부터 병원체의 탈출구 → 전파 → 신숙주로의 침입 → 숙주 감수성

06

정답 ④

감염병의 진단검사방법

디프테리아: Schick test

07

정답 ②

어패류 매개 기생충

; 간흡충, 폐흡충, 요코가와흡충, 광절열두조충, 아니사키스충

- 모기 매개 기생충: 말라리아 원충, 사상충

08
정답 ③

Hazard Analysis and Critical Control Point: HACCP (해썹, 식품안전관리인증 기준)

- HA (Hazard analysis): 위해요소 분석, 위해가능성 인자를 분석 및 평가
- CCP (Critical control point): 중점관리기준, 위해가능성 인자를 방지 및 제거하고 안전성을 확보하기 위해 관리해야 하는 단계 및 공정

09
정답 ④

필수 아미노산 총 8가지

류신(leucine), 라이신(lysine), 메티오닌(methionine), 발린 (valine), 이소류신(isoleucine), 트레오닌(threonine), 트립토판(tryptophan), 페닐알라닌(phenylalanine)

- 영유아 및 어린이는 히스티딘(histidine)과 아르기닌(arginine)이 더해져 총 10가지의 필수아미노산 필요

10
정답 ③

CEA(Cost-Effectiveness Analysis)

- 비용 - 효과 분석
- 여러 대안 중에 각 대안이 초래할 비용과 산출 효과를 비교, 분석하는 방법으로 투자의 우선순위와 자원 배분의 결정에서 주로 사용

11
정답 ③

일산화탄소 중독

- 탄소나 탄소화합물이 불완전 연소되면서 발생하는 무색, 무취, 무미, 비자극성 가스인 일산화탄소에 중독된 상태
- 실내 공기의 일산화탄소 허용한계(서한량): 0.001% (10 ppm) 실내 공기의 5~0.1% 단계에도 일산화탄소 중독 유발 가능
- 산소에 비해 헤모글로빈과의 CO 결합력이 200~300배 강하여 헤모글로빈의 산소 결합력 빼앗아 → 저산소증 초래 → 일산화탄소 중독현상 유발

12
정답 ①

보건교사 배치기준

- 학교에 다음과 같이 학교의사(치과의사 및 한의사를 포함한다), 학교약사와 보건교사를 둘 수 있다.
- 대학을 제외한 모든 학교에 보건교사를 배치
- 36학급 이상의 학교에는 2명 이상의 보건교사를 배치

13
정답 ③

작업환경관리 대책

- 기본원리(4대원칙): 대치, 격리, 환기, 교육
- 유해인자 보호순서: 대치 → 격리 or 환기 → 개인보호구착용 → 교육

14

정답 ③

C. P. Blacker(블랙커)의 인구성장 5단계 분류

- 1단계: 고위정지기, 다산다사, 고출생률과 고사망률의 인구정지형, 후진국(중부 아프리카)
- 2단계: 초기확장기, 다산감사, 저사망률과 고출생률의 인구증가형, 경제개발초기 국가(북아프리카, 아시아)
- 3단계: 후기확장기, 감산소사, 저사망률과 저출생률의 인구성장 둔화형, 소가족 중심으로 전환되는 국가(중앙 아메리카, 한국, 남아프리카) (한국은 3단계에서 4단계로 진행되는 과정 중에 있다)
- 4단계: 저위정지기, 사망률과 출생률이 최저, 인구성장 정지형, 사회의 안정화 및 성숙화 단계의 국가(이탈리아, 구소련, 중동)
- 5단계: 감퇴기, 사망률이 출생률보다 높은 인구감소형 국가(일본, 뉴질랜드, 북유럽, 북아메리카 등)

15

정답 ①

고혈압 분류

- 1차성(본태성) 고혈압: 전체 고혈압 환자의 약 90%로 원인이 불명확하고 흡연, 음주, 가족력, 연령, 식습관, 비만, 스트레스, 운동 부족 등이 고려된다.
- 2차성(속발성) 고혈압: 전체 고혈압 환자의 10~15%로 신장이나 갑상선 질환, 부신 질환 등의 원인 질환이 밝혀져 있어 그로 인해 발생하는 경우로 원인이 명확하여, 원인이 치료되면 고혈압도 치료 가능하다.

16

정답 ③

임산부 정기건강진단(모자보건법 시행규칙) 실시

임산부	
임신 28주까지	4주마다 1회
임신 29주에서 36주까지	2주마다 1회
임신 37주 이후	1주마다 1회

17

정답 ④

카타냉각력

기온, 기습, 기류의 3가지 요소가 종합하여 인체의 열을 뺏는 힘을 의미

18

정답 ②

이산화탄소의 서한량

실내 공기의 CO_2 서한량: 0.1% (1,000 ppm)

19

정답 ①

조출생률, 보통출생률

; 가족계획사업 효과 판정으로 가장 좋은 보건지표이다.

20

정답 ②

모성사망률

$$= \frac{연간\ 모상사망\ 수}{연간\ 가임기여성\ 수} \times 100,000$$

01

정답 ④

사회적 안녕(social well-being)

- 복잡한 사회를 살고 있는 현대인에게 더욱 요구되는 건강 개념으로 인간과 동물을 차별화하는 척도가 되는 건강 개념
- 건강의 사회적 측면을 중시한 적극적인 건강증진의 개념
- 진정한 건강은 사회구성원으로서 자신의 역할과 기능을 충실히 하는 것
- 사회적 안녕은 인간과 동물을 구별하는 척도
- 사회적 안녕은 사회 속에서 자신의 삶의 가치와 보람을 창출하는 핵심 개념

02

정답 ①

최초로 방문간호사업 실시

영국의 라스본(William Rathborne, 1862), 영국의 리버풀(Liverpool)에서 최초로 방문간호사업 실시 → 오늘날 보건소 제도의 효시

03

정답 ③

교차비

교차비 = 1은 위험요인에 대한 노출이 질병발생과 관련이 없다.

교차비 > 1은 위험요인에 대한 노출이 질병발생과 관련이 높다.

교차비 < 1은 위험요인에 대한 노출이 질병발생과 관련이 낮다.

04

정답 ④

후향적 코호트연구

이미 있는 과거자료를 이용하여 과거의 관찰시점으로 돌아가서 그 시점으로부터 연구시점까지 기간을 조사하는 방법으로 특정 위험요인에 노출(폭로)된 집단과 그렇지 않은 집단을 대상으로 한다.

05

정답 ②

독력

; 임상적으로 중독한 질병을 일으키는 능력으로 현성 감염으로 인한 사망이나 후유증을 나타내는 정도를 의미하며 독력 평가 지표는 치명률

- 독력(병독성)

$$= \frac{\text{중환자 수} + \text{사망자 수}}{\text{발병자 수}} \times 100$$

06

정답 ④

장티푸스

쌀뜨물 같은 설사는 콜레라의 주 증상이다.

07

정답 ③

소장

회충의 인체 기생장소

08

정답 ②

세균성 식중독과 소화기계 감염병의 비교

세균성 식중독	소화기계 감염병
잠복기와 식중독의 경과가 짧다.	잠복기와 식중독의 경과가 길다.
면역형성이 안 된다.	어느 정도 면역이 형성된다.
소화기계 감염병과 비교해 발병력이 낮다.	발병력이 높다.
다량의 균이나 독소량이 많을 때 발생되며 주로 오염식품 섭취로 감염된다.	아주 소량의 병원체라도 생체 내에 침입할 경우 급격히 증식된다.

09

정답 ⑤

단백질 부족

혈액응고 지연은 비타민K 부족으로 나타나는 증상이다.

10

정답 ④

보건복지부 직제: 4실 6국

- 4실: 보건의료정책실, 사회복지정책실, 기획조정실, 인구정책실
- 6국: 건강보험정책국, 건강정책국, 보건산업정책국, 장애인 정책국, 연금정책국, 사회보장위원회 사무국

11

정답 ①

보건소 업무

- 국민건강 증진, 보건교육, 구강보건 및 영양관리 사업
- 감염병의 예방, 관리 및 진료
- 모자보건 및 가족계획사업
- 노인보건사업
- 공중위생 및 식품위생
- 의료인 및 의료기관에 대한 지도 등에 관한 사항
- 의료기사, 의무기록사 및 안경사에 대한 지도 등에 관한 사항
- 응급의료에 관한 사항
- [농어촌 등 보건의료를 위한 특별조치법]에 의한 공중보건의사, 보건진료원 및 보건진료소에 대한 지도 등에 관한 사항
- 약사에 관한 사항과 마약, 향정 신성의약품의 관리에 관한 사항
- 정신보건에 관한 사항
- 가정, 사회복지시설 등을 방문하여 행하는 보건 의료사업
- 지역주민에 대한 치료, 건강진단 및 만성 퇴행성 질환 등의 질병관리에 관한 사항
- 보건에 관한 실험 또는 검사에 관한 사항
- 장애인의 재활사업 기타 보건복지부령이 정하는 사회복지사업
- 기타 지역 주민의 보건의료의 향상, 증진 및 이를 위한 연구 등에 관한 사항

12

정답 ②

분단토의(버즈세션)

; 전체를 여러 개의 분단으로 나누어 토의한 후 다시 전체회의에서 종합하는 방법으로 '와글와글 학습법'이라고도 한다. 참석인원이 많아도 진행이 가능하며 교육대상자에게 각각 참여 기회가 주어진다. 사회성과 반성적 사고능력이 길러진다.

- 패널토의(배심토의): 특정 주제에 대하여 청중 앞에서 각기 상반되는 의견을 가진 4~7명의 소수의 전문가인 대표자들이 사회자의 진행에 따라 그룹 토의하는 방법으로 전문가들의 발표 후에 청중의 질의 응답을 통해 전체 토의가 진행된다.

13

정답 ④

산업보건의 역사

- 아그리콜라: 『금속에 대하여』 저술
- 포트(Perivical Pott): 굴뚝청소부의 직업병 '음낭암' 발견

14

정답 ④

생명함수

- 생존수, 사망수, 생존율, 사망률, 사력, 평균여명

15

정답 ①

일차성 당뇨병(원발성 당뇨병)

- 제1형 당뇨병(인슐린 기능결함): 인슐린 의존형 당뇨병, 췌장의 인슐린 생산이 불가능하거나 소량으로 분비하여 발생하는 질병으로 인슐린 결핍 상태이며 인슐린 투여가 필요하다. 인슐린 의존성 또는 소아당뇨라고도 하며 전체 당뇨병의 5% 미만을 차지한다. 40대 이전의 젊은 층에서 발병빈도가 높고 정상체격이거나 마르고 쇠약한 체격을 가진다.

- 제2형 당뇨병(인슐린 기능장애): 인슐린 비의존형 당뇨병, 췌장의 인슐린이 정상적으로 생산되더라도 신체 세포들이 분비된 인슐린을 효과적으로 활용하지 못하여 인슐린의 분비량이 부족하여 발생하는 질병으로 환경적인 영향이 크며 유전적경향이나 감염, 췌장 수술, 약제 등에 의해서도 유발 가능하다. 인슐린 비의존성 당뇨라고 하며 전체 당뇨병의 90% 이상을 차지한다. 40대 이후에 발병빈도가 높고 비만인 경우가 많다.

16

정답 ④

산욕기

; 임신 및 분만에서 생긴 모체의 해부학적, 기능적 변화들이 회복되는 기간으로 분만 후 6~8주까지의 기간이다.

17

정답 ③

폭기의 기능

산소와 CO_2, H_3S, CH_4, NH_4 등과 교환하여 가스류를 제거하고 pH를 높이며 냄새와 맛을 제거하고 물의 온도를 냉각시킨다. 철과 망간 등을 제거한다.

18

정답 ②

염소 소독(화학적 소독, 가장 많이 이용하는 소독법)

- 장점 : 우수 잔류효과, 강한 소독력, 경제적이고 조작방법이 간단함
- 단점 : THM (트리할로메탄)이라는 독성 발암물질 형성, 냄새 발생, 바이러스 미사멸 등

19

정답 ③

WHO의 3대 보건지표

평균수명, 조사망률, 비례사망지수

20

정답 ①

유병률

- 감수성 있는 가구원: 이 병원체에 특이항체를 가지고 있지 않은 사람을 의미
- 유병률= 어떤 시점의 환자 수/어떤 시점의 인구 수 × 1,000
- 어떤 시점에서 조사 당시 질병이 있는 모든 사람을 의미하며 이환 시기가 짧으면 유병률이 낮고 이환 시기가 길면 유병률이 높다(유병률 = 발생률 × 이환 기간).
- 감염병 유행기간이 짧으면 발생률과 유병률은 비슷해진다.
- 급성 감염병: 발생률은 높고, 유병률은 낮다.
- 만성 감염병: 발생률은 낮고, 유병률은 높다.

01

정답 ④

Leavell & Clark(리벨과 클락)의 분류

구분	I	II	III	IV	V
질병의 과정	무병기 (비병원성기)	전병기 (초기병원성기)	잠복기 (불현성감염기)	진병기 (발현성질환기)	정병기 (회복기)
예비적 조치	• 적극적 예방 • 환경위생 • 건강증진	• 소극적 예방 • 특수예방 • 예약접종	• 중증의 예방 • 조기진단 및 집단검진	• 치료 • 질병의 진 행 방지	• 무능력 예방 • 재활치료 • 사회생활 복귀
예방 차원	1차적 예방		2차적 예방		3차적 예방

02

정답 ④

WHO 6개 지역사무소

미주 지역사무소: 미국 워싱턴 본부

- 아프리카 지역사무소: 콩고 브라자빌 본부
- 유럽 지역사무소: 덴마크 코펜하겐 본부
- 서태평양 지역사무소: 필리핀 마닐라 본부
- 동지중해 지역사무소: 이집트 알렉산드리아 본부
- 동남아시아 지역사무소: 인도 뉴델리 본부

03

정답 ③

환자-대조군 연구(Case-control Study)

; 후향적 연구, 기왕 조사

- 연구하고자 하는 특정 질병에 이환된 환자군과 그렇지 않은 대조군을 선정하여 질병에 이환되기 전 과거에 특정 위험요인에 얼마나 노출(폭로)되었는지 조사하여 그 위험요인에 대한 질병 발생 원인 정도를 확인하는 연구
- 코호트연구를 통해 상대위험도를 구할 수 있다.

04

정답 ④

민감도(감수성)

확진된 검사방법을 가진 질병에 걸린 환자를 환자로 확인할 수 있는 능력

- 민감도

$$= \frac{A \text{ (진양성)}}{A+C \text{ (총 환자수)}} \times 100$$

$$= \frac{75명}{100명} \times 100 = 75\%$$

검사결과	확진 유무		계
	질병 (유)	질병 (무)	
양성(+)	A (진양성)	B (가양성)	A+B (총 검사 양성 수)
음성(−)	C (가음성)	D (진음성)	C+D (총 검사 음성 수)
합계	A+C (총 환자수)	B+D (총 비환자수)	A+B+C+D (총 수)

05

정답 ③

인수공통 감염병

장출혈성대장균감염증, 일본뇌염, 브루셀라증, 탄저, 공수병, 동물인플루엔자 인체감염증, 중증급성호흡기증후군(SARS), 변종크로이츠펠트−야콥병(vCJD), 큐열, 결핵, 중증열성혈소판감소증후군(SFTS) (11종)

06

정답 ②

폐렴구균

- 접종대상
  - 모든 영유아를 대상으로 한다.
  - 65세 이상 노인을 대상으로 접종할 것을 권장
- 표준접종시기
  - 영유아의 경우 폐렴구균 단백결합 백신으로 생후 2개월, 4개월, 6개월에 3회
    기초접종을 실시하고, 생후 12 ~ 15개월에 1회 추가접종할 것을 권장
  - 65세 이상 노인은 폐렴구균 다당질 백신으로 1회 접종할 것을 권장

07

정답 ④

질병 매개 작용 모기

- 작은 빨간집 모기 : 일본뇌염 매개
- 중국 얼굴 날개 모기: 말라리아 매개
- 토고숲 모기: 말레이사상충 매개
- 열대숲 모기: 황열, 뎅기열 매개
- 흰줄숲모기: 뎅기열 매개

08

정답 ④

세균성 식중독의 분류

감염형 식중독	장염비브리오균, 살모넬라균, 병원성대장균, 아리조나균, 여시니아균, 캠필로박터균
독소형 식중독	황색포도상구균, 클로스트리듐 보툴리누스균, 웰치균, 세레우스균 등
기타 식중독	장구균, 리스테리아균, 프로테우스균 등

09

정답 ④

특이동적 작용(SDA; Specific Dynamic Action)

- 식사 섭취 후 대사 항진 시 소비되는 에너지로 일에너지는 사용되지 않고 열에너지로 상실
- SDA는 먹는 음식의 양과 종류에 따라 다양한데 단백질의 약 30%, 탄수화물 4~5%, 지방 4% 열량 필요. 따라서 다이어트 식단에 단백질 섭취가 효과적

10

정답 ①

Roemer(뢰머, 1976년)의 보건의료체계

- 자유기업형
- 복지국가형
- 저개발국형
- 개발도상국형
- 사회주의국형

11

정답 ④

조선구호령 제정: 일제 말기(1944년)

- 생활보호법 제정(1961년)되기까지 사회복지사업의 근간
- 양로 및 고아보호사업, 극빈자에 대한 구호사업 실시

12

정답 ②

심포지엄

3~5명의 전문가가 동일한 주제에 대하여 10~15분 발표하고 발표내용을 중심으로 사회자가 청중을 공개토론에 참여시키는 교육 방법으로 사회자는 관련 분야의 전문가이어야 하며 청중 역시 주제에 관하여 전문지식을 가진 전문가들로 구성된다. 심포지엄은 전문성과 관계가 깊다.

13

정답 ①

최고허용한계농도(TLVs-C)

천정치, 최고노출기준치로 단 한 순간이라도 초과되지 않아야 하는 농도로 독작용이 빠른 물질이나 자극성 가스에 적용된다.

14

정답 ④

부양비 특징

- 총부양비가 높을수록 후진국이다. 선진국보다 개발도상국에서 총부양비가 높게 나타난다.
- 노년부양비는 선진국이 높고, 유년부양비는 개발도상국이 높다.
- 우리나라에서 총부양비는 농촌이 도시보다 높다.
- 인구의 구조는 모든 사회에서 낮은 연령층이 상대적으로 많이 때문에 총부양비는 대체로 유년부양비에 의해 결정된다.

15

정답 ③

당뇨병의 3대 증상

다뇨(소변을 많이 봄), 다갈(심한 갈증을 느낌)·다음
(물을 많이 마심), 다식(많이 섭취)

16

정답 ②

임신중독증

- 비정상적인 태반 형성으로 인한 내막세포의 기능
  부전이 그 원인으로 혈류공급이 제한되어 임신
  중에 형성된 독소가 배출되지 않고 억류되어 나
  타나는 중독증세
- 임신중독증 3대 증상: 고혈압, 단백뇨, 부종

17

정답 ②

활성오니법(표준 활성 슬러지법)

- 침전지를 걸러 나온 하수에 활성슬러지를 하수량
  의 약 25%를 첨가하여 산소를 공급한 후 발생하
  는 호기성 미생물의 활동으로 유기물을 산화(분
  해)시키는 방법
- 생물학적 처리법 중 가장 발달한 방법으로 기계
  조작이 어려워 고도의 숙련 기술 필요하며 동력
  비 측면에서 비경제적이고 슬러지 발생량 많음.
  온도에 민감하며 중금속 및 화학처리가 곤란함.
- 처리 면적이 작아도 가능하며 BOD 제거율 90% 이상
- 슬러지 팽화현상(Sludge bulking) 발생: 활성오니
  처리 시 오니가 비정상적으로 팽화하여 침강석
  및 응집성을 상실하여 최종침전지에서 활성오니
  의 침전분리가 곤란해지는 현상
- 대도시 하수 처리방법

18

정답 ②

LA형 스모그와 London형 스모그의 비교

	LA 형 스모그	London 형 스모그
발생 원인	고농도 산화물에 의한 산화형 스모그, 자동차 배기가스	아황산가스 주원인으로 석탄가스 사용, 매연 및 안개에 의한 환원형 스모그
인체 영향	눈과 목의 자극	가래, 기침, 호흡기 질환
발생 시간	낮	이른 아침
발생 온도	24~32℃	-1~4℃
발생 습도	70% 이하	85% 이상
풍속	5 m 이하	무풍
역전 종류	침강성 역전	복사성(방사성) 역전
발생 월	8월, 9월	12월, 1월
주요 성분	O_3, CO, NO_2, 유기물	SOX, CO, 입자성 물질

19

정답 ②

정규분포

- 통계분석 시 가장 많이 쓰이는 기본적인 분포로
  매우 중요한 역할
- 정규분포의 모양은 평균을 중심으로 좌우 대칭이
  며 마치 종(bell)을 엎어놓은 것 같은 모양의 분포
  로 가우스(Gaus) 분포라고도 함
- 평균값, 중앙값, 최빈값이 정확히 일치하는 연속
  형 분포이다. 즉, 평균을 중심으로 표준 편차의
  범위 안에 양쪽 옆으로 전체 데이터에 대한 정보
  가 50%씩 속해 있는 좌우 대칭
- 분포의 평균과 표준편차가 어떠한 값을 갖더라도
  정규곡선과 x축 사이의 전체면적은 1임
- 평균을 중심으로 양쪽으로 1시그마 안에는 전체
  데이터의 정보 중 약 68.3%가 속해 있고, 2시그마
  안에는 약 95.4%, 3시그마 안에는 99.7%가 속해
  있음

20

정답 ①

확률표본추출

- 단순무작위표본추출
- 계통적표본추출
- 층화표본추출
- 집락표본추출

비확률표본추출

- 할당표본추출
- 임의표본추출(우발적표집)
- 유의표집(판단표집)
- 눈덩이표집(누적표집)
- 의도적 또는 판단표본추출

01

정답 ②

Leavell & Clark(리벨과 클락)의 분류

구분	I	II	III	IV	V
질병의 과정	무병기 (비병원성기)	전병기 (초기병원성기)	잠복기 (불현성감염기)	진병기 (발현성질환기)	정병기 (회복기)
예비적 조치	· 적극적 예방 · 환경위생 · 건강증진	· 소극적 예방 · 특수예방 · 예약접종	· 중증의 예방 · 조기진단 및 집단검진	· 치료 · 질병의 진행 방지	· 무능력 예방 · 재활치료 · 사회생활 복귀
예방 차원	1차적 예방		2차적 예방		3차적 예방

02

정답 ③

한국의 공중보건 역사

	통일신라시대	고려시대	조선시대
서민의료 담당		혜민국	혜민국
감염병 환자 치료		동서대비원	활인서
왕실의료 담당	내공봉의사	상약국	내의원
의약행정 담당	약전	태의감	전의감
구료기관		제위보	제생원 (의녀근무)

03

정답 ②

후향적 코호트연구

- 이미 있는 과거자료를 이용하여 과거의 관찰시점으로 돌아가서 그 시점으로부터 연구시점까지 기간을 조사하는 방법으로 특정 위험요인에 노출(폭로)된 집단과 그렇지 않은 집단을 대상으로 한다.

전향적 코호트 연구

- 연구하고자 하는 질병에 이환되지 않는 건강한 사람들을 대상으로 특정 위험요인에 노출(폭로)된 집단과 그렇지 않은 집단으로 나누어 추적관찰을 통하여 두 집단의 질병 발생률을 비교, 분석하며 조사하는 연구

환자-대조군 연구(Case-control Study) (후향적 연구, 기왕 조사)

- 연구하고자 하는 특정 질병에 이환된 환자군과 그렇지 않은 대조군을 선정하여 질병에 이환되기 전 과거에 특정 위험요인에 얼마나 노출(폭로)되었는지 조사하여 그 위험요인에 대한 질병 발생원인 정도를 확인하는 연구

04
정답 ④

양성예측도
; 질병에 대해 양성으로 판정받은 사람 중에 실제 양성으로 판정될 확률

- 음성예측도: 질병에 대해 음성으로 판정받은 사람 중에 실제 음성으로 판정될 확률
- 위양성도: 의양성, 실제 질병이 없음에도 양성 판정을 받은 사람
- 위음성도: 의음성, 실제 질병이 있음에도 음성 판정을 받은 사람
- 신뢰도: 동일한 대상에 대하여 동일한 방법으로 측정을 반복할 때 얼마나 일치하는 값을 얻을 수 있는가의 정도
- 민감도(감수성): 확진된 검사방법을 가진 질병에 걸린 환자를 환자로 확인할 수 있는 능력

05
정답 ③

수인성 감염병 특징

- 오염수에 의한 감염으로 폭발적으로 환자수가 급증하며(2~3일 내로), 치명률 및 발병률이 낮다. 2차 감염 환자가 적고, 유행지역과 음료수 사용지역이 일치한다. 계절과 무관하게 발생하고, 가족 집적성은 낮다. 급수시설에서 오염의 원인이 나타나며 급수지역 내에서 환자가 발생한다.

06
정답 ②

폐결핵 검진

- 어린이: TB 검사 → X선 직접촬영 → 배양(객담)검사
- 성인: X선 간접 촬영 → X선 직접 촬영 → 배양(객담)검사

07
정답 ④

바퀴의 특징

- 전 세계적으로 분포하며 여러 마리가 군집생활
- 군거성, 야행성, 질주성, 잡식성 등

08
정답 ①
포도상구균 식중독

- 원인균: 황색포도상구균(Staphylococcus Aureus)
- 잠복기: 평균 3시간(세균성 식중독 중에 잠복기 가장 짧다)
- 증상: 구역질, 구토, 복통, 설사 등 급성위장염 증상
- 감염경로: 유제품, 도시락, 김밥 등이 원인 식품이 되어 감염
- 예방: 화농성 환자, 인후염 환자 음식 조리 금지, 저온보관, 조리된 식품 2시간 이내 섭취, 식기 멸균 철저
- 포도상구균이 생성하는 장독소 Enterotoxin에 의해 식중독 발생

09
정답 ②
무기질 결핍 시 발생하는 질병

- 나트륨: 열중증, 저혈압, 설사
- 칼륨: 근육 약화(골격, 심근, 내장근 등)
- 염소; 성장속도 지연
- 칼슘: 구루병, 골연화증, 성장지연, 임산부의 치아 약화
- 마그네슘: 신경질환
- 인: 골연화증, 골절
- 요오드: 크레틴증, 점액수종
- 철분: 빈혈, 두통

10
정답 ③
5대 사회보험

산업재해보상보험(1964) → 건강보험(1977) → 국민연금보험(1988) → 고용보험(1995) → 노인장기요양보험(2008)

11
정답 ②
국민보건서비스형(NHS)

- 정부의 일반조세로 재원을 마련하여 모든 국민에게 무상으로 의료를 제공하는 것으로 조세방식 또는 베버리지 방식
- 영국, 스웨덴, 이탈리아, 캐나다 등에서 시행
- 국내 거주 모든 사람에게 포괄적인 보건의료서비스를 무료로 제공
- 예방중심적
- 의료의 질 저하 가능, 정부의 의료비 과다 지출 문제 가능

사회보험형(NHI)

- 의료비에 대하여 국민의 자기 책임의식을 강조하고 정부의존을 최소화하여(일부 국고지원) 보험자가 보험료를 재원 마련하여 의료를 보장하는 것으로 사회보험 방식 또는 비스마르크 방식이라고 함
- 한국, 독일, 일본, 프랑스, 대만, 네덜란드 등에서 시행
- 대상자 모두가 강제로 가입하며 의료공급자, 보험자, 피보험자가 존재
- 치료중심적
- 양질의 의료 제공 가능, 의료비 증가에 대한 억제 기능의 취약성으로 보험재정 불안정 가능성

12

정답 ③

학교 내 환경관리

학교 교실 내의 이산화탄소 허용수치는 1,000 ppm 이다.

13

정답 ②

망간중독

– 망간 광석 관련 작업장에서 발생하는 질병
– 지속적으로 흡입하면 언어장애, 정신착란, 불면증, 식욕감퇴, 경도의 신경장애 발생
– 심하면 파킨슨 증후군 유발

14

정답 ①

인구구조의 유형

피라미드형	종형 (벨형, 이형)	항아리형 (방추형)	별형	기타형
다산다사형	소산소사형	출생률 〈 사망률	도시형, 유입형	농촌형, 유출형
인구 증가형	인구정지형	인구감소형	성형, 스타형	호로형, 표주박형
발전형	선진국형	일부 선진국형	생산연령인구 유입 많아 도시지역 인구구조	생산연령 인구가 도시로 이동하는 농촌지역 인구구조
개발도상국형	노인비중 높아 노인문제 발생	유소년층 비율이 낮아 국가경쟁력 약화의 우려	15~49세 인구가 전체 인구의 50%를 넘는다.	15~49세 인구가 전체 인구의 50% 미만이다.
0~14세의 인구가 65세 이상의 인구의 2배가 넘는다.	0~14세의 인구가 65세 이상의 인구의 2배이다.	0~14세의 인구가 65세 이상의 인구의 2배에 도 달하지 못한다.	청장년층의 유입으로 출산력 상승에 의한 유년층 비율이 높다.	청장년층의 유출로 출산력 저하에 의한 유년층 비율이 낮다.

15

정답 ①

대사증후군 진단 기준

- 복부비만: 한국인의 경우 허리둘레가 남자 90 cm, 여자 85 cm 초과
- 고중성지방혈증: 혈액 내 중성지방이 150 mg/dL 이상
- 낮은 고밀도지단백 콜레스테롤(HDL-cholesterol) 혈증: 남자 40 mg/dL 미만, 여자 50 mg/dL 미만
- 공복혈당: 100 mg/dL 이상 혹은 투약 중
- 고혈압: 혈압이 130/85 mmHg 이상 혹은 투약 중

16

정답 ④

조산아 4대 관리

- 호흡관리
- 체온관리: 실내온도 30~32℃, 습도 55~60%
- 영양보급
- 감염병의 감염방지: 소독된 마스크, 모자, 가운 등 착용 및 격리

17

정답 ①

오존층 파괴로 인한 영향

자외선 노출로 면역기능의 약화, 피부노화, 피부암 발생, 백내장 증가, 기후 온난화 영향, 해양 플랭크톤의 체질 변화로 해양계의 먹이사슬 파괴, 농작물이나 각종 생태계 파괴 등

18

정답 ①

용존산소량(DO)이 높은 경우

- 기압이 높을수록
- 유속이 높을수록
- 온도가 낮을수록
- 염분이 낮을수록
- 수심이 얕을수록
- 겨울 〉 여름
- 주간 〉 야간
- 물의 오염도가 낮을수록

19

정답 ④

순재생산율

; 일생 동안 출산한 여아의 수 가운데 출산가능 연령에 도달한 생존여자의 수만을 나타낸 것으로 가임기간 동안 일생에 여아를 몇 명 출산하였는가를 나타냄(어머니의 사망률 고려)

- 순재생산율 1.0: 인구 증감이 없이 1세대와 2세대 간의 여자 수가 같다.
- 순재생산율 1.0 이상: 다음 세대 인구의 증가
- 순재생산율 1.0 이하: 다음 세대 인구의 감소

20

정답 ③

비례사망지수(PMI)

- 총 사망자 수에 대한 50세 이상의 사망자 수를 백분율로 표시한 지수를 의미
- PMI가 크다는 것은 50세 이상의 사망자 수가 많아 장수인구가 많고 건강수준이 높음을 의미
- PMI가 낮다는 것은 평균수명이 그 원인으로 낮은 연령층의 사망에 관심을 가져야 함을 의미